C000164499

Logainmneacha na hÉireann III
Cluain i logainmneacha Co. Thiobraid Árann

Pádraig Ó Cearbhaill

(An Brainse Logainmneacha sa Roinn Gnóthaí Pobail,
Comhionannais agus Gaeltachta)

An Chéad Chló 2010
© Rialtas na hÉireann
ISBN 978-1-4064-2308-2

BAILE ÁTHA CLIATH
ARNA FHOILSIÚ AG OIFIG AN tSOLÁTHAIR

Le ceannach díreach ón
OIFIG DHÍOLTA FOILSEACHÁN RIALTAIS,
TEACH SUN ALLIANCE, SRÁID THEACH LAIGHEAN,
BAILE ÁTHA CLIATH 2,
nó tríd an bpost ó
FOILSEACHÁIN RIALTAIS, AN RANNÓG POST-TRÁCHTA,
AONAD 20 PÁIRC MIONDÍOLA COIS LOCHA,CLÁR CHLAINNE MHUIRIS,
CONTAE MHAIGH EO
(Teil: 01 – 6476834 nó 1890 213434; Fax 01 – 6476843 nó 094 - 9378964)
nó trí aon díoltóir leabhar.

_____

DUBLIN
PUBLISHED BY THE STATIONERY OFFICE

To be purchased directly from the
GOVERNMENT PUBLICATIONS SALE OFFICE
SUN ALLIANCE HOUSE, MOLESWORTH STREET, DUBLIN 2,
or by mail order from
GOVERNMENT PUBLICATIONS, POSTAL TRADE SECTION,
UNIT 20 LAKESIDE RETAIL PARK, CLAREMORRIS, CO. MAYO
(Tel: 01 – 6476834 or 1890 213434; Fax: 01 – 6476843 or 094 - 9378964)
or through any bookseller.

Clúdach: Teampaillín Phéacáin *(Con Brogan, Tony Roche)*

Compuscript a dhear an leabhar.
Bruswick Press a chlóbhuail.

Logainmneacha na hÉireann III
Cluain i logainmneacha Co. Thiobraid Árann

Foireann an Bhrainse Logainmneacha sa Roinn Gnóthaí Pobail, Comhionannais agus Gaeltachta a d'ullmhaigh an leabhar seo.
Taighde Pádraig Ó Cearbhaill.
Bhí na hoifigigh, nó na hiar-oifigigh seo a leanas páirteach chomh maith: Alan Mac an Bhaird, Dónall Mac Giolla Easpaig, Conchubhar Ó Crualaoich, Pádraig Ó Dálaigh, Art Ó Maolfabhail agus Nollaig Ó Muraíle. Thug Aindí Coyle, Seán McGlinchey agus Nuala Uí Dhúill cúnamh chun an t-ábhar a leagan amach, chun innéacsanna agus léarscáileanna a réiteach.

Is mian le hAire an Roinn Gnóthaí Pobail, Comhionannais agus Gaeltachta buíochas a ghabháil leis na daoine seo a leanas as a gcúnamh:
Seosamh Ó Braonáin, cathaoirleach an Choimisiúin Logainmeachta agus baill uile an Choimisiúin;
baill den Roinn Comhshaoil, Oidhreachta agus Rialtais Áitiúil, Tony Roche agus Con Brogan, Rannóg na Grianghrafadóireachta, a thóg agus a sholáthair an grianghraf atá ar an gclúdach agus na grianghrafanna atá ar lgh. 44, 87, 141, 186, 220; Muiris de Buitléir, Aonad Chórais Faisnéise Geografaí, a sholáthair léaráidí agus comhordanáidí na logainmneacha; Suirbhéireacht Ordanáis Éireann a thug cead dúinn na grianghrafanna agus na sliochtléarscáileanna a úsáid atá ar lgh. 18, 35, 49, 50, 56, 58, 59, 64, 65, 69, 73, 74, 78, 79, 85, 86, 92, 93, 103, 104, 109, 112, 113, 115, 121, 122, 130, 131, 132, 135, 149, 150, 156, 159, 160, 171, 183, 184, 192, 193, 199, 202, 203, 211, 213 – uimhir an cheadúnais, 8681;
pobal Co. Thiobraid Árann, ar a raibh Liam Ó Duibhir go háirithe, a sholáthair foirmeacha áitiúla logainmneacha;
Rita Bhreathnach; Eilis Fitzsimons; Siobhán Ní Laoire; Diarmuid Ó Murchadha a roinn a chuid eolais linn faoi logainmneacha áirithe; Michelle O Riordan; James Harte, Leabharlann Náisiúnta na hÉireann;
iarbhaill uile an Bhrainse Logainmneacha, go mór mór Cionaoth Bale (R.I.P.) agus Seán Ó Cearnaigh.
Tá buíochas ar leith dlite ag Próinséas Ní Chatháin, ag G. S. Mac Eoin agus ag Liam Mac Con Iomaire as a gcúnamh.

Clár an Ábhair

NODA GINEARÁLTA

abh	abhainn
aid.	aidiacht
ain.	ainmneach
ainmfh.	ainmfhocal
áins.	áinsíoch
AN.	Angla-Normannach
app.	appendix
B.	Béarla
bain.	baininscneach
bar	barúntacht
bf	baile fearainn
bl.	bliain
Com' Regine	Com[atus] Regine (= Queen's Co.)
Com' Regis	Com[atus] Regis (= King's Co.)
eag.	eagarthóir(í)
ed.	editor(s)
fir.	firinscneach
G.	Gaeilge
gin.	ginideach
iml.	imleabhar
inq.	inquisitions
íocht.	íochtarach
iol.	iolra
L.	Laidin
l., ll.	líne, línte
lch.	leathanach
lgh.	leathanaigh
log.	logainm
LS(S)	lámhscríbhinn(í)
lsc.	léarscáil
MG.	Meán-Ghaeilge
MS(S)	manuscript(s)
NG.	Nua-Ghaeilge
n.	nóta
p	paróiste
SG.	Sean-Ghaeilge
SO	léarscáileanna Shuirbhéireacht Ordanáis na hÉireann
tabh.	tabharthach
u.	uatha
uacht.	uachtarach

NODA AGUS GIORRÚCHÁIN (FOINSÍ)

Is do leathanaigh a dhéantar tagairt de ghnáth. Is do pharagrafanna uimhrithe a thagraítear i gcás na foinse *F* thíos.

Ac. Bec	Acallam Bec (*Lis.* 194 Ra-200 Vb).
Ac. na Sen. (Stokes)	*Acallamh na Senórach*, ed. W. Stokes (1900), *Irische Texte* 4, cuid 1. Leipzig.
AConn.	*Annála Connacht: the Annals of Connacht (A.D. 1224-1544)*, ed. A. M. Freeman (1944). BÁC.
Adomnan	*Adomnan's Life of Columba*, ed. A. O. Anderson & M. O. Anderson (1961). London.
Ag. na Sean.	*Agallamh na Seanórach* I-III, eag. N. Ní Shéaghdha (1942, 1945). BÁC
AID	'Ancient Irish Deeds and writings, chiefly relating to landed property, from the 12th-17th century, with translations, notes and a preliminary essay', J. Hardiman (1826), *R. I. A. transactions XV: Antiquities*, 3-95.
AIF	*The Annals of Innisfallen (MS Rawlinson B 503)*, ed. S. Mac Airt (1951). BÁC.
Aisl. MC	*Aislinge Meic Con Glinne*, ed. K. H. Jackson (1990). BÁC
Áit.	Fianaise Áitiúil (1963-4, 1989, 1991, 1993) ar théip go hiondúil, ar coimeád i gcartlann an Bhrainse Logainmneacha.
AL	Ainmleabha(i)r na Suirbhéireachta Ordanáis de réir paróistí dlí – LSS sa *CN*.
ALC	*The Annals of Loch Cé* I, II, ed. W. Hennessy (1871). BÁC.
Alen's Reg.	*Calendar of Archbishop Alen's Register c. 1172-1534*, ed. C. McNeill (1950). BÁC.
Anal. Hib.	*Analecta Hibernica* (1973-).
Ann. Cas.	'Obligationes pro annatis diocesis Cassellensis', ed. L. Ryan & W. Skehan (1966), *Archiv. Hib.* 28, 1-32.
Ann. Cloyn.	'Obligationes pro annatis diocesis Cloynensis', ed. D. Buckley (1961), *Archiv. Hib.* 24, 1-30.
Ann. Fern.	'Obligationes pro annatis diocesis Fernensis', ed. J. Ranson (1955), *Archiv. Hib.* 18, 1-15.
Ann. Im.	'Obligationes pro annatis diocesis Imelacensis', ed. L. Ryan & W. Skehan (1966), *Archiv. Hib.* 28, 33-44.
Ann. Laon.	'Obligationes pro annatis diocesis Laonensis', ed. D. F. Gleeson (1943), *Archiv. Hib.* 10, 1-103.
Ann. Lis.	'Obligationes pro annatis diocesis Lismorensis 1426-1529', ed. P. Power (1946), *Archiv. Hib.* 12, 15-61.

Ann. Ult.	*De annatis Hiberniae: a calendar of the first fruits' fees levied on papal appointments to benefices in Ireland A.D. 1400-1535 ... I: Ulster*, M. A. Costello (1912). BÁC, Maynooth.
AosTM	*Stair Aos Trí Muighe (i gContae Luimnigh)*, G. Mac Spealáin (1967). BÁC.
Archd. CE	*Archdiocese of Cashel and Emly*, W. G. Skehan & T. Ó Muiris (1970). Thurles.
Archiv. Hib.	*Archivium Hibernicum or Irish Historical Records* (1912-).
ARÉ	*Annála Rioghachta Éireann. Annals of the Kingdom of Ireland by the Four Masters* I-VII, ed. J. O'Donovan (an 2ú heagrán, 1856). BÁC.
ARoscrea	'The Annals of Roscrea', ed. D. Gleeson & S. Mac Airt (1958), *PRIA* 59 C 3, 137-80.
ASE	'Abstracts of grants of lands ... under the Acts of Settlement and Explanation, A.D. 1666-1684', app. to *Fifteenth Annual Report from the Commissioners of Public Records of Ireland* (1825), 45-280.
ASH	*Acta Sanctorum veteris et maioris Scotiae seu Hiberniae*, J. Colgan (1645). Louvain.
ATig.	'Annals of Tigernach', ed. W. Stokes (1895-7), *Rev. C* 16, 374-419, *Rev. C* 17, 6-33, 119-263, 337-420, *Rev. C* 18, 9-59, 150-197, 267-303, 374-391.
AU	*The Annals of Ulster (to A.D. 1131)* I, ed. S. Mac Airt & G. Mac Niocaill (1983). BÁC.
AU II-IV	*Annála Uladh; annals of Ulster; otherwise Annála Senait, annals of Senait; a chronicle of Irish affairs, 431-1131, 1155-1541; vol. IV Introduction and Index*, ed. B. Mac Carthy (1893-1901). BÁC.
Bailte Poist	*Ainmneacha Gaeilge na mBailte Poist* (1969). BÁC.
Bald	*Map of the maritime County of Mayo in Ireland ... executed by order of the Grand Jury ... commenced in 1809 and terminated in 1817*, W. Bald (1830).
BB	*The Book of Ballymote, a collection of pieces (prose and verse) in the Irish language, compiled about the beginning of the fifteenth century*, réamhrá, anailís ar an ábhar agus innéacs le R. Atkinson (1887). BÁC.
BBL	*The Black Book of Limerick*, ed. J. MacCaffrey (1907). BÁC.
BColmáin maic L	*Betha Colmáin maic Lúacháin ...*, ed. Kuno Meyer. Todd Lecture Series 42 (1911). BÁC.

Beatha Bharra	*Beatha Bharra: Saint Finbarr of Cork, the complete Life*, ed. P. Ó Riain. ITS 57 (1994). London.
Bethu Phát.	*Bethu Phátraic* I, ed. K. Mulchrone (1939). BÁC.
Biggs Esq., Ed.	Finné in *AL.*
BM Cat.	*Catalogue of Irish manuscripts in the British Museum* I, S. H. O'Grady, II, R. Flower (1926). London.
BS:AL	*Boundary Surveyor* (Foirm Bhéarlaithe de log. curtha síos do *BS* in *AL.*)
BSD (Cl)	*Books of Survey and Distribution, being abstracts of various surveys and instruments of title, 1636-1703: vol. IV County of Clare, reproduced from the manuscript in the Public Record Office of Ireland,* innéacsanna le B. Mac Giolla Choille, réamhrá le R. C. Simington (1967). BÁC.
BSD (Ga)	*Books of Survey and Distribution, ...: vol. III County Galway,* arna réiteach le foilsiú ag B. Mac Giolla Choille, réamhrá le R. C. Simington (1962). BÁC.
BSD (IM)	*Book of Survey and Distribution, Co. Westmeath* – LS sa *CN.*
BSD (ME)	*Books of Survey and Distribution, ...: vol. II County of Mayo,* arna réiteach le foilsiú ag, agus réamhrá le, R. C. Simington (1956). BÁC.
BSD (RC)	*Books of Survey and Distribution, ...: vol. I County of Roscommon,* arna réiteach le foilsiú ag, agus réamhrá le, R. C. Simington (1949). BÁC.
BSD (TÁ)	*Books of Survey and Distribution, Co. Tipperary* (Quit Rent Office set) – LS sa *CN.*
BUPNS	*Bulletin of the Ulster Place-Name Society* (1952-82). Belfast.
CAnmann	'Cóir Anmann (Fitness of Names)', ed. W. Stokes (1897), *Irische Texte* 3, cuid 2, ed. W. Stokes & E. Windisch, 285-444. Leipzig.
CBC	*The Compossicion Booke of Conought,* arna athscríobh ag A. M. Freeman (1936). BÁC.
CDI	*Calendar of documents relating to Ireland, 1171-1307* I-V, ed. H. S. Sweetman & G.F. Handcock (1875-86). London.
Céitinn	*Dánta, amhráin is caointe Sheathrúin Céitinn, Dochtúir Diadhachta (1570-1650 A.D.),* ed. E. Mac Giolla Eáin (1900). BÁC.
Cen.	*A census of Ireland, circa 1659, with supplementary material from the poll ordinances (1660-1661),* ed. S. Pender (1939). BÁC.
CGG	*Cogadh Gaedhel re Gallaibh: the war of the Gaedhil with the Gaill,* ed. J. H. Todd (1867). London.

CGH	*Corpus Genealogiarum Hiberniae* I, ed. M. A. O'Brien (1962, athchló 1976). BÁC.
CGn.	*Clárlann na nGníomhas*, BÁC (Tagraítear don iml., don lch. agus don ghníomhas faoi seach) – trascríbhinní meabhrachán.
CGSH	*Corpus Genealogiarum Sanctorum Hiberniae*, ed. P. Ó Riain (1985). BÁC.
Chart. John	'A charter of John, Lord of Ireland, in favour of Matthew Ua hÉnni, Archbishop of Cashel', K. Nicholls (1983), *Peritia* 2, 267-276.
Cín Lae Ó M	'Cín Lae Ó Mealláin', T. Ó Donnchadha (1931), *Anal. Hib.* 3, 1-61.
CJR	*Calendar of the justiciary rolls or proceedings in the court of the justiciar of Ireland ...* I-III, ed. J. Mills, H. Wood, A. E. Langman & M. Griffith (1905-1958c). BÁC.
Cl. Rec.	*Clogher Record, Journal of the Clogher Historical Society / Cumann Seanchais Chlochair* (1953-).
CMCS	*Cambridge / Cambrian Medieval Celtic Studies* (1981-).
CN	An Chartlann Náisiúnta, BÁC. Is in éineacht le huimhir / ainm LS de chuid na Cartlainne a úsáidtear an nod seo de ghnáth.
Co. an Chláir	*Conntae an Chláir: a triocha agus a tuatha*, S. Ó hÓgáin (1938). BÁC.
COD	*Calendar of Ormond Deeds* I-VI, ed. E. Curtis (1932-43). BÁC.
Co. Pres. Bk.:AL	County Presentment Book in *AL*.
Cork: Hist. & Soc.	*Cork: History and Society. Interdisclipinary essays on the history of an Irish county*, ed. P. O'Flanagan & C. G. Buttimer (1993). BÁC.
Corpas na G	*Corpas na Gaeilge 1600 – 1882*, eag. Ú. M. Uí Bheirn (2004). BÁC.
CPL	*Calendar of Papal Registers, Papal Letters, A.D. 1198-1503* I-XVI, ed. W. H. Bliss, J. A. Twemlow, M. J. Haren & A. P. Fuller (1893-1986). BÁC, London.
CPR	*Irish patent rolls of James I: facsimile of the Irish record commission's calendar prepared prior to 1830*, réamhrá le M. C. Griffith (1966). BÁC.
Crawford, W. C.	Finné in *AL*.
CrC	[Crichad an Chaoilli], 'The ancient territory of Fermoy', J. G. O'Keeffe (1926-8), *Ériu* 10, 170-189.
CrC 2	Crichad an Chaoilli: being the topography of ancient Fermoy, P. Power (1932). Cork, London etc.

[xi]

Críth Gabl.	*Críth Gablach*, D. A. Binchy. MMIS 11 (1941). BÁC.
CS I	*The Civil Survey A.D. 1654-6: County of Tipperary (eastern and southern baronies)*, arna réiteach le foilsiú ag, agus réamhrá le, R. C. Simington (1931). BÁC.
CS II	*The Civil Survey A.D. 1654-6: County of Tipperary (western and northern baronies) with the return of crown and church lands for the whole county*, R. C. Simington (1934). BÁC.
CS IV	*The Civil Survey A.D. 1654-6: County Limerick* ..., R. C. Simington (1938). BÁC.
CS VI	*The Civil Survey A.D. 1654-6: County of Waterford* ..., R. C. Simington (1942). BÁC.
CS VII	*The Civil Survey A.D. 1654-6: County of Dublin*, R. C. Simington (1945). BÁC.
CS IX	*The Civil Survey A.D. 1654-6: County of Wexford*, R. C. Simington (1953). BÁC.
CS X	*The Civil Survey A.D. 1654-6:* miscellanea, R. C. Simington (1961). BÁC.
CScot.	*Chronicum Scotorum*, ed. W. Hennessy (1866). London.
CThoir.	*Caithréim Thoirdhealbhaigh* I, ed. S. H. O'Grady. ITS 24 (1929). London.
Cummian's Letter	*Cummian's Letter De controversia paschali and the De ratione conputandi*, ed. M. Walsh & D. Ó Cróinín (1988). Toronto.
DCoCl	*The Dialects of Co. Clare* I-II, N. M. Holmer. Todd Lecture Series 19, 20 (1962, 1965). BÁC.
DIL	*(Contributions to a) Dictionary of the Irish language based mainly on Old and Middle Irish materials* (1913-76). BÁC.
Downes, Rev. Mr., P.P.	Finné in *AL*.
DS	[Down Survey], *Hibernia Regnum* (Léarscáileanna barúntachta, Sir. William Petty 1655-59, a tarraingíodh an tráth céanna le léarscáileanna oifigiúla paróistí *Down Survey – DS (P)*. Sa Bibliothèque Nationale, i bPáras atá na bunléarscáileanna barúntachta á gcomhad. Macasamhla a rinne agus a d'fhoilsigh The Ordnance Survey, Southampton, ó na bunchóipeanna, 1908).
DS (P)	*Parish Maps of the Down Survey* (Cóipeanna a rinne D. O'Brien sna blianta 1786-7 de léarscáileanna oifigiúla paróistí *Down Survey* Sir W. Petty; cuid de *TÁ*, bl. 1657) – lsc. *LN* 721.

DSPMcGrath	'Documents from the State Papers concerning Miler McGrath', ed. L. Marron (1958), *Archiv. Hib.* 21, 75-189.
Duan. Finn	*Duanaire Finn: the book of the lays of Fionn* I-III, ed. E. Mac Neill & G. Murphy. ITS 7, 28, 43 (1908 (athchló 1948), 1933, 1953). London.
Egan, I., C.C.	Finné in *AL.*
Éigse	*Éigse, a Journal of Irish Studies* (1939-).
Esch. Co. Map	*Maps of the escheated counties in Ireland, 1609* (28 léarscáileanna barúntachta, nó cuid de bharúntachtaí. In Public Record Office, London MPF 38-64 atá na bunléarscáileanna. Macasamhla a rinne agus a d'fhoilsigh The Ordnance Survey, Southampton, 1861).
Essex Lands	*'An exact and perfect survey and admeasurement of the landes belonging to the Right Honourable Earl of Essex and Ewe lyeing in the County of Monaghan in the Kingdom of Ireland taken and made by Thomas Raven ... performed in Anno 1634 & in 1635'* (Suirbhé neamhfhoilsithe i leabharlann Longleat, Wiltshire, Sasana; féach *Cl. Rec.*, 1983, 245 ff.).
F	'Calendar to fiants of reign of Henry VIII, 1510-47 ... of Queen Elizabeth, 1588-1603', app. to 7th-18th *RDK* (1875-86). BÁC.
F (Index)	'Index to Calendar of fiants of Elizabeth', app. to 21st and 22nd *RDK* (1889, 90). BÁC.
Facs. Nat. MSS II	*Facsimiles of National Manuscripts of Ireland* II, selected and edited by J. T. Gilbert and photozincographed by H. James (1878). London.
Farney Lands	*Farney Lands: 'A rent of all lands that belong to The Earl of Essex ... made the 11th of may 1637'* (LS i leabharlann Longleat, Wiltshire, Sasana).
FFÉ	*Foras Feasa ar Éirinn* le Seathrún Céitinn I-III, ed. D. Comyn & P. S. Dinneen. ITS 4 (1902), 8 (1908), 9 (1908). London.
FGB	*Foclóir Gaeilge-Béarla*, eag. N. Ó Dónaill (1977). BÁC
FGB (Dinneen)	*Foclóir Gaedhilge agus Béarla: An Irish-English dictionary,* P. S. Dinneen (athchló méadaithe 1934). BÁC.
FGorm.	*Félire Húi Gormáin*, ed. W. Stokes (1895). London.
FNÉ	[Félire na Naomh nÉrennach], *The martyrology of Donegal: a calendar of the saints of Ireland*, ed. J. H. Todd & W. Reeves (1864). BÁC.
FOeng.	*Félire Óengusso Céli Dé: the martyrology of Oengus the culdee*, ed. W. Stokes (an chéad eagrán 1905, athchló 1984). BÁC.

FOeng. 2	[Félire Oengusso], *On the calendar of Oengus*, ed. W. Stokes (1880). BÁC.
Forf. Est.	'Abstracts of the conveyances from the trustees of the Forfeited Estates and Interests in Ireland, in 1688', app. to *Fifteenth Annual Report from the Commissioners of Public Records of Ireland* (1825), 348-399.
Frag. Ann.	*Fragmentary Annals of Ireland*, ed. J. Radner (1978). BÁC.
FSÁG I	*Foclóir stairiúil áitainmneacha na Gaeilge / Historical dictionary of Gaelic placenames I: ainmneacha in A-*, ed. P. Ó Riain, D. Ó Murchadha & K. Murray. ITS (2003). London.
FSÁG II	*Foclóir stairiúil áitainmneacha na Gaeilge / Historical dictionary of Gaelic placenames II: ainmneacha i B-*, ed. P. Ó Riain, D. Ó Murchadha & K. Murray. ITS (2005). London.
FSÁG III	*Foclóir stairiúil áitainmneacha na Gaeilge / Historical dictionary of Gaelic placenames III: C-Ceall Fhursa*, ed. P. Ó Riain, D. Ó Murchadha & K. Murray. ITS (2008). London.
FSCTÁ I	*Fardal Seandálaíochta Chontae Thiobraid Árann I: Tiobraid Árann Thuaidh / Archaeological Inventory of County Tipperary I: North Tipperary*, arna thiomsú ag J. Farrelly & C. O'Brien (2002). BÁC.
GÉ	*Gasaitéar na hÉireann: ainmneacha ionad daonra agus gnéithe aiceanta*, arna ullmhú ag P. Ó Cearbhaill, D. Mac Giolla Easpaig, A. Ó Maolfabhail & N. Ó Muraíle; comhairleoir D. P. Ó Baoill (1989). BÁC.
Gen. Tracts	*Genealogical Tracts I: comprising, A. The Introduction to the Book of Genealogies, by Dubhaltach Mac Firbhiaigh* (sic), *B. The Ancient Tract on the Distribution of the Aithech-thuatha, C. The Lecan Miscellany, being a Collection of Genealogical Excerpts in the Book of Lecan*, ed. T. Ó Raithbheartaigh (1932). BÁC.
Gilmour, Corporal	Finné in *AL*.
GOI	*A grammar of Old Irish* (1946), R. Thurneysen. BÁC.
GPC	*Geiriadur Prifysgol Cymru / A dictionary of the Welsh Language*, ed. R. J. Thomas et al. (1950-). Cardiff.
Hib. Del.	*Hiberniae Delineatio* (Atlas na hÉireann, Sir. William Petty 1685; macasamhla a d'fhoilsigh, Graham, Newcastle upon Tyne, 1968.)
Hist. Cath. Ib.	*Historiae Catholicae Iberniae compendium* a D. P. O'Sullevano Bearro, ed. M. Kelly (1850). BÁC.

HMR (TÁ)	Tipperary's families: being the Hearth Money Records for 1665-6-7, T. Laffan (1911). BÁC.
Hy-Fiachrach	The genealogies, tribes, and customs of Hy-fiachrach, commonly called O'Dowda's Country, J. O'Donovan (1844). BÁC.
Hy-Many	The tribes and customs of Hy-Many, commonly called O'Kelly's Country ... from the Book of Lecan, J. O'Donovan (1843). BÁC.
IGT I-V	Irish Grammatical Tracts, ed. O. Bergin (1916-55), forlíonadh le Ériu 8-10, 14, 17.
IMED	Irish monastic and episcopal deeds A.D. 1200-1600, transcribed from the originals preserved at Kilkenny Castle with an appendix of documents of the sixteenth and seventeenth centuries relating to monastic property after the dissolution, ed. N. B. White (1936). BÁC.
Inch. Docs.	'Seven Irish documents from the Inchiquin archives', G. Mac Niocaill (1970), Anal. Hib. 26, 45-69.
Inchiquin	The Inchiquin Manuscripts, ed. J. Ainsworth (1961). BÁC.
Inhabs.:AL	'Inhabitants' in AL – fianaise a bailíodh ó mhuintir na háite.
Inq.(Ci)	Inquisitions, Co. Kerry – LSS in RIA.
Inq.(Cl)	Inquisitions, Co. Clare – LSS in RIA.
Inq.(Ga)	Inquisitions, Co. Galway – LSS in RIA.
Inq. Lag.	Inquisitionum in officio rotulorum cancellariae Hiberniae asservatarum repertorium I (Lagenia), ed. J. Hardiman (1826). BÁC.
Inq.(Lm)	Inquisitions, Co. Limerick – LSS in RIA.
Inq.(PL)	Inquisitions Co. Waterford – LSS in RIA.
Inq.(RC)	Inquisitions, Co. Roscommon – LSS in RIA.
Inq.(TÁ)	Inquisitions, Co. Tipperary – LSS in RIA.
Inq. Ult.	Inquisitionum in officio rotulorum cancellariae Hiberniae asservatarum repertorium II (Ultonia), ed. J. Hardiman (1829). BÁC.
Irl. Reg.	Irlandiae Regnum, G. Mercator (an chéad chló in atlas le Mercator dar teideal, Atlas sive Cosmographicae Meditationes de Fabrica Mundi et Fabricati Figura, AD 1595). Dusseldorf.
Ir. Mon. Poss.	Extents of Irish Monastic Possessions, 1540-1541, from manuscripts in the Public Record Office, London, ed. N. B. White (1943). BÁC.
ITS	Irish Texts Society (Comann / Cumann na Sgríbheann (n)Gaedhilge).

JCHAS	*Journal of the Cork Historical and Archaeological Society / Cumann Staire agus Seandálaíochta Chorcaí* (1895-).
JRSAI	*Journal of the Royal Society of Antiquaries of Ireland* (1849-).
LASID	*Linguistic atlas and survey of Irish dialects: vol. I, Introduction, 300 maps, vol. II, the dialects of Munster,* H. Wagner (1958, 1964). BÁC.
Last Lords	*The Last Lords of Ormond: a history of the 'countrie of the three O'Kennedy's' during the seventeenth century,* D. F. Gleeson (1938). London.
Laud 610, 611	LSS i Bodleian Library, Oxford.
Laud Gen.	'The Laud Genealogies and Tribal Histories', ed. K. Meyer (1912), *ZCP* 8, 308.
LB	*Leabhar Breac, the Speckled Book, otherwise styled Leabhar Mór Dúna Doighre; ... now for the first time published from the original manuscript in the Royal Irish Academy* (1876). BÁC.
Lec.	*Facsimilies in collotype of Irish manuscripts II: The Book of Lecan, Leabhar Mór Mhic Fhir Bhisigh Lecáin,* réamhrá agus innéacsanna le K. Mulchrone (1937). BÁC.
LGen.	*Leabhar Mór na nGenealach / The Great Book of Irish Genealogies, compiled (1645-66) by Dubhaltach Mac Fhirbhisigh* I-V, ed. N. Ó Muraíle (2003). BÁC.
Liostaí Log. CC	*Liostaí Logainmneacha: Contae Chill Chainnigh, County Kilkenny,* arna ullmhú ag Brainse Logainmneacha na Suirbhéireachta Ordanáis (1993). BÁC.
Liostaí Log. Lm	*Liostaí Logainmneacha: Contae Luimnigh, County Limerick,* Brainse Logainmneacha na Suirbhéireachta Ordanáis (1991). BÁC.
Liostaí Log. Lú	*Liostaí Logainmneacha: Contae Lú, County Louth,* Brainse Logainmneacha na Suirbhéireachta Ordanáis (1991). BÁC.
Liostaí Log. Mu	*Liostaí Logainmneacha: Contae Mhuineacháin, County Monaghan,* Brainse Logainmneacha na Suirbhéireachta Ordanáis (1996). BÁC.
Liostaí Log. PL	*Liostaí Logainmneacha: Contae Phort Láirge, County Waterford,* Brainse Logainmneacha na Suirbhéireachta Ordanáis (1991). BÁC.
Liostaí Log. TÁ	*Liostaí Logainmneacha: Contae Thiobraid Árann, County Tipperary,* arna ullmhú ag An Brainse Logainmneacha sa Roinn Gnóthaí Pobail, Tuaithe agus Gaeltachta, eag. P. Ó Cearbhaill (2004). BÁC.

Liostaí Log. UF	*Liostaí Logainmneacha: Contae Uíbh Fhailí, County Offaly,* Brainse Logainmneacha na Suirbhéireachta Ordanáis (1994). BÁC.
Lis.	*Facsimilies in collotype of Irish manuscripts V: the Book of Mac Carthaigh Riabhach, otherwise the Book of Lismore ...,* réamhrá agus innéacsanna le R. A. S. Macalister (1950). BÁC.
LL	*The Book of Leinster formerly Lebar na Núachongbála* I-VI, ed. O. Bergin, R. I. Best, M. A. O'Brien & A. O'Sullivan (1954-83). BÁC. (Tagraítear don iml. agus don l. faoi seach. LL i gcló rómhánach a scríobhtar ag tagairt don LS – *TCD* H.2.18 – agus luaitear lch., colún agus l. faoi seach.)
LM	*An Leabhar Muimhneach maraon le suim aguisíní,* eag. T. Ó Donnchadha [1940]. BÁC.
LN	An Leabharlann Náisiúnta, BÁC. (Is in éineacht le huimhir / ainm LS de chuid na Leabharlainne a úsáidtear an nod seo de ghnáth.)
LN 16 I 17, 14a-b	Cóip rianaithe de 'A Mapp of the parish of Ballingarry with part of the parish of Uskane in the barony of Lower Ormond, Co. Tipperary'. (Oifig an 'Surveyor General' a sholáthraigh an bhunchóip sa bl. 1679 agus cóip ba ea í sin de (chuid de) *Strafford's Survey* (1637) thuaisceart *TÁ.* Dódh bunléarscáileanna na suirbhéireachta úd i 1711) – lsc. sa *LN.*
LN 16 I 17, 15	Cóip rianaithe cuid de *Strafford's Survey* thuaisceart *TÁ,* arna dheimhniú mar a leanas ag Oifig an Surveyor General, 'The above trace for so much agreeth in proportion wth. the map of *Strafford's Survey* ... of the Parish of Kilbarron ... Examined 22 June 1710' – lsc. sa *LN.*
LN 2043	Maps of the Estate of Henry Cole Bowen Esq. – lsc. sa *LN.*
Log. na hÉ I	*Logainmneacha na hÉireann I: Contae Luimnigh,* eag. A. Ó Maolfabhail (1990). BÁC.
Log. na hÉ II	*Logainmneacha na hÉireann II: cill i logainmneacha Co. Thiobraid Árann,* P. Ó Cearbhaill (2007). BÁC.
LPEDesm.	'The Legal Proceedings against the first Earl of Desmond', G. O. Sayles (1966), *Anal. Hib.* 23, 1-47.
LSO (Ce):	[Litreacha na Suirbhéireachta Ordanáis, Co. Cheatharlach], *Letters containing information relative to the antiquities of the county of Carlow collected during the progress of the Ordnance Survey in 1839,* (eagrán clóscríofa faoi stiúir) M. O'Flanagan (1934). Bray.

LSO (Cl)	[Litreacha na Suirbhéireachta Ordanáis, Co. an Chláir], *Letters containing information relative to the antiquities of the county of Clare ... in 1839* I, II, M. O'Flanagan (1928). Bray.
LSO (Lú)	[Litreacha na Suirbhéireachta Ordanáis, Co. Lú] *Letters containing information relative to the antiquities of the county of Louth ... in 1835-6*, M. O'Flanagan (1928). Bray.
LSO (Sl)	[Litreacha na Suirbhéireachta Ordanáis, Co. Shligigh], *Letters containing information relative to the antiquities of the county of Sligo ... in 1836*, M. O'Flanagan (1928). Bray.
LSO (TÁ)	[Litreacha na Suirbhéireachta Ordanáis, Co. Thiobraid Árann], *Letters containing information relative to the antiquities of the county of Tipperary ... in 1840* I-III, M. O'Flanagan (1930). Bray.
LU	*Lebor na hUidre: book of the Dun Cow*, ed. R. I. Best & M. A. O'Brien (1929). BÁC. (Tagraítear don l.)
Marcher Lords	*Poems on the Marcher Lords*, ed. A. O'Sullivan & P. Ó Riain. ITS 53 (1987). London.
Mart. Tall.	*The Martyrology of Tallaght*, ed. R. I. Best & H. J. Lawlor (1931). London.
McCrea	*A map of the County of Monaghan: Drawn from an actual survey made in the years 1790, 1791, 1792, & 1793*, W. McCrea. Engraved by Hencey & Fitzpatrick, BÁC.
MDind.	*The Metrical Dindshenchas* I-V, E. Gwynn (1903-35). BÁC.
Med. Rel. Ho.	*Medieval Religious Houses: Ireland*, A. Gwynn & R. N. Hadcock (1970). London.
Mesca Ulad	*Mesca Ulad*, ed. J. Carmichael Watson. MMIS 13 (1941). BÁC.
MMIS	Mediaeval and Modern Irish Series.
Mon. Hib.	*Monasticon Hibernicum or, an history of the abbies, priories, and other religious houses in Ireland ...*, M. Archdall (1786). BÁC.
MSS Mat.	*Lectures on the manuscript materials of ancient Irish history. Delivered at the Catholic University, during the sessions of 1855 and 1856*, E. O'Curry (1861). BÁC.
Mullany, J., Rev.	Finné in *AL*.
NMAJ	*North Munster Antiquarian Journal / Irisleabhar Seandáluíochta Tuadhmumhan* (1936-).

Noble & Keenan	*Map of ... County of Kildare*, J. Noble & J. Keenan (1752). BÁC.
Ó Bruadair	*Duanaire Dháibhidh Uí Bhruadair: the poems of David Ó Bruadair* I-III, ed. J. C. Mac Erlean. ITS 11, 13, 18 (1910, 1913, 1917). London.
OC	O'Conor (Leagan G. de log. nó n. in *AL* nó *LSO* scríofa ag Thomas O'Conor.)
O Callaghan, Mr.	Finné in *AL*.
OD	O'Donovan (Leagan G. de log. nó n. in *AL* nó *LSO* scríofa ag John O'Donovan / Seán Ó Donnabháin.)
Offaly Survey	'The Survey of Offaly in 1550', E. Curtis (1930), *Hermathena* 20, 312-52.
OK	O'Keeffe (Leagan G. de log. nó n. in *AL* nó *LSO* scríofa ag Patrick O'Keeffe.)
Onom. Goed.	*Onomasticon Goedelicum locorum et tribuum Hiberniae et Scotiae: an index, with identifications, to the Gaelic names of places and tribes*, E. Hogan (1910). BÁC.
Pap. Tax.	[Papal Taxation], 'Ecclesiastical Taxation of Ireland', *CDI* V (1886). London.
Pat. Texts	*The Patrician texts in the Book of Armagh*, ed. L. Bieler (1979). BÁC.
PÉ	*Príomhshruth Éireann*, M. Ó Braonáin, eag. S. Mac Muirí, M. Seoighe & P. Breathnach (1994). Luimneach.
PGI	*Parliamentary Gazetteer of Ireland: adapted to the new Poor Law, franchise, municipal and ecclesiastical arrangements* I-III (1846). BÁC, London, Edinburgh.
pl:AL	peann luaidhe (Leagan G. de log. in *AL* scríofa le peann luaidhe.)
PN Cheshire I, II, IV	*The place-names of Cheshire part one: county name, ... The place-names of Macclesfield Hundred; The place-names of Cheshire part two: The place-names of Bucklow Hundred and Northwich Hundred; The place-names of Cheshire part four: The place-names of Broxton Hundred and Wirral Hundred*, J. McN. Dodgson (1970, 1972), English Place-Name Society 44, 45, 47, general ed. K. Cameron. Cambridge.
PN Decies	*The place-names of Decies: log-ainmneacha na nDéise*, P. Power (1952, an chéad eagrán 1907). Cork.
PNI II	*Place-Names of Northern Ireland volume two: County Down II, The Ards*, A. J. Hughes & R. J. Hannan (1992). Belfast.

PNI V	*Place-Names of Northern Ireland volume five: County Derry I, The Moyola Valley,* G. Toner (1996). Belfast.
PN Inniskeel & *Kilteevoge*	'Placenames of Inniskeel and Kilteevoge', J. O'Kane (1970), *ZCP* 31, 60-145.
PN Westmeath	*The placenames of Westmeath,* P. Walsh (1957). BÁC.
PN Wicklow	*The place-names of Co. Wicklow* I-VII, L. Price (1945-67). BÁC.
Pont. Hib.	*Pontificia Hibernica: Medieval Papal Chancery Documents concerning Ireland, 640-1261* I, II, ed. M. P. Sheehy (1962, 1965). BÁC.
PR	[Pipe Rolls],'Accounts of the Great Rolls of the Pipe of the Irish Exchequer', app. to 35th-54th *RDK* (1895-1927). BÁC. (Tar éis *PR* tagraítear do iml. *RDK* agus don lch.)
PRIA	*Proceedings of the Royal Irish Academy* (1836-).
Proc. CE	'A list of procurations for the Diocese of Cashel and Emly, A.D. 1437', St. J. D. Seymour (1908), *JRSAI* 38, 328-333.
Rawl. B 486 *(et al.)*	*Rawlinson* B 486, B 489, B 502, B 512 – LSS i Bodleian Library, Oxford.
RBK	*The Red Book of the Earls of Kildare,* ed. G. Mac Niocaill (1964). BÁC.
RBO	*The Red Book of Ormond,* ed. E. Curtis (1932). BÁC.
RDK	*Report(s) of the Deputy Keeper of the Public Records in Ireland.*
Rec. Monum. SR	*Recorded Monuments protected under Section 12 of the National Monuments (Amendment) Act, 1994: County Tipperary, South Riding,* arna eisiúint ag Oifig na nOibrithe Poiblí (1997). BÁC.
Reg. Kilm.	*Registrum de Kilmainham: register of chapter acts of the Hospital of Saint John of Jerusalem in Ireland, 1326-39 ...,* ed. C. McNeill (1932). BÁC.
Reg. St. Jn. B	*Register of the Hospital of S. John the Baptist without the New Gate, Dublin,* ed. E. St. John Brooks (1936). BÁC.
Rennes Dind.	'The prose tales in the Rennes Dindshenchas', ed. W. Stokes (1894-5), *Rev. C* 15, 272-336, 418-484, *Rev. C* 16, 31-83, 135-167, 269-312.
Rev. C	*Révue Celtique* (1870-1934).
RIA	Royal Irish Academy (Acadamh Ríoga na hÉireann), BÁC. (Is in éineacht le huimhir / ainm LS de chuid an Acadaimh a úsáidtear an nod seo de ghnáth.)

RIA Cat.	*Catalogue of Irish manuscripts in the Royal Irish Academy* I-XXVIII, M. E. Byrne, J. H. Delargy, L. Duncan, E. Fitzpatrick, K. Mulchrone, G. Murphy, T. Ó Concheanainn, T. F. O'Rahilly, A. I. Pearson & W. Wulf (1926-70). BÁC.
RMan. Lis.	'Rental of the Manor of Lisronagh, 1333, and notes on "betagh" tenure in medieval Ireland', E. Curtis (1936), *PRIA* 43 C 3, 41-76.
RPat. Cl.	*Rotulorum Patentium et Clausorum Cancellariae Hiberniae Calendarium I: Hen. II - Hen. VII* (1828). BÁC.
Rule of Ailbe	'The Rule of Ailbe of Emly', J. O Neill (1907), *Ériu* 3, 92-115.
RVis.(CE)	'Royal Visitation of Cashel and Emly, 1615', ed. M. A. Murphy (1912), *Archiv. Hib.* 1, 277-311.
RVis.(Kill.)	'The Royal Visitation, 1615: Diocese of Killaloe', ed. M. A. Murphy (1914), *Archiv. Hib.* 3, 210-226.
RVis.(Laon.)	'Royal Visitation ... Laonensis Diocesis, 13 Martii 1633 ...', in Dwyer (1878), 160-169.
SCano	*Scéla Cano meic Gartnáin*, ed. D. A. Binchy. MMIS 18 (1963). BÁC.
Sen. Búrc.	'Senchas Búrcach', ed. S. H. O'Grady (1929), *CThoir.*, 149-61.
Sean. ó Chairbre	*Seanachas ó Chairbre I*, S. Ó Cróinín (a thóg síos), eag. D. Ó Cróinín (1985). BÁC.
Sen. Síl Bhr.	'Senchas Síl Bhriain', ed. S. H. O'Grady (1929), *CThoir.*, 171-192.
Sew.Top. Hib.	*Topographia Hibernica or the topography of Ireland, antient and modern ...*, W. Wenman Seward (1795). BÁC.
SGS	*Scottish Gaelic Studies* (1926-).
Sil. Gad.	*Silva Gadelica. A collection of tales in Irish with extracts illustrating persons and places* I, ed. S. H. O'Grady (1892, arna mhacasamhlú sa tSuirbhéireacht Ordanáis). London, BÁC.
Stair na G	*Stair na Gaeilge in ómós do Pádraig Ó Fiannachta*, eag. K. McCone, D. McManus, C. Ó Háinle, N. Williams & L. Breatnach (1994). Maigh Nuad.
State Dioc.	'State of the Diocese of Killaloe presented to his Majesties commissioners at Dublin, July 1, 1622, per Johannem Laonensem Episcopum', in Dwyer (1878), 100-149.
STemp. Ir.:	'Documents relating to the Suppression of the Templars in Ireland', G. Mac Niocaill (1967), *Anal. Hib.* 24, 181-226.

Straff. Inq.	*The Strafford Inquisition of County Mayo*, ed. W. O'Sullivan (1958). BÁC.
Stud. Hib.	*Studia Hibernica* (1961).
Tadhg Dall	*The Bardic Poems of Tadhg Dall Ó Huiginn (1550-1591)* I, II ed. E. Knott. *ITS* 22, 23 (1922, 1926). London.
TÁ (SO)	Leathanaigh léarscáile ar an scála sé orlaigh sa mhíle (1:10,560) Shuirbhéireacht Ordanáis na hÉireann do Co. Thiobraid Árann (in 1840 a rinneadh an tsuirbhéireacht; arna ghreanadh in 1843; tagraítear ar uairibh d'eagráin athbhreithnithe na léarscáileanna, blianta 1901-6, 1937, 38).
TBC (LL)	*Táin Bó Cúalgne from the Book of Leinster*, ed. C. O'Rahilly (1967). BÁC.
TBC (Rec. 1)	*Tain Bó Cúailgne Recension 1*, ed. C. O'Rahilly (1976). BÁC.
TBDD	*Togail Bruidne Da Derga*, ed. E. Knott. MMIS 8 (1963). BÁC.
TBF	*Táin Bó Fraích*, ed. W. Meid. MMIS 20 (1967). BÁC.
TCC Dhuibhne	*Triocha-Céad Chorca Dhuibhne ...*, An Seabhac (Pádraig Ó Siochfhradha) (1939). BÁC.
TCD	Trinity College Dublin (Coláiste na Tríonóide). Is in éineacht le huimhir LS de chuid an Acadaimh a úsáidtear an nod seo de ghnáth.
Thes.	*Thesaurus Palæohibernicus: a collection of Old-Irish glosses, scholia, prose and verse* I, II, ed. W. Stokes & J. Strachan (1901, 1903). Cambridge.
THJ	*Tipperary Historical Journal / Irisleabhar Staire Thiobraid Árann* (1988-).
Tipp: Hist. & Soc.	*Tipperary: History and Society. Interdisclipinary essays on the history of an Irish county*, ed. W. Nolan & T. G. McGrath (1985). BÁC.
Top. Frag.	'Topographical Fragments from the Franciscan Library: III, A fragmentary alphabetical list of Irish placenames', C. Mooney (1950), *Celtica* 1, 73-80.
Top. Hib.	*Toponomia Hiberniae* I-IV, B. Ó Cíobháin (1978, 1984, 1985). BÁC.
Top. Index	*Census of Ireland, 1901: general topographical index consisting of an alphabetical index to the townlands and towns of Ireland and indices to the parishes and baronies ...* (1904). BÁC.
Top. Poems	*Topographical poems by Seaán Mór Ó Dubhagain and Giolla-na-naomh Ó hUidhrín*, ed. J. Carney (1943). BÁC.

T & S	*Maps of the Roads of Ireland,* G. Taylor & A. Skinner (1778). London.
UF (SO)	Leathanaigh léarscáile ar an scála sé orlaigh sa mhíle (1:10,560) Shuirbhéireacht Ordanáis na hÉireann do Co. Uíbh Fhailí (in 1838 a rinneadh an tsuirbhéireacht; arna ghreanadh in 1840).
Uí Ráthach	'Uí Ráthach: ainmneacha na mbailte fearainn sa bharúntacht', An Seabhac (1954, [1956]), *Béaloideas* 23, 3-70.
UM	*Facsimiles in collotype of Irish manuscripts IV: the Book of Uí Maine, otherwise called "the Book of the O'Kelly's",* réamhrá, innéacsanna le R. A. S. Macalister (1942). BÁC.
VBen.(Laon.)	'Valor Beneficiorum ... Diocesis Laonensis', in Dwyer (1878), 13-14.
Vendr. Lex.	*Lexique étymologique de l'irlandais ancien,* J. Vendryes (par les soins de E. Bachellery et P.-Y. Lambert) (1959-). Paris.
Vis. Bk I, II.	'Archbishop Butler's Visitation Book', ed. C. O'Dwyer (1975, 1976/7) *Archiv. Hib.* 33, 1-90 (=I), *Archiv. Hib.* 34, 1-49 (=II).
VSH	*Vitae Sanctorum Hiberniae...* I, II, ed. C. Plummer (1910). Oxford.
VSH (Heist)	*Vitae Sanctorum Hiberniae ex codice olim Salmanticensi nunc Bruxellensi,* ed. W. W. Heist (1965). Brussels.
YBL	*The Yellow Book of Lecan, a collection of pieces (prose and verse) in the Irish language, in part compiled at the end of the fourteenth century ...,* réamhrá, anailís ar an ábhar agus innéacs le R. Atkinson (1896). BÁC.
ZCP	*Zeitschrift für celtische Philologie* (1897-).

SUÍMH IDIRLÍN

www.logainm.ie
http://image.ox.ac.uk

CONTAETHA

AM	Ard Mhacha	Armagh
Ao	Aontroim	Antrim
BÁC	Baile Átha Cliath	Dublin
Ca	An Cabhán	Cavan
CC	Cill Chainnigh	Kilkenny
CD	Cill Dara	Kildare
Ce	Ceatharlach	Carlow
Ci	Ciarraí	Kerry
Cl	An Clár	Clare
CM	Cill Mhantáin	Wicklow
Co	Corcaigh	Cork
DG	Dún na nGall	Donegal
Dn	An Dún	Down
Do	Doire	Derry
FM	Fear Manach	Fermanagh
Ga	Gaillimh	Galway
IM	An Iarmhí	Westmeath
La	Laois	Laois
LG	Loch Garman	Wexford
Li	Liatroim	Leitrim
Lm	Luimneach	Limerick
Lo	An Longfort	Longford
Lú	Lú	Louth
ME	Maigh Eo	Mayo
Mí	An Mhí	Meath
Mu	Muineachán	Monaghan
PL	Port Láirge	Waterford
RC	Ros Comáin	Roscommon
Sl	Sligeach	Sligo
TÁ	Tiobraid Árann	Tipperary
TE	Tír Eoghain	Tyrone
UF	Uíbh Fhailí	Offaly

AN RÉAMHRÁ

Scóip an taighde

Tá anailís déanta sa leabhar seo ar logainmneacha a thosaíonn le **Cluain** i gCo. Thiobraid Árann (= *TÁ*),[1] ar logainmneacha ar a dtugtar **Cluain** nó **Cluainín** gan aon cháilitheoir agus ar logainmneacha comhshuite dar críoch **-chluain** sa chontae sin. Is é an bhrí choitianta atá leis an bhfocal **cluain** i bhfoclóirí agus i saothair éagsúla faoi logainmneacha ná 'meadow, pasture-land' (féach Flanagan & Flanagan, 1994, 56; *DIL*, 1970, C 257 s.v. **1 clúain**).[2] Téarma tánaisteach lonnaíochta atá ann más ea. Foirm dhíspeagtha de **cluain** is ea **Cluainín**.

Ar an mbonn seo a roghnaíodh na logainmneacha (I gcás *i-ii* thíos níl foranna aonad ar nós **Beag, Mór** srl. áirithe.):

(i) Bailte fearainn – .i. na haonaid talún is lú a socraíodh sa chóras riaracháin sa chéad leath den 19ú haois (Reeves, 1861, 473, 480; Andrews, 1975, 119; *Liostaí Log. TÁ* xx-xxviii) – a thosaíonn le **Cluain** i *TÁ*: 81 as líon iomlán 2,985.[3] Tá an dá logainm stairiúla *Cluain Comair* agus *Cluain Muc* q.v., leathanaigh 90 agus 173 faoi seach, curtha sa chomhaireamh sin, mar cé nach ann dóibh a thuilleadh, bailte fearainn fós is ea na logainmneacha a tháinig ina ndiaidh, *Mountphilips* agus *Solsborough* de réir na bhfoirmeacha Béarla. Tá an dá bhaile fearainn ar a dtugtar **An Cluainín** áirithe anseo chomh maith.

(ii) Paróistí dlí – .i. aonaid riaracháin atá níos mó ná bailte fearainn agus atá bunaithe ar ghréasán na bparóistí eaglasta a leagadh síos sa réigiún, ar an gcuid is mó de, i ndeireadh an 12ú haois agus i dtosach an 13ú haois (Hennessy, 1985, 62; *Liostaí Log. TÁ* xviii-xx) – a thosaíonn le **Cluain** nó **An Cluainín** (sampla amháin) i *TÁ*: 6 as líon iomlán 196.[4] Nuair a chuirtear as an gcomhaireamh seo na logainmneacha atá ina bparóistí chomh maith le bheith ina mbailte fearainn, ceithre ainm paróiste (= *p*) is ea an líon atá fágtha.

(iii) Logainmneacha eile a thosaíonn le **Cluain** i *TÁ*, chomh maith le comhfhocal den déanamh X + **-chluain**, nach mbaineann le ceachtar den dá aicme réamhráite, 7 a líon. Ní hann do dhá logainm díobh a thuilleadh, *Cluain Caoi* agus *Cluain Leathan*. Taispeántar fuílleach na logainmneacha ar léarscáileanna Shuirbhéireacht Ordanáis na hÉireann (= *SO*): **Cluain Aird (Mobhéacóg)** / *Peakaun Church SO*, **Cluain Conbhruin** / *Derrycloney Church SO*,[5] **Cluain Macáin** / *Clonmacaun SO*, **Cluain na nAbhall** / *Clonnanoul SO* agus **Lomchluain** / *Lumcloon Wood SO*.

Ar an iomlán mar sin, tá 92 logainm a thosaíonn le **Cluain** (nó logainmneacha ar a dtugtar **Cluain, Cluainín** gan aon cháilitheoir), mar aon le comhfhocail dar críoch **-chluain**, iniúchta i gcorp an leabhair.

[1]

Ceadaíodh iontrálacha *Onomasticon Goedelicum* (= *Onom. Goed.*) chomh maith. B'éigean logainmneacha áirithe a bhí ann a chur as an áireamh toisc nár léir gur bhaineadar le *TÁ,* ar nós *Cluain Dá Ros*, Aguisín, lch. 221, nó i gcás *Cluain Mucrais*, lch. 222, toisc gur logainm bréagach a bhí ann. I dtaca le fuílleach iontrálacha *Onom. Goed.* de, as an 92 logainm atá áirithe i gcorp an leabhair seo, bhí trí logainm déag díobhsan cláraithe i saothar úd Hogan agus bhí ceithre cheannfhoirm orthusan míshásúil. Seo iad na hiontrálacha lochtacha: I dtaca le logainm amháin de, tá dhá cheannfhoirm i saothar Hogan ag tagairt don áit chéanna agus tá ceann díobh mícheart – **Cluain Finnglaise** (*Onom. Goed.* 263) atá inchosanta, ach **Cluain Finnlocha** (ibid.) ar gósta liteartha é (féach *Cluain Fionnghlaise infra*, lch. 114). Bhunaigh an t-údar céanna dhá cheannfhoirm atá lochtach, nó amhrasach ar an gcuid is fearr de, ar fhoirmeacha trascríofa logainmneacha a aimsíodh sa téacs *Ecclesiastical Taxation of Ireland, 1302-6* (= *Pap. Tax.*): **Cluainin Gerr** *Onom. Goed.* 265 atá bunaithe ar 'Clonynger' *Pap. Tax.* = *An Cluainín 1*, lch. 126 *infra* agus **Cluain Pet** *Onom. Goed.* 269 atá ag freagairt do 'Clonpet' *Pap. Tax.* = *Cluain Peata*, lch. 189 *infra*. D'ionannaigh sé, go mícheart, dar linne, an fhoirm stairiúil Ghaeilge **Cluain Mugna** *Onom. Goed.* 268 le *Cluain Móna / Clonmona infra*, lch. 166, n. *c*.

Leagan amach an ábhair

Tá na logainmneacha a bhfuil mionanailís déanta orthu i gcorp an leabhair curtha in ord aibítreach na Gaeilge.

Seo é an leagan amach atá ar ábhar na logainmneacha:

Cluain an Mhuilinn[1]
Cloonawillin[2] J 4[3]; 7[4]; R921985[5]; 6:10[6]

1336	Clomolyn	*COD* I 288[7]
1840	Clunavillan	*AL:BS*
	Clon a mhuilin	*AL:pl* (=*OC*)
	Cluain a mhuilinn	*AL:*dúch (=*OC*)[8]
1989	₁klɑn'wilən	*Áit.*[9]

the pasture of the mill[10]

Suíomh:[11]
(i) Tá glaise gan ainm ar theorainn thiar an bhaile fearainn. Ar an sruthán sin is dócha a bhí an muileann atá caomhnaithe …

Nótaí:[12]
(a) Maidir leis an dá sholaoid den logainm ón 14ú haois thuas, ba é Edmund Curtis …

1. **Ceannfhoirm Ghaeilge**: Cloítear le Caighdeán Oifigiúil litriú na Nua-Ghaeilge (féach Ahlqvist, 1994, 46 ff.) de ghnáth. Soláthraítear an t-alt sa suíomh tosaigh i gcás logainmneacha áirithe (*An Cluainín 2* m.sh.). Nuair atá an cheannfhoirm chéanna ag breis is logainm amháin, aithnítear eatarthu leis na huimhreacha **1, 2** srl. (*Cluain 1, Cluain 2* m.sh.). Ní thugtar ach ceannfhoirm amháin in gach cás agus luaitear seachfhoirmeacha, seanfhoirmeacha, nó bunfhoirmeacha sna nótaí a ghabhann leis na logainmneacha: féach m.sh. *Cluain Abhla* (**Cluain Abhall**, nótaí *a, c*); *Cluain Aird (Mobhéacóg)* (**Cill Bhéacáin**, n. *e*); *Cluain an Bhreatnaigh* (**Cluain Walsh**, n. *a* agus *c*); *Cluain Canann* (**Cannán, Canannán** n. *a-b*); **Cluain Éilí** (**Éilidhe, Éileach, Éile**, nótaí *a-c*); *Cluain Guas* (**Cl. Guaise, Cl. gCuas**, nótaí *c-d*); *Cluain Inithe* (**Innithe, Finnithe**, nótaí *a-b*); *Cluain Lao* (**Cl. Liath**, n. *c*); *Cluain Lis Bó* (**Cluain na Sp(r)íog**, n. *a*); *Cluain Míolchon* (**Maoilfhiontain**, n. *b*); *Cluain na nGaibhne* (**Ó Géibheannaigh**, n. *a*); *Cluain Orrtha* (**Odhardha**, n. *b*); *Cluain Singil* (**Sineall**, n. *b*); *Cluain Tíf* (**Táth**, n. *a*); *Cluain Uí Ghaoithín* (**Cl. Ó nGaoithín**, n. *b*). Is i gcló iodálach trom atá na ceannfhoirmeacha i gcás crostagairtí nó tagairtí téacsacha eile.

2. **Ceannfhoirm Bhéarla**: Cloítear le litriú Béarla *Top. Index* i gcás na n-aonad riaracháin, bailte fearainn agus paróistí (mar atá mínithe i n. 3 thíos); féach m.sh. **Muckloonmodderee** = 'Muckluen or Mauddhery' (Ainmleabhar, 1840c), lch. 214 *infra*. Cloítear le litriú Béarla léarscáileanna Shuirbhéireacht Ordanáis na hÉireann i gcás na logainmneacha nach aonaid riaracháin iad, ar nós **Peakaun Church**, lch. 42. Tá foirm Bhéarla tugtha do gach logainm, seachas *Cluain Caoi* agus *Cluain Leathan* (féach lch. 1 **Scóip an taighde**, aicme *iii*).

3. **Suíomh de réir barúntachtaí agus paróistí**: Tá códlitir curtha le gach barúntacht laistigh den chontae agus tá eochair na gcódlitreacha ar lch. 27 agus ar Léaráid 4 chomh maith. Tá códuimhir curtha le gach paróiste laistigh den chontae (féach Léaráid 5, lch. 28) agus tá eochair na gcóduimhreacha ar lgh. 29-34. Féach m.sh. *Cluain 1* / **Cloone, B 128** (.i. *bar* Éile Uí Fhógarta, *p* na gCealla Beaga).

4. **Suíomh de réir na sraithe léarscáileanna ar scála 1:10,560** (= *TÁ (SO)*): Féach m.sh. *Cluain 1* / **Cloone, 29**. Tá uimhreacha na mbileog sa tsraith léarscáileanna seo ar Léaráid 3 (lch. 25).

5. **Comhordanáidí**: Luaitear aon tagairt amháin don eangach naisiúnta atá cruinn go dtí céad méadar (féach Léaráidí 1 agus 2, lgh. 23 agus 24 faoi seach). Féach m.sh. *Cluain 1* / **Cloone, S121699**. Nuair atá bunaonad talún roinnte i mbreis is baile fearainn amháin, tagraíonn comhordanáid na heangaí náisiúnta don chéad bhaile fearainn atá luaite in ord an Bhéarla. Féach m.sh. *Cluain Mhór (Theas, Thuaidh) 5* / **Clonmore (North, South), S056447** = comhordanáid **Clonmore North**.

6. **Léaráid dáilimh**: Tá uimhreacha tagartha seo na logainmneacha ar Léaráid 6 (lch. 223). Féach m.sh. *Cluain 1* / **Cloone**, **6:1**. As an 92 logainm atá scrúdaithe i gcorp an leabhair, tá 90 logainm taispeánta ar an léaráid dáilimh. (Is iad an dá log. eisceachtúla ná *Cluain Caoi* agus *Cluain Leathan* – féach faoi **Ceannfhoirm Bhéarla** thuas.)

7. **Fianaise stairiúil**: Tugtar gach tagairt a bailíodh atá níos sine ná A.D. 1600 de ghnáth, seachas *Cluain Meala*, mar a ndearnadh rogha idir na foirmeacha iomadúla Laidine agus Beárla. As sin amach, is de réir breithiúnais agus de réir flúirse nó teirce fianaise úsáidí a thugtar tagairtí: féach m.sh., i dtaobh *Cluain Abhla*, fianaise stairiúil, lch. 38-9, nach bhfuil -*t*- sáiteach ar taifead go dtí iontráil na bliana 1620 (*Clonnolty*) agus go bhfaightear idir -*oula* agus -*oulta* chomh déanach leis an mbliain 1699. Is é *Clounaglous* (bliain 1758), lch. 123, an sampla trascríofa is sine den fhoirm **Cluain na gCluas** a cuireadh in ionad *Cluain Guas*. Ní thugtar fianaise stairiúil *An Cluainín 1*, lch. 127, idir iontrálacha na bliana 1654 agus bliain 1817. Ní thugtar ach samplaí, ar uairibh, de mhalairtí litrithe logainmneacha as, *The Civil Survey A.D. 1654-6: County of Tipperary…* (= *CS* I, II): féach m.sh. iontrálacha bliain 1654 *Cluain Brógáin*, lch. 71, *Clounbrogan, Clonbrogane (et var.)*. Tugtar an fhianaise stairiúil uile, seachas na heisceachtaí réamhráite, amach go dtí an iontráil is déanaí atá curtha síos roimh iontrálacha an Ainmleabhair, bliain 1840: féach i dtaobh *Cluain Éilí* m.sh., lch. 106, nach bhfuil aon fhoirm stairiúil ar fáil idir iontráil na bliana 1247c agus 1750; i gcás *Cluain an Mhuilinn*, lch. 53, níl aon fhoirm stairiúil ar fáil idir iontráil na bliana 1337 agus 1840. Tá foirm eisceachtúil amháin, ar déanaí í ná an bhliain 1840, curtha síos faoi fhianaise stairiúil *Cluain na nGaibhne*, lch . 178, mar atá *Cloneginy* (bliain 1841).

   Tugtar dáta (achomair) na foinse. Nuair atá an dáta céanna ag breis is iontráil amháin, ní thugtar dáta ach i ndiaidh na chéadiontrála: féach m.sh. go mbaineann iontrálacha seo a leanas *Cluain 1*, lch. 35, atá i ndiaidh a chéile, leis an mbliain 1601, *Clone* in 'Calendar to fiants of reign of Queen Elizabeth, 1588-1603' (= *F*) §6537, *Cloane F* 6522. Cuireann comhartha ceiste in iúl i ndeireadh iontrála nach áirithe gurb ionann an fhoirm sin agus an logainm atá á phlé (féach m.sh. *Cloynesvorgh*, bliain 1508 s.v. *Cluain Orrtha*, lch. 185). I gcló trom atá an fhianaise Ghaeilge: féach m.sh. **Cluain Aird(d)** (bl. 690) s.v. *Cluain Aird (Mobhéacóg)*, lch. 42.

8. **Fianaise Ainmleabhar na Suirbhéireachta Ordanáis** (= *AL*): Go hiondúil, freagraíonn an tAinmleabhar Paróiste don pharóiste ina bhfuil an logainm suite (rannóg 3 thuas). Nuair atá logainm deighilte i mbreis is paróiste amháin, tugtar cód barúntachta agus paróiste na nAinmleabhar éagsúla ina bhfuil cuntas scríofa ar an logainm: féach m.sh. *Cluain Uí Thorpa*, iontrálacha bliain 1840, *AL* (G 35) agus (H 139) .i. Ainmleabhair Pharóiste **An Clochar** agus **Maigh Ailbhe**. Tugtar ar uairibh foirm Bhéarla den logainm as an Ainmleabhar. Go

hiondúil is í an fhoirm Bhéarla a cuireadh síos don 'Boundary Surveyor' (= *BS*) atá roghnaithe: féach m.sh. **Clonwalsh alias Ballina Little** *AL:BS*, bliain 1840, faoi *Cluain an Bhreatnaigh*. Samplaí d'fhoirmeacha Béarla comhaimseartha a sholáthair daoine liteartha eile is ea iad seo, **Clonbrassil** a fuarthas ó 'Rev. J. Mullany' in *AL* (lch. 64), **Cloncrecon** ó 'I. Egan C.C.' in *AL* (lch. 97), **Clonnanoul** ó 'Rev. Mr. Downes P.P.' in *AL* (lch. 178). Tugtar i gcónaí pé foirm, nó foirmeacha, Gaeilge a scríobhadh le peann luaidhe (= *pl*) nuair is ann dá leithéid, i dteannta na fianaise Gaeilge a scríobhadh le dúch. Tugtar ar uairibh na míniúcháin Bhéarla atá curtha le foirmeacha Gaeilge na nAinmleabhar: féach m.sh. 'a meadow or boggy pasturage', bliain 1840, ag tagairt do *Cluain 2*; nó 'lawn or meadow of the Ulstermen', bliain 1840, faoi *Cluain Abhla*.

Tugtar fianaise chomhaimseartha Litreacha na Suirbhéireachta Ordanáis (= *LSO*), nuair atá an cineál sin fianaise in easnamh ar an Ainmleabhar Paróiste, nó nuair atá breis eolais i *LSO*: féach m.sh. iontrálacha stairiúla *Cluain Aird (Mobhéacóg)* faoin mbliain 1840.

9. **Fuaimniú áitiúil** (= *Áit.*): Bailíodh foirmeacha áitiúla logainmneacha an chontae in imeacht na mblianta 1989, 1991 agus 1993 go príomha. Níor chualathas fuaimniú áitiúil an logainm **Lomchluain**.[6] Bhíothas i dtaobh le cainteoirí dúchais Béarla.[7] Athscríobh leathan foghraíochta a úsáidtear agus cloítear le córas na hAibítre Foghraíochta Idirnáisiúnta (= *IPA*) ó thaobh na gconsan de. Ní dhéantar aon idirdhealú san athscríobh idir consain leathana agus consain chaola, mar a dhéantar idir an dá ghrúpa consan sa Ghaeilge.

Seo iad na siombail atá in úsáid i gcomhair na ngutaí mar aon le samplaí díobh as Béarla na hÉireann:

Siombal	Samplaí Bhéarla na hÉireann
i	sit, hill
iː	me, feel
e	best, set
eː	there, gate
a	bad, barrel
aː	farm, calves
ɑ	log, shop
ɑː	warm, lord
o	cut, blood
oː	floor, sore
u	book, should
uː	food, who
ə	again, robber

[5]

Na défhoghair:

Siombal	Samplaí Béarla
əi	fire, height
əu	down, mouth
iə	here, year

Tá raon fairsing ag an an nguta láir /ə/. Cuirtear an comhartha [ˈ] roimh an siolla ar a dtiteann príomhbhéim agus [ˌ] roimh an siolla ar a dtiteann béim thánaisteach, mar seo: [ˌklonˈbeg].

Cuireadh san áireamh chomh maith an cnuasach réasúnta beag logainmneacha a bhailigh An Brainse Logainmneacha sna blianta 1963-4 ó na cainteoirí deireanacha a raibh Gaeilge ó dhúchas acu in iardheisceart an chontae, agus a cuireadh i gcló in *Dinnseanchas* I (Ó Cíobháin, 1964, 33-5). Féach athscríobh **Lisín na nAbhall** faoi *Cluain Abhla*, lch. 40, n. *a* nó **Currach Cluana** faoi *Cluain Curraigh*, lch. 100, nóta. (In ionad na gcomharthaí foghraíochta [N] agus [D] a chuireann consain déadacha in iúl sa chóras trascríofa foghraíochta sin, usáidtear [n̪]agus [d̪] sa saothar seo.) Sa trascríobh foghraíochta ar an ábhar Gaeilge sa saothar seo, cloítear leis na leasuithe seanbhunaithe atá curtha i bhfeidhm ag scoláirí Gaeilge ar an *IPA*, agus a bhfuil cur síos ag Ó Siadhail (1989, 8-9) orthu. Ní miste a lua go gcuireann an comhartha [ˊ] in iúl i ndiaidh consain go bhfuil cáilíocht 'chaol' leis an gconsan sin, agus nach gcuirtear aon mharc le consan leathan: féach cuir i gcás [ən̪ˈxiːlˊtˊəx], lch. 41, n. *d*.

10. **Aistriúchán:** Cuirtear leathstad (;) idir dhá mhíniú atá gan ghaol. Féach m.sh., *pasture of Breac; of (the) trout; speckled pasture* faoi *Cluain Bric*, nó *pasture of the Boilg; of the gaps* faoi *Cluain Bolg*.

11. **Suíomh:** Déantar cur síos ar ghnéithe sainiúla de shuíomh an logainm, ar na gnéithe seo a leanas go háirithe, láthair eaglasta, **cluain** taobh le logainmneacha ina bhfuil an eilimint **cill** nó taobh le suíomh eaglasta luath seachas **cill; cluain** taobh le sruthán, le habhainn nó le loch; an saghas talún atá nó a bhí ann, go háirithe talamh portaigh, talamh fliuch nó talamh coillteach; logainmneacha áirithe máguaird ar nós, *Cluain Inithe* teorantach le **Tor an Bhogáin** agus le **Móin an Bhogáin** (lch. 135 thíos), *Cluain (Beag, Mór)* teorantach le **Barr an Churraigh** (lch. 37), *Cluain Ineasclainn* teorantach le 'the Reddbogg called Loscalorgan' agus le 'Monglosky' i bhfoinsí de chuid an 17ú haois (lch. 133), *Lomchluain* i mbaile fearainn **Doire Leathan** (lch. 212).

12. **Nótaí:** Baintear leas as litreacha *a, b* srl. le dealú na nótaí a chomharthú. Ba é príomhchuspóir na nótaí, anailís a dhéanamh ar gach logainm ar leith d'fhonn teacht ar a bhunfhoirm agus ar a bhrí. Chuige sin ba ghá na logainmneacha a scrúdú i dtéarmaí aimsire agus i dtéarmaí spáis; anailís an logainm ann féin

agus ar bhonn comparáide. Cuspóir tánaisteach ba ea an fhorbairt a d'imigh ar logainmneacha le himeacht aimsire: féach cuir i gcás, *Cluain Abhla* n. *b-d*, *Cluain Cliath* n. *a*, *Cluain Gabhra* n. *a*, *Cluain Guas* n. *a-b*, *Cluain na mBanrach* n. *a-b*, *Cluain Singil* n. *b*, *Cluain Cnaoidheach* n. *b* (Aguisín).

Foinsí

Foinsí stairiúla Gaeilge:

As 92 logainm dar céad eilimint **Cluain, Cluainín**, nó dar déanamh **-chluain** i gcomhfhocail, atá pléite sa leabhar seo, ní raibh ach 12 logainm díobhsan i dtaifead sna foinsí Gaeilge a ceadaíodh (féach **Noda agus Giorrúcháin Foinsí,** lch. vi-xxi),[8] taobh amuigh de dhoiciméid na Suirbhéireachta Ordanáis. Tá Beathaí Laidine Naomh curtha san áireamh anseo, ar nós **Cluain Conbhruin** in *Vita Sancti Abbani*.[9]

Tá cuntas i *Log. na hÉ* II 12 ff. ar obair thopagrafaíochta na Suirbhéireachta Ordanáis i gCo. Thiobraid Árann. As líon iomlán na logainmneacha atá cíortha anseo, scríobhadh leaganacha Gaeilge 87 logainm díobh in Ainmleabhair na Suirbhéireachta Ordanáis timpeall na bliana 1840 (féach *Log. na hÉ* II 12 ff.). De thoradh ár dtaighde breisene, measaimid go bhfuil foirmeacha Gaeilge ceithre logainm is fiche díobhsan mícheart, ar nós **Cluain Olltaigh**, 'lawn or meadow of the Ulstermen' *AL* (= *Cluain Abhla*), **Cluanach** *AL* (= *Cluain Each*), **Cluain Eas Muilleann, Cluain a Smuilleann** *AL* (= *Cluain Lis* **Mhuilinn**), **Cluain na Muc Óg** *AL* (= *Cluain Mocóg*). Tá neamhshuim déanta in áireamh sin na logainmneacha lochtacha de mhiondifríochtaí idir foirmeacha na nAinmleabhar agus na foirmeacha seo againne – ar nós **Cluain Croiceann** *AL* atá ag freagairt don cheannfhoirm *Cluain Craicinn*, nó **Cluain Cliách** *AL* – inar fuaimníodh *th* deiridh leathan mar *ch* – ag freagairt de *Cluain Cliath*. Ina theannta sin, nuair a bhí foirm Ghaeilge amháin cruinn as ilfhoirmeacha sna hAinmleabhair, áiríodh a leithéid i measc na samplaí cruinne. Tá trí fhoirm éagsúla den logainm *Cluain Mhic Giolla Dhuibh* in *AL* cuir i gcás: **Cluain na cille dubh, Cluain na cille duibhe** agus **Cluain 'ic Gilla duibh** – an fhoirm dheireanach an t-aon fhoirm shásúil.

Foinsí stairiúla Laidine nó Béarla:

Nuair a áirítear an líon beag de na logainmneacha a bhí le fáil i bhfoinsí stairiúla Gaeilge thuas agus fós nuair a thugtar faoi deara gur sine ná foinsí na Suirbhéireachta Ordanáis (1840c) na tagairtí is luaithe do 84 logainm as iomlán an 92 logainm atá i dtrácht, tuigtear cé chomh mór is a bhíothas ag brath ar fhoinsí stairiúla Laidine, Béarla nó Fraincise sa staidéar seo. Ceadaíodh líon mór ábhair (féach **Giorrúcháin agus Noda Foinsí**) ón 12ú haois go dtí an 17ú haois go háirithe, idir cháipéisí (riaracháin) eaglasta agus tuata. Tá cuntas ar na cineálacha cáipéisí a ceadaíodh, ar na fadhbanna agus ar na buntáistí a bhaineann le foirmeacha traslitrithe logainmneacha in *Log. na hÉ* II 9-12.

Tá cuid de shaindeacrachtaí leaganacha traslitrithe léirithe sna samplaí seo i mo dhiaidh.

Ní léirítear na claochluithe tosaigh Gaeilge, séimhiú ná urú ar bhonn rialta:
Cluain na nGaibhne – *Clonygeyney* (1654);
Cluain Big – *Clonbyg* (1306c), *Cloneveg* (1607-8).

Tá easpa rialtachta i leith fóinéimeanna Gaeilge:
i leith caoile agus leithne consan, **Cluain Lao** – *Clonelea* (1605), *Cloyneala* (1607), *Cloynelee* (1635), **Cluain na laegh** *AL* (foirm Ghaeilge, 1840c).
Tá fuaim an ghuta -*y* débhríoch i bhfoirmeacha Béarlaithe logainmneacha ar nós, **Cluain na Ros** – *Clonyrosse* (1654).

Ní thaispeántar teorainneacha focal de ghnáth:
Cluain Each – *Clonagh* (1685).

Fágtar guta deiridh neamhaiceanta na Gaeilge ar lár ar uairibh:
Cluain Meala – *Clunmel* (1221).

Buanaítear foirmeacha Béarlaithe de dheasca athchóipeála:
Cluain Peata – *Clonpet* (1302, 1306, 1319 srl);
Cluain Rascain – *Clonteraskin* (1712, 1714);
Cluain Meala – *Clonmel* (1288-90, 1320 srl.).

Struchtúr agus Brí

B'fhéidir struchtúr na logainmneacha a bhfuil an focal **cluain** iontu a rangú mar a leanas, (a) ainmfhocal simplí, (b) comhfhocal, (c) frása ainm ('name-phrase'), (d) ainmfhocal + ainmfhocal + eilimint(í) eile.

(a) Ainmfhocal simplí

Tá ocht logainm san aicme seo: ceithre shampla den logainm simplí **Cluain**, trí shampla den logainm **An Cluainín**,[10] chomh maith le **Cluain (Beag, Mór)** ina bhfuil feidhm idirdhealathóra ag na haidiachtaí **beag** agus **mór**. Ní sine ná an 16ú haois solaoidí stairiúla aon cheann díobh, seachas **An Cluainín 1** atá ar taifead ón 13ú haois agus arb ainm paróiste é chomh maith.

(b) Comhfhocal

Tá seacht logainm in aicme seo -**cluain**, mar atá, **Glaschluain, Lomchluain, Muc-chluain** (dhá logainm) agus **Seanchluain** (trí logainm). Is aidiachtaí iad **glas-, lom-** agus **sean-**. Eilimint bhisiúil fós i gcomhfhocail is ea **sean**. Cé go n-aithnítí agus go gceadaítí comhfhocail den déanamh seo i ré na Nua-Ghaeilge Clasaicí (McManus, 1994, 389-92), is inmheasta gur sine ná sin na logainmneacha eile ach go háirithe. Comhfhocal den déanamh ainmfhocal + ainmfhocal is ea *Muc-chluain*. Díol suime gurb ann do *Cluain Muc* mar logainm i *TÁ* chomh maith, mar a bhfaightear na focail chéanna droim ar ais i bhfrása ainm. Toisc go gcuireann an dá struchtúr an bhrí chéanna in iúl i logainmneacha an cheantair, luíonn sé le réasún gur difríocht aoise atá eatarthu, gur sine **Muc-chluain** ná **Cluain Muc**. Is é an *terminus ante quem* atá curtha síos ag Dónall Mac Giolla Easpaig (1981, 152) don chineál seo comhfhocail ná tosach an chúigiú haois.

(c) Frása ainm (ainmfhocal agus cáilitheoir á leanúint)

Tá na fo-aicmí seo a leanas á n-aithint thar a chéile, (i) ainmfhocal + ainmfhocal cáilitheach sa ghinideach uatha nó iolra, (ii) ainmfhocal + alt + ainmfhocal sa ghinideach uatha nó iolra, (iii) ainmfhocal + aidiacht, (iv) ainmfhocal + ainm pearsanta (Éireannach), (v) ainmfhocal + ainm pobail, (vi) ainmfhocal + sloinne nó ainm athartha Éireannach, (vii) ainmfhocal + sloinne Angla-Normannach, (viii) ainmfhocal + ?.

(i)   **Ainmfhocal + ainmfhocal cáilitheach sa ghinideach uatha nó iolra**
(26 sampla)
Cluain Abhla, Cl. Aird (Mobhéacóg), Cl. Béala, Cl. Buinne, Cl. Buinneáin, Cl. Cliath, Cl. Comair, Cl. Comhraic, Cl. Craicinn, Cl. Curraigh, Cl. Each, Cl. Eanaigh, Cl. Fionnghlaise, Cl. Fraoigh, Cl. Gabhra, Cl. Gamhna, Cl. Ineasclainn, Cl. Lacha, Cl. Lao, Cl. Manach, Cl Meáin, Cl. Meala, Cl Móna, Cl. Muc, Cl. Orrtha, Cl. Peata.

Tá an logainm *Cluain Fionnghlaise* áirithe san fho-aicme seo. Comhfhocal is ea an cáilitheoir den déanamh aidiacht + ainmfhocal (**gla(i)s(e)**). Tá an logainm *Cluain Aird (Mobhéacóg)* san áireamh anseo chomh maith, toisc nach bhfuil aon fhianaise ann go raibh an dara cáilitheoir, **Mobhéacóg**, san ainm roimh an dara haois déag. **Cluain Aird** a bhí ar an bhfondúireacht eaglasta roimhe sin, gan ainm ceana an naoimh mar aguisín léi.[11]

(ii)   **Ainmfhocal + alt + ainmfhocal sa ghinideach uatha nó iolra** (6 sampla)
Cluain an Locha, Cl. an Mhuilinn, C. na mBanrach, C. na nAbhall, Cl. na nGaibhne, Cl. na Ros.

Ní furasta ar uairibh logainmneacha struchtúir *c i* a aithint ó struchtúr *c ii*. Tá sin amhlaidh faoi *Cluain an Mhuilinn* arbh iad na foirmeacha is luaithe de, *Clomolyn, Clonmolyn* (blianta 1336-7 i gcáipéisí Laidine) agus ar ar tugadh ina dhiaidh sin *Clunavillan*, **Clon a mhuilin** (timpeall 1840).

Brí: Ainmfhocail iontuigthe (i bhfoclóirí ach go háirithe) is ea formhór cháilitheoirí *c i* agus *c ii*, seachas *Cluain Ineasclainn* ('of the bogland, wet-land') sa chéad fho-aicme.

[9]

Ainmhithe a chuirtí ar féarach is ea cáilitheoirí na logainmneacha seo a leanas, *Cluain Each, Cl. Gabhra, Cl. Gamhna, Cl. Lao, Cl. Muc* agus *Muc-chluain* (aicme *b* thuas). De bhreis orthu sin, is dócha gur craiceann ainmhí is brí do cháilitheoir *Cluain Craicinn* agus gur buaile bó nó caorach is brí do cháilitheoir *Cluain na mBanrach*. Ní miste a lua ach oiread gur peata ainmhí nó peata éin an bhrí atá le cáilitheoir *Cluain Peata* de réir dealraimh. Cuireann cáilitheoirí áirithe eile saothrú na talún in iúl, *Cluain Abhla* (< Cl. Abhall) agus *Cl. na nAbhall*.

Focal nó ainmneacha ar ghné uisce, ar thalamh fliuch nó ar thalamh bog atá i gcáilitheoirí na logainmneacha seo a leanas, *Cluain an Locha, Cl. Buinne, Cl. Buinneáin?, Cl. Curraigh, Cl. Eanaigh, Cl. Fionnghlaise, Cl. Ineasclainn, Cluain Lacha, Cluain Móna*. Fásra a gheofaí i dtalamh dá leithéid atá i gcáilitheoirí na logainmneacha seo, *Cluain Fraoigh* agus *Cluain Fionnáin* seans. I dtaca le cáilitheoir *Cluain Cliath* de, is inmheasta gur cliatha a leagadh anuas ar phortach a bhí i gceist.

Tá brí *Cluain na Ros*, 'pasture / clearing of the woods?', pléite ar lch. 182 thíos.

(iii) **Ainmfhocal + aidiacht** (13 sampla)
Cluain Big (< Cl. Bec), *Cl. Dóite, Cl. Gainiú, Cl. Leathan, Cl. Loiscthe, Cl. M(h)ór* (ocht logainm).

Tá aidiachtaí briathartha an dá logainm *Cluain Dóite* agus *Cluain Loiscthe* áirithe san fho-aicme seo.

Brí: Tá sé cinn d'aidiachtaí in úsáid san iomlán.[12] Is gnáthaidiachtaí fós iad go léir, seachas **gainiú** (< **gainmheadha**).

Seans go gcuireann **dóite** agus **loiscthe**, 'burnt', saothrú na talún in iúl.

(iv) **Ainmfhocal + ainm pearsanta (Éireannach)** (11 sampla)
Cluain Breasail, Cl. Brógáin, Cl. Canann, Cl. Caoi, Cl. Ceallaigh, Cl. Conbhruin, Cl. Diarmada, Cl. Macáin, Cl. Mhurchaidh, Cl. Singil (< Sineall?), *Cl. Taidhg*.

(v) **Ainmfhocal + ainm pobail** (sampla amháin)
Cluain Ó Míolchon.

Níl ach ainm pobail amháin san fho-aicme seo, ainm treachchais ('sept-name') den déanamh **Uí** (ainmneach iolra) + ainm sa ghinideach (MacNeill, 1911; *Log. na hÉ* II 17).

Logainm breise ab fhéidir a áireamh i bhfo-aicme *c v* nó *c i* is ea cáilitheoir *Cluain Bolg* < **Boilg**, ainm pobail iolra ('plural name') nó ainmfhocal.[13]

(vi) **Ainmfhocal + sloinne nó ainm athartha Éireannach** (6 sampla)
Cluain Mhic Giolla Dhuibh, Cl. Uí Bhriain, Cl. Uí Chionaoith, Cl. Uí Ghaoithín, Cl. Uí Shé, Cl. Uí Thorpa.

Is sloinnte den déanamh **Ó** + ainm cúig logainm de chuid na fo-aicme seo. Tig linn *terminus post quem* i dtús an cheathrú haois déag a cheapadh do *Cluain Uí Bhriain* (féach lch. 200 thíos). Logainm den déanamh **Cluain + Mac** + ainm is ea an t-ainm eile san fho-aicme seo, *Cluain Mhic Giolla Dhuibh*. Ní léir an sloinne nó ainm athartha atá sa cháilitheoir.

(vii) **Ainmfhocal + sloinne Angla-Normannach** (sampla amháin)
Cluain an Bhreatnaigh.

I dtaca leis an logainm aonair atá san aicme seo, is é *Walsh*, foirm Bhéarla an tsloinne, atá caomhnaithe san fhianaise stairiúil (iontrálacha an Ainmleabhair, bliain 1840).

(viii) **Ainmfhocal + ?** (8 sampla)
Cluain Buach, Cl. Éilí, Cl. Guas, Cl. Inithe, Cl. Míolchon, Cl. Mocóg, Cl. Rascain, Cl. Tíf.

Brí: Ní léir dúinn brí cháilitheoirí na logainmneacha san fho-aicme seo; féach na nótaí atá curtha leo i gcorp an tsaothair thíos.

(d) Ainmfhocal + ainmfhocal + eilimint(í) eile

Níl ach dhá logainm san aicme seo, *Cluain Lis Bó* agus *Cl. Lis Mhuilinn*. Is logainmneacha iad den déanamh ainmfhocal + ainmfhocal + ainmfhocal sa ghinideach.

Achoimre

Tá trí logainm nár aicmíodh fós agus gheofaí iad a áireamh i mbreis is ceann amháin d'fho-aicmí *c*, mar atá:

Cluain Bolg, fo-aicme *c i* nó *c v* .i.. nach léir cé acu ainmfhocal nó ainm pobail an cáilitheoir;
Cluain Bric, fo-aicme *c i, c iii* nó *c iv* .i. nach léir cé acu ainmfhocal, aidiacht nó ainm pearsanta an cáilitheoir;
Cluain Fionnáin, fo-aicme *c i* nó *c iv,* .i. nach léir cé acu ainmfhocal nó ainm pearsanta an cáilitheoir.

Is í an aicme is líonmhaire logainmneacha i gcás **Cluain** ná *c i* (ainmfhocal + ainmfhocal cáilitheach), 26 logainm as iomlán 92. Breis is ceathrú den iomlán atá ansin, i gcodarsnacht le beagnach an séú cuid de na logainmneacha ar aon déanamh leis a bhfuil **Cill** mar chéad eilimint iontu i gCo Thiobraid Árann (féach *Log. na hÉ* II 19). Tá an soláthar logainmneacha ina bhfaightear an t-alt roimh an ainmfhocal cáilitheach i ndiaidh **Cluain** an-íseal, sé logainm (*c ii*). Léirigh Deirdre Flanagan (1980) gur struchtúr comónta logainmneaca é *c i* i dtéacsanna luatha, murab ionann is struchtúr *c ii* (féach Toner, 1999 chomh maith). Is í an dara haicme is líonmhaire logainmneaca i gcás **Cluain** ná *c iii* (ainmfhocal + aidiacht) agus fo-aicme *c iv* (ainmfhocal + ainm pearsanta) ina dhiaidh sin. Níl ach sampla amháin de shloinne Angla-Normannach i ndiaidh **Cluain** anseo. Tá líon na gcáilitheoirí i ndiaidh **Cluain** nach léir dúinn a mbrí cuíosach ard, ocht logainm. Is tearc logainm dar céad eilimint **Cluain** ar follas gur déanaí ná an dara haois déag é, taobh amuigh d'eisceachtaí ar nós *Cluain Uí Bhriain* (fo-aicme *c vi*) agus *Cluain an Bhreatnaigh* (fo-aicme *c vii*) – féach na nótaí a ghabhann leis na logainmneacha ar leith úd thíos.

Logainmneacha nach bhfuil san áireamh

Bailíodh dhá shampla áitiúla de **Cluain** i mionainmneacha de chuid an chontae nach bhfuil marcáilte ar léarscáileanna na Suirbhéireachta Ordanáis. Níl siadsan curtha san áireamh i gcorp an leabhair.

> [kluːn] *Áit.* (1991) atá ag freagairt do **Cluain** i nGaeilge – ainm páirce is ea é i *bf* **Poll an Normáin** (K 19, 54);
> [ˌkloˈnaːrd] *Áit.* (1993) atá ag freagairt do ***Cluain Ard** i nGaeilge – i bhfogas do *bf Cluain Ceallaigh infra* a dúradh linn sa chomharsanacht.

Is iad seo na logainmneacha atá ar fáil i gCo. Thiobraid Árann ina bhfeidhmíonn **Cluain** mar cháilitheoir iontu:

> *bf Ballynacloona* (D 107) / **Baile na Cluana** – foirmeacha stairiúla de, *Ballyneclone COD* IV 246 (1543), *Ballyneclonagh Inq.(TÁ)* I 319 (1635), *Ballyneclony Inq.(TÁ)* III 200 (1639), *Ballyneclony CS* I 265-8 srl. (1654), **B… cluana** *AL:pl* (glanta) (1840), **Baile na cluana** *AL:*dúch (=*OD*), [ˌbalənəˈkluːnə] *Áit.* (1989);
> *bf Curraghcloney* (E 144) / **Currach Cluana** – féach lch. 99 thíos;
> *bf Curraghcloney* (E 188) / **Currach Cluana** – féach lch. 100 thíos;
> *bf Derrycloney* (A 158) / **Doire Chluana** – féach lch. 95 thíos;
> *bf Kilclonagh* (B 84) / **Cill Chluaine** – féach *Log. na hÉ* II 89-91 agus lch. 181 thíos;
> *Kilmacloonagh* / **Cill na Cluana** i *bf* **Coill an Bhardaigh** (F 96) – féach *Log. na hÉ* II 191-2;
> *bf Lisheenacloonta* (K 105) / **Lisín Cluainte** – ionann is *Delysinclonty, Lyssynclanty, Delysinclanty Inq.(TÁ)* I 279 (1608), *Lishmeclownty CPR* 426 (1618), *Lismc clunane Inq.(TÁ)* II 313, *Lyssine Clonta CS* II 313 (1654), *Lissinclonta CS* II 243 *et var.*, **Lisín a chluanta** *AL:pl* (=*OK*) (1840), *AL:*dúch (=*OD*), [liˌʃiːnəˈkluːntə] *Áit.* (1991); foirm iolra is ea **cluainte**.

Ní réadú ar **Cluain** na Gaeilge atá sa siolla *Clon-* i bhfoirm Bhéarlaithe an logainm seo a leanas:

> *bf Clonacody* (I 21) / **Cloch an Mhonacóidigh** – foirmeacha stairiúla de, *Moncotestoun COD* I 163 (1308-9), *Cloghmonokoyd COD* III 334 (1508), *Cloghmonocody* alias *Nockodestown COD* IV 198 (1541), **Cloch na cóide** *AL: pl* (1840), *AL:*dúch (=*OD*), [ˌklonəˈkoːdiː], [ˌklɑnəˈkoːdiː] *Áit.* (1993); féach Ó Cearbhaill (1988, 141, n. 7).

Ní léir cé acu **cluain** nó **cúil** ó bhunús focal tosaigh an logainm seo: *bf Coolnacalla* (L 116) – foirmeacha stairiúla de, *Cloonecally CGn.* 60.178.40417 (1729), *Coolnecally* alias *Cloonecally CGn.* 72.43.49617 (1732), **Cuil na calladh** *AL:pl* (glanta) (1840), **Cúil na cala** *AL:*dúch (*=OD*), [ˌkuːlnəˈçalə] *Áit.* (1989). Cf. **cú(i)l** < **cluain** i gcás an logainm *Cluain na mBanrach* thíos, lch. 176, n. *a.*[14]

Níor áiríodh logainmneacha 'Béarlaithe' an iliomad saothair atá cláraithe faoi **Noda agus Giorrúcháin Foinsí**, lgh. viii-xxiii, nuair nárbh fhéidir iad a shuíomh i ngréasán logainmneacha an lae inniu. Luaitear a leithéidí ar bhonn comparáide le logainmneacha eile sa leabhar seo: féach m.sh. 'Clontribroc' faoi *Cluain 1 infra*, nóta, 'Cloynlusk' *et var.* faoi *Cluain Loiscthe* n. *d*, 'Glasclone' faoi *Glaschluain* n. *b*.

Dáileadh

Tá dáileadh an nócha logainm a bhfuil a suíomh ar eolas againn dar céad eilimint **Cluain** agus **Cluainín**, nó dar déanamh **-chluain** i gcomhfhocail, taispeánta ar learáid 6, lch. 223. Ní miste aird a dhíriú ar dtús ar cé chomh gannchúisech is atá na **Cluain**-ainmneacha i ndeisceart an chontae. Sa dá bharúntacht is faide ó dheas (**Uíbh Eoghain agus Uíbh Fhathaidh Thiar, Thoir**) is treise a bhí an Ghaeilge laistigh de Co. Thiobraid Árann de réir daonáireamh na bliana 1851 (féach *Log. na hÉ* II 14). Chlúdaigh an leabhar a scríobh an Canónach Pádraig de Paor faoi *Logainmneacha na nDéise* (*PN Decies*), an ceantar úd chomh maith. Ní ganntanas foinsí más ea is cúis le líon na logainmneacha a bhfuil **cluain** iontu a bheith chomh tearc sin sa dá bharúntacht úd. Níl ach ceithre shampla sa dúthaigh sin mar a ritheann de **cluain** mar chéad eilimint i logainmneaca, *Cluain an Bhreatnaigh* (léaráid 6:8), *Cluain Meala* (6:53), *Cluain Mhór 2* (6:59), *Cluain Mór 3* (6:60).[15] Os a choinne sin, tá a lán logainmneacha a bhaineann le hábhar suite i dtuaisceart an chontae. Ní miste an patrún dáilte sin a chur i gcomparáid le logainmneacha na gcontaetha atá teorantach le *TÁ* a bhfuil eolas cruinn againn fúthu. As líon na mbarúntachtaí, na bparóistí agus na mbailte fearainn i gCo. Phort Láirge laisteas de *TÁ*, níl ach ceithre logainm déag dar céad eilimint **Cluain** as 1,388 logainm, i gcodarsnacht le seachtó trí logainm dar céad eilimint **cluain** i gCo. Uíbh Fhailí as 1,099 logainm.[16] Níl ach aon logainm déag dar céad eilimint **cluain** i gCo. Chill Chainnigh as iomlán 1,398, i gcomparáid le cúig sholaoid is daichead i gCo. Luimnigh as iomlán 1,721.[17] Tá dáileadh **cluain** i logainmneacha ar fud na hÉireann ar léaráid in *Atlas of Irish Place-Names* (O'Connor, 2001, 53).

Suíomh agus Brí

Tá gnéithe suaithinseacha a bhaineann le suíomh na logainmneacha i gCo. Thiobraid Árann dar céad eilimint **Cluain, Cluainín**, nó ina bhfuil **-chluain** i gcomhfhocail, léirithe i bhfoirm tábla thíos; nócha logainm atá i gceist:

[13]

Cluain	in aice Cill	in aice eaglais seachas Cill / suíomh eaglasta atá ann	Portach / talamh fliuch	loch	abhainn / sruthán	coill
Cluain (1)	*				*	
Cluain (2)			*		*	
Cluain (3)					*	
Cluain (4)						
Cluain (Beag, Mór)	*		*		*	
Cluain Abhla	*	*			*	
Cluain Aird	*	*			*	
Cluain an Bhreatnaigh			*		*	
Cluain an Locha				*		
Cluain an Mhuilinn			*		*	
Cluain Béala					*	
Cluain Big		*			*	
Cluain Bolg		*	*		*	
Cluain Breasail					*	
Cluain Bric			*		*	
Cluain Brógáin		*			*	
Cluain Buach	*		*			
Cluain Buinne					*	
Cluain Buinneáin	*				*	
Cluain Canann			*		*	
Cluain Ceallaigh			*		*	
Cluain Cliath	*	*	*		*	
Cluain Comair	*					
Cluain Comhraic			*		*	
Cluain Conbhruin		*			*	
Cluain Craicinn					*	*
Cluain Curraigh					*	
Cluain Diarmada			*		*	
Cluain Dóite	*		*		*	
Cluain Each		*	*		*	
Cluain Eanaigh					*	
Cluain Éilí					*	
Cluain Fionnáin			*		*	*
Cluain Fionnghlaise		*			*	

Cluain	in aice Cill	in aice eaglais seachas Cill / suíomh eaglasta atá ann	Portach / talamh fliuch	loch	abhainn / sruthán	coill
Cluain Fraoigh			*		*	
Cluain Gabhra			*		*	
Cluain Gainiú					*	
Cluain Gamhna			*		*	*
Cluain Guas	*		*		*	*
An Cluainín (1)	*	*			*	
An Cluainín (2)			*			
An Cluainín (3)			*			
Cluain Ineasclainn			*			
Cluain Inithe			*		*	
Cluain Lacha				*	*	
Cluain Lao			*		*	
Cluain Lis Bó		*	*		*	
Cluain Lis Mhuilinn	*		*		*	
Cluain Loiscthe	*				*	
Cluain Macáin		*	*			
Cluain Manach		*				
Cluain Meáin	*				*	
Cluain Meala					*	
Cluain Mhic Giolla Dhuibh			*	*	*	
Cluain Míolchon	*				*	
Cluain Mocóg			*		*	
Cluain Móna			*			
Cluain Mhór (1)						
Cluain Mhór (2)				*		
Cluain Mór (3)	*				*	
Cluain Mór (4)	*		*		*	
Cluain Mhór (5)		*	*		*	
Cluain Mhór (6)						
Cluain Mór (7)		*			*	
Cluain Mór (8)	*				*	
Cluain Muc			*			*
Cluain Mhurchaidh			*		*	

Cluain	in aice *Cill*	in aice eaglais seachas *Cill* / suíomh eaglasta atá ann	Portach / talamh fliuch	loch	abhainn / sruthán	coill
Cluain na mBanrach			*			
Cluain na nAbhall				*		
Cluain na nGaibhne					*	
Cluain na Ros				*	*	*
Cluain Ó Míolchon	*		*		*	
Cluain Orrtha		*	*		*	
Cluain Peata		*				
Cluain Rascain			*			
Cluain Singil					*	
Cluain Taidhg					*	
Cluain Tíf	*				*	
Cluain Uí Bhriain	*		*			
Cluain Uí Chionaoith	*	*	*			
Cluain Uí Ghaoithín	*				*	
Cluain Uí Shé					*	
Cluain Uí Thorpa		*			*	
Glaschluain						
Lomchluain						*
Muc-chluain (1)			*	*		
Muc-chluain (2)			*			
Seanchluain (1)					*	
Seanchluain (2)						
Seanchluain (3)		*	*			*

Seo suim na bpríomhthorthaí:

i. Tá fiche trí logainm den líon iomlán suite le hais logainmneacha ina bhfaightear an focal **cill** (an dara colún sa tábla).[18]

ii. Tá naoi logainm taobh le suíomh eaglasta (luath) seachas **cill** (an tríú colún).[19]

iii. Is láithreacha eaglasta aon logainm déag (an tríú colún).

iv. Tá seasca ceathair logainm cois abhann nó srutháin (an séú colún).

v. Tá seacht logainm le hais locha nó le hais locha taosctha (an cúigiú colún).

vi. Portach nó talamh fliuch is ea cuid d'achar daichead a trí logainm (an ceathrú colún).

vii. Níl portach, ná talamh fliuch ná sruthán ná loch i ndeich n-áit as an líon iomlán.

viii. Tá fianaise ann go raibh coillte ag fás in ocht n-áit (an seachtú colún).

Nuair a chuirtear le chéile na **Cluain**-ainmneacha uile i gCo. Thiobraid Árann atá taobh le suíomh eaglasta, nó ar láithreacha eaglasta iad féin – 43 logainm san iomlán (aicmí réamhráite *i-iii*) – agus nuair a chuirtear san áireamh, ina theannta sin, an líon ard ainmneacha mainistreacha ina bhfaightear **Cluain** (féach iontrálacha *Onom. Goed.* m.sh.), is é is dóichí gur chuid de thalamh (féaraigh)[20] na láithreacha eaglasta iad na cluainte sin.

Talamh taobh le bealach uisce atá i bhformhór na logainmneacha dar céad eilimint **Cluain** (64 log., aicme réamhráite *iv*) agus i gcás a leath nach mór, portach nó ithir fhliuch a bhí i gcuid den talamh (43 log., aicme *vi*).[21] Dar ndóigh níl aicme *vi* faoi chaibidil neamhspleách ar fad ar aicmí *iv* ná *v*. Féach, mar shampla, *Mucchluain* le hais Loch Deirgeirt (lch. 213 thíos), mar a bhfuil an talamh ar imeall an locha 'liable to floods' de réir léarscáil na Suirbhéireachta Ordanáis, nó *Cluain Mhór 2* taobh le loch taosctha atá ina thalamh portaigh (lch 167). San iomlán, níl ach 9 logainm as 90 dar céad eilimint **Cluain** nach bhfuil, nó nach raibh, portach ná talamh fliuch ná sruthán ná loch iontu. Tá trácht déanta cheana féin, ar lch. 10, ar na cáilitheoirí i ndiaidh **Cluain** a chuireann talamh fliuch nó portach nó a leithéid d'fhearann in iúl. An tiontú atá déanta ag Fergus Kelly (1997, 614) ar **cluain** i dtéacsanna luatha ná 'damp pasture, untilled field'.

Is mithid dúinn trácht ar na cluainte atá le hais portach, seachas na **Cluain**-ainmneacha a bhfuil portaigh laistigh dá líomatáiste (.i. aicme *vi* roimhe seo). Tá roinnt samplaí ar lch. 6 thuas, rannóg 11 (Suíomh), de **cluain**-ainmneacha taobh le portaigh, ar nós *Cluain Ineasclainn* a bhí teorantach le 'the reddbogg called Loscalorgan' agus le **Mong Loiscthe** sa 17ú haois agus *Cluain Inithe* atá taobh le **Móin an Bhogáin**. Samplaí eile den saghas seo is ea *Cluain Breasail* a bhfuil portach lastoir de; *Cluain Macáin* le hais **Curraithe Glasa**; *Cluain Míolchon* in aice **Móin Doicheartaigh**.

Ní miste cúpla saothar a lua ina gcíortar go sonrach an gaol atá idir portaigh agus an eilimint **cluain** i logainmneacha: 'Cloon is found in place-names and … is an anglicised form of the Irish **cluain**, a meadow. The name is associated with those parts of Ireland where patches of dry ground alternate with bogs' (Quin & Freeman, 1948, 151). Is é an tátal a bhain A. P. Smyth (1982, 30) as láithreacha mainistreacha ar a dtugtar **Cluain** i gceantracha portaigh, 'The evidence presented by this bog-cover shows that the Old Irish **cluain** element in placenames meant "a fertile clearing surrounded by an expanse of bog"'. Is éard atá i *Cluain Comhraic* cuir i gcás (lch. 92 *infra*) ná oileán de thalamh tirim i lár portaigh. Tá réimse portaigh in iarthar *Cluain Fraoigh* (lch. 114) agus tá portaigh laisteas, lastoir agus lastuaidh den bhaile fearainn chomh maith. Is é brí bheacht an fhocail i logainmneacha dar le P. W. Joyce (1869,

233) ná 'a fertile piece of land, or a green arable spot, surrounded or nearly surrounded by bog or marsh on one side, and water on the other'. Tá **Cluain**-ainmneacha áirithe i *TÁ* ag teacht le míniú sin an tSeoighigh, ó thaobh suímh de – féach mar shampla *Cluain Fionnáin*, Suíomh (lch. 108), áit a bhfuil portaigh thuaidh, thiar agus thoir agus sruthán ar an teorainn theas. Tabhair faoi deara go bhfuil ocht logainm is fiche de chuid an tábla thuas sa cheathrú colún ('portach / talamh fliuch') agus sa chúigiú nó sa séú cholún araon ('loch / abhainn / sruthán').

Tá fianaise ann go raibh coillte ar thailte ocht gcinn de na logainmneacha a bhfuil anailís déanta orthu anseo (aicme *viii* roimhe seo), ar nós *Cluain Craicinn* a ndearnadh cur síos air in *AL* (1840) mar seo, 'containing several large portions of wood …' (féach lch, 97 thíos), nó *Lomchluain* (= *Lumcloon Wood SO*), nó *Cluain na Ros* (a bhfuil fianaise faoi choillte an aonaid talún i bhfoinsí de chuid an 17ú haois). I gcás logainmneacha áirithe mar sin, is inmheasta gur réiteach i gcoill an bhrí atá le **cluain**[22] – i dtaca leis sin de, ní miste aird a tharraingt ar cháilitheoir

Cluainte i measc na bportach i gCo. Thiobraid Árann: 1. Cluain Móna, 2. Lomchluain, 3. Cluain Rascain, 4. Cluain Fionnáin, 5. Cluain Comhraic

Cluain na Ros ('of the woods'?) agus ar shuíomh an mhionainm *Lomchluain* i *bf Doire Leathan*. Mar le fuílleach na n-ocht n-áit seo de, bhí idir phortaigh agus choillte iontu: féach m.sh. *Cluain Fionnáin* ina raibh 'timber & bog' sa 17ú haois (léarscáil 'Down Survey'), *Cluain Gamhna* ina raibh 'bog and wood unprofitable' san aois chéanna, *Cluain Guas* ina raibh 'shrubby bogg / woody pasture' de réir foinsí na haoise céanna.

Sanasaíocht

Ó thaobh sanasaíochta de, tá Pokorny (1959, 603) tar éis **cluain** (*i*-thamhan) atá i dtrácht a rianú siar go dtí **klop-ni-* na hInd-Eorpaise, ón bhfréamh **klep*, 'tais', agus comhartha ceiste aige leis (ibid.). Chuir sé an focal i gcomparáid le κλέπας 'eanach' na Gréigise agus le *šlapias* 'fliuch' na Liotuáinise. Sin í an tsanasaíocht a thug Thurneysen (*GOI*, 140) chomh maith. Féidireacht eile a luaigh Pokorny ná **kleu-ni-* ón bhfréamh *kleu* 'níochán' (ibid. 607), 'que l'on retrouve dans le nom celtique de la Clyde, **kloutā* ...' (*Vendr. Lex.* 1987, C 126); féach Mac Mathúna (1974, 60) chomh maith.

Tá an focal gaolmhar *clun* le fáil i logainmneacha Breatnaise agus Cornaise: 'meadow, moor, break, brushwood' is ciall don fhocal sa Bhreatnais de réir *Geiriadur Prifysgol Cymru* (*GPC* VIII, 1954, 510). Tá an logainm *Clunderwen*, 'oak meadow' áirithe ag Owen & Morgan (2007, 89) in *Dictionary of the place-names of Wales*. Is éard is brí do *clun* i logainmneacha Chorn na Breataine de réir Padel (1985, 61) in *Cornish place-name elements* ná 'meadow'. Thuairmigh an t-údar deireanach (*loc. cit.*), gurbh ann don aidiacht seo a leanas chomh maith ar díorthach í ón mbunfhocal céanna: 'There may have been an adjective **clunyek*, "marshy place" (?)'.

Tá fianaise áirithe i logainmneacha Co. Thiobraid Árann gurbh fhirinscneach agus bhaininscneach do **cluain**; féach **clúain** '*i*[-stem] m[asculine] later f[eminine]' *DIL, loc. cit.*. Cuirimis m.sh. *Cluain Big*, lch. 60, n. *a* (= *Cloneveg* bl. 1607c, baininscneach), mar aon le *Cluain Mhór 1*, lch. 166, nóta, i gcomparáid le *Cluain Mór 3*, lch. 168, n. *a*. Tá foirm ghinidigh uatha bhaininscneach **cluain** caomhnaithe sa dá logainm seo: *Cleynaglasscluony* (bl. 1654) a fhreagraíonn do **Claí na Glaschluaine / Glaschluana** s.v. *Glaschluain*, lch. 210, n. *b*; **Baile na Cluana** atá luaite cheana féin ar lch. 12.

Aguisín

Cé go bhfuil teacht i bhfoinsí Gaeilge ar fhoirmeacha stairiúla *Cluain Baird Mic Úghaine, Cluain Caoláin* agus *Cluain Dá Ros*, lch. 217 ff. thíos, níl a suíomh cinnte. Tá an fhoirm *Cluain Cnaoidheach* amhrasach, murab ionann is an logainm simplí **Cnaoi(dhe)ach**. Logainm bréagach is ea *Cluain Mucrais* a fhaightear in *Onom. Goed.* agus atá bunaithe ar fhoirmeacha lochtacha lámhscríbhinní.

Nótaí

1. Tugtar cuntas achomair ar stair an chontae in *Log. na hÉ* II 1-2 agus in *Liostaí Log. TÁ* xvi-xxii.

2. Ciallaíonn **cluain** 'after-grass' chomh maith de réir *FGB* 250. Sin é is ciall don fhocal i bparóiste Chill Taobhóg, barúntacht Ráth Bhoth, *DG*: 'féar beag óg' (Hughes, 1986, 93, n.3). Brí eile fós a bhí ag an bhfocal ná 'glade' (féach n. 22 thíos).

3. Tugtar ainmneacha Béarla bhailte fearainn, pharóistí agus bharúntachtaí na tíre in ord aibítreach i *Top. Index* agus cloítear leis an litriú sin sa saothar seo. I dtaca le Co. Thiobraid Árann de go sonrach, féach *Liostaí Log. TÁ*.

4. Taispeántar paróistí dlí an chontae ar Léaráid 5, lch. 28. Tá liosta aibítreach Béarla-Gaeilge de na paróistí céanna ar lgh. 29-34.

5. Tá an logainm Béarla *Peakaun* < **Péacán** ag freagairt do cháilitheoir modhnaithe ('modifying specific' .i. **Mobhéacóg**) an logainm *Cluain Aird (Mobhéacóg)*. Tháinig cáilitheoir an logainm **Doire Chluana** / *Derrycloney SO* ó aicmitheoir bunaidh an logainm *Cluain Conbhruin*.

6. Is réadú ar *Derrycloney* a chualathas in ionad **Cluain Conbhruin** agus is réadú ar *Peakaun* in ionad **Cluain Aird (Mobhéacóg)** a chualathas (féach n. 5). Is iad na logainmneacha *Mountphilips* agus *Solsborough* a chualathas go háitiúil in ionad *Cluain Comair* agus *Cluain Muc* faoi seach mar atá mínithe faoi **Scóip an taighde** thuas, aicme *i*.

7. I dtaca leis sin de, is réadú ar aistriúchán Béarla míchruinn atá sna leaganacha áitiúla seo den logainm *Cluain Mhurchaidh* / *Clonmurragha SO* (lch. 175), [ˌglenˈmɑrgən], [ˌglenˈmɑːrgən] .i. **Glenmorgan*.

8. Seo a leanas na logainmneacha atá i dtrácht, mar aon le dáta (achomair) na foirme Gaeilge is luaithe idir lúibíní i ndiaidh gach ainm: *Cluain Aird (Mobhéacóg)* (690), *Cl. Big* (1050c), *Cl. Canann* (1100c), *Cl. Caoi* (800/830c), *Cl. Conbhruin* (1218), *Cl. Fionnghlaise* (1091), *An Cluainín 1* (1817), *Cl. Leathan* (1411), *Cl. Lis Bó* (1550c), *Cl. Meala* (1460), *Cl. Uí Bhriain* (1714) *Cl. Uí Chionaoith* (1432).

9. Tá a thuilleadh scríofa faoi na dátaí atá tugtha do fhoinsí áirithe Gaeilge i *Log. na hÉ* II 24-5, n. 13. Léirigh Pádraig Ó Riain (2000-1, 235-6) in aiste leis faoi sheachadadh Fhéilire Aonghasa (= *FOeng.*) i lámhscríbhinní, gur cuireadh an tráchtadh ('commentary') leis an téacs úd sa tréimhse 1170-1174 agus go raibh Féilire Uí Ghormáin (= *FGorm.*) ar cheann de phríomhfhoinsí an trácht; luaitear na foinsí úd faoi fhianaise stairiúil *Cluain Aird (Mobhéacóg)*, lch. 42 thíos mar shampla.

10. Déantar neamhshuim anseo den alt sa suíomh tosaigh.

11. Is minic ainm naoimh á chur le logainm bunaidh dar céad eilimint **Cluain** ina raibh fondúireacht eaglasta, leithéid **Cluain Ferta Brénaind, Cluain Ferta Mughaine** agus **Cluain Ferta Molua** cuir i gcás (*Onom. Goed.* 263). 'It is worth noting that while **inis** and **ard** in names of early ecclesiastical sites are, in some instances, qualified by the founder's name…, this is not so with **cluain** ecclesiastical names in the better documented instances. We do, admittedly, get Cluain Ferta Brénainn, Cluain Ferta Molua, Cluain Mór Maedóc but the founder's name in these instances is not part of the basic place-name, merely a gloss to distinguish on a wider scale one Cluain Fearta ('pasture of the grave-mound') or one Cluain Mór from other instances of the name. It would appear that such **cluain**-names predated the monastic site …' (Flanagan, 1979, 6).

12. Aidiacht eile fós ab fhéidir a chur leis an líon sin ná **ard** atá i gceann de mhionainmneacha *TÁ* a bailíodh sa cheantar, [ˌkloˈnaːrd] ar lch. 12 thuas.

13. B'fhéidir gurb ionann *Clonely* agus **Cluain Éile** agus gur ainm pobail iolra atá sa cháilitheoir ó bhunús (MacNeill, 1917, 61 s.v. Éli); féach lgh. 107-8, n. *c*.

14. Ní tearc na samplaí de cháilitheoir nua curtha in ionad ainmfhocail eile i logainmneacha: féach cuir i gcás **Coill > Gort Leasa Uí Bhriain** lch. 200, n. *b*; **Teach > Teampall Eithne** lch. 137, n. *c*; **Tír > Fiadh Mughain** *Log. na hÉ* II 141; sampla eile den mhalartaíocht seo i log. de chuid *TÁ* is ea **Aill > Ard an Bhalláin** / *Ardavullane* (*bf*, A 29) ar a dtugtar, **Aill in Bhalláin** *Sen. Búrc.* 159 (1550c), *Ardavallane Inq. (TÁ)* III 110 (1637), **Árd a Mhulláin** *AL:pl* (1840).

15. Tabhair faoi deara go bhfuil trí bhaile fearainn ina bhfuil feidhm cáilitheora ag **cluain** sa dá bharúntacht faoi chaibidil, **Baile na Cluana** agus dhá shampla de **Currach Cluana** (féach *Logainmneacha nach bhfuil san áireamh*, lch. 12 thuas).

16. Faightear na díorthaigh **cluanach, cluanachán** agus **cluainín** (< cluain) i logainmneacha de chuid Uíbh Fhailí chomh maith. Tá an t-eolas seo trí chéile bunaithe ar an tsraith leabhar Liostaí Logainmneacha (= *Liostaí Log.*) a d'fhoilsigh An Brainse Logainmneacha.

17. Tá an díorthach **cluainín** i gceann amháin de logainmneacha Co. Chill Chainnigh. Faightear sampla amháin den díorthach **cluaintín** i measc logainmneacha Co. Luimnigh, chomh maith le sampla amháin de **cluainte** (uimhir iolra).

18. Tá sampla eile de **Cill** agus **Cluain** le hais a chéile i logainmneacha de chuid an chontae luaite i *Log. na hÉ* II 78: bhí 'Clonekeany' *(et var.)* – atá ar ceal ach a bhfuil tagairtí dó i bhfoinsí de chuid an 17ú haois – agus *Kilkennybeg* / **Cill Chainnigh Bheag** teorantach le chéile. Tá **cill** agus **cluain** nasctha le chéile sa dá logainm *Cill Chluaine* agus *Cill na Cluana* a pléadh in *Log. na hÉ* II 89, 191 faoi seach.

19. Sampla eile den chineál seo ná *bf Clonmore* / **Cluain Mór** in iardheisceart Co. Uíbh Fhailí (*p* Shaighir Chiaráin, *bar* Bhaile an Bhriotaigh) atá le hais láthair luath mainistreach Shaighre (féach O'Brien & Sweetman, 1997, 87-8).

20. Tabhair faoi deara gur saghasanna ainmhithe a chuirtí ag innilt iad cáilitheoirí logainmneacha áirithe dar céad eilimint **cluain** a bhfuil anailís déanta orthu ar lch. 10 thuas.

21. Féach cuir i gcás a bhfuil scríofa in *AL* faoi shuíomh *Cluain an Mhuilinn*: 'this townland is partially cultivated, being composed of lime-stone rocks, underwood and flooded land'.

22. Féach *DIL* (1968-1970, C 256-7) s.v. **1 clúain**, 'glade'. Féach Mitchell & Ryan (1990, 289) freisin: 'Monastic sites frequently occupy islands of relatively good land in the bogs and the placename *cluain* so often associated with many of them ... seems to carry the implication of forest clearance'.

COMHORDANÁIDÍ

Tá aon tagairt amháin don eangach náisiúnta luaite le gach ceann de na príomhlogainmneacha (lgh. 35-216) a bhfuil a suíomh beacht ar fáil, mar shampla

Cluain Meala S193224

Is don lárphointe a thagraíonn comhordanáidí bailte fearainn. Cuirtear gach cearnóg eangaí 100 km in iúl le litir (*S* mar shampla thuas agus ar Léaráidí 1 agus 2). Don chomhordanáid soir a thagraíonn na trí fhigiúr tosaigh taobh istigh de gach cearnóg a bhfuil litreacha uirthi (*193* mar shampla) agus don chomhordanáid ó thuaidh a thagraíonn an dara trí fhigiúr (*224*). Is cruinn go dtí céad méadar an tagairt iomlán.

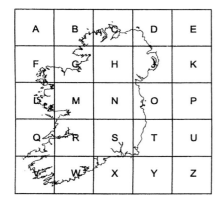

Léaráid 1: An Eangach Náisiúnta

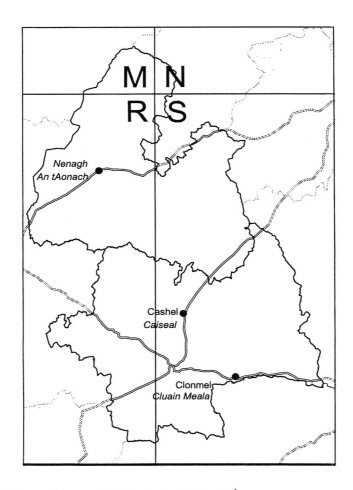

Léaráid 2: Na cearnóga eangaí 100 km do Co. Thiobraid Árann

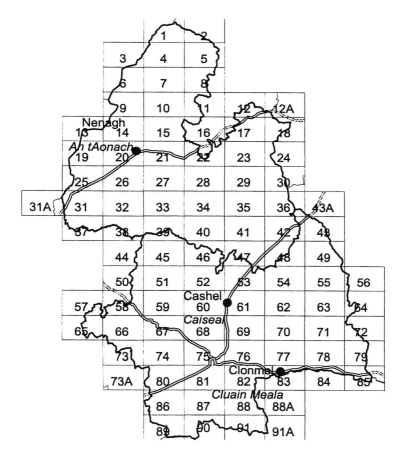

Léaráid 3: An tsraith léarscáileanna ar scála sé orlaigh sa mhíle (1:10,560) do Co. Thiobraid Árann

Léaráid 4: Barúntachtaí Co. Thiobraid Árann

[26]

NA BARÚNTACHTAÍ

Tá códlitir shainiúil laistigh den chontae tugtha do gach barúntacht. Gabhann an chuid is mó de bharúntachtaí C agus N thar teorainn isteach i gCo. Phort Láirge.

A	Clanwilliam	Clann Liam
B	Eliogarty	Éile Uí Fhógarta
C	Glenahiry	Gleann na hUidhre
D	Iffa and Offa East	Uíbh Eoghain agus Uíbh Fhathaidh Thoir
E	Iffa and Offa West	Uíbh Eoghain agus Uíbh Fhathaidh Thiar
F	Ikerrin	Uí Chairín
G	Kilnamanagh Lower	Coill na Manach Íochtarach
H	Kilnamanagh Upper	Coill na Manach Uachtarach
I	Middlethird	An Trian Meánach
J	Ormond Lower	Urumhain Íochtarach
K	Ormond Upper	Urumhain Uachtarach
L	Owney and Arra	Uaithne agus Ara
M	Slieveardagh	Sliabh Ardach
N	Upperthird	Uachtar Tíre

Léaráid 5: Paróistí dlí Co. Thiobraid Árann agus a gcóduimhreacha

[28]

NA PARÓISTÍ DLÍ

Tá códuimhir shainiúil laistigh den chontae tugtha do gach paróiste. Sa cheathrú cholún tá códlitir nó códlitreacha a chuireann in iúl an bharúntacht nó na barúntachtaí ina bhfuil an paróiste suite. Ciallaíonn réiltín (*) i ndiaidh na códuimhreach go bhfuil cuid den pharóiste lasmuigh den chontae.

		Áth Iseal (*féach* Reilig Mhuire)	
1*	Abington	Mainistir Uaithne	L (*Lm*)
2	Aghacrew	Áth Cró	G
3	Aghnameadle	Áth na Méadal	K
4	Aglishcloghane	Eaglais Chlocháin	J
5	Ardcrony	Ard Cróine	J
6	Ardfinnan	Ard Fhíonáin	E
7	Ardmayle	Ard Máil	I
8	Athnid	Áth Nid	B
9	Ballingarry	Baile an Gharraí	J
10	Ballingarry	Baile an Gharraí	M
11	Ballintemple	Baile an Teampaill	G
12	Ballybacon	Baile Uí Bhéacáin	E
13	Ballycahill	Bealach Achaille	B, H
14	Ballyclerahan	Baile Uí Chléireacháin	D
15	Ballygibbon	Baile Ghiobúin	K
16	Ballygriffin	Baile Ghrífín	A
17	Ballymackey	Baile Uí Mhacaí	K
18	Ballymureen	Baile Amoraoin	B
19	Ballynaclogh	Baile na Cloiche	K
20	Ballysheehan	Baile Uí Shíocháin	I
21	Baptistgrange	Gráinseach Eoin Baiste	I
22	Barnane-ely	Bearnán Éile	F
23	Barrettsgrange	Gráinseach an Bhairéadaigh	I
24*	Borrisnafarney	Buiríos na Fearna	F (*UF*)
25	Borrisokane	Buiríos Uí Chéin	J
26	Bourney	Boirinn	F

27	Boytonrath	Ráth an Bhaightiúnaigh	I
28	Brickendown	Bricín	I
29	Bruis	Brí Ois	A
30	Buolick	Buailic	M
31	Burgesbeg	An Bhuirgéis	L
32	Caher	An Chathair	D, E
33	Carrick	Carraig na Siúire	D
34	Castletownarra	Baile an Chaisleáin	L
35	Clogher	An Clochar	G
36	Cloghprior	Cloch an Phrióra	J
37	Clonbeg	Cluain Big	A
38	Clonbulloge	Cluain Bolg	A
39	Cloneen	An Cluainín	I, M
40	Clonoulty	Cluain Abhla	A, G
41	Clonpet	Cluain Peata	A
42	Colman	Cill Cholmáin	I
43	Cooleagh	An Chuailleach	I
44	Coolmundry	Cúil Mhondraí	I
45*	Corbally	An Corrbhaile	F (*UF*)
46	Cordangan	An Corrdhaingean	A
47	Corroge	Corróg	A
48	Crohane	Cruachán	M
49	Cullen	Cuilleann	A
50*	Cullenwaine	Cúil Ó nDubháin	F (*UF*)
51	Dangandargan	Daingean Deargáin	A, I
52	Derrygrath	Deargráth	E
53	Dogstown	Baile na Madraí	I
54	Dolla	An Doladh	K
55	Donaghmore	Domhnach Mór	D, I
56	Donohill	Dún Eochaille	A, G
57*	Doon	Dún	H (*Lm*)
58	Dorrha	Dura	J
59	Drangan	Drongán	I

[30]

60	Drom	An Drom	B
61	Dromineer	Drom Inbhir	J
62	Emly	Imleach	A
63	Erry	Oireadh	I
64	Fennor	Fionnúir	M
65*	Fenoagh	Fionnúch	N (*PL*)
66	Fertiana	Feart Éanna	B
67	Fethard	Fiodh Ard	I
68	Finnoe	Fionnú	J
69	Gaile	Gael	I
70	Galbooly	An Ghallbhuaile	B
71	Garrangibbon	Garrán Ghiobúin	D, M
72	Glenbane	An Gleann Bán	A
73	Glenkeen	Gleann Caoin	H
74	Grangemockler	Gráinseach Mhóicléir	M
75	Graystown	Baile an Ghraeigh	I, M
76	Holycross	Mainistir na Croiche	B, I
77	Horeabbey	An Mhainistir Liath	I
78	Inch	An Inse	B
79*	Inislounaght	Inis Leamhnachta	C, D (*PL*)
80	Isertkieran	Díseart Chiaráin	M
81*	Kilbarron	Cill Bharráin	J (*Cl*)
82	Kilbragh	Cill Bhrácha	I
83	Kilcash	Cill Chaise	D
84	Kilclonagh	Cill Chluaine	B
85	Kilcomenty	Cill Chomnaid	L
86	Kilconnell	Cill Chonaill	I
87*	Kilcooly	Cill Chúile	B, M (*CC*)
88	Kilcornan	Cill Churnáin	A
89	Kilfeakle	Cill Fhiacal	A
90	Kilfithmone	Cill Fhia Múin	B
91	Kilgrant	Cill Chrónata	D
92	Kilkeary	Cill Chéire	K
93*	Killaloan	Cill Ó Luáin	D (*PL*)
94	Killardry	Cill Airdrí	A

[31]

95	Killavinoge	Cill Momhéamóg	F
96	Killea	Cill Shléibhe	F
97	Killeenasteena	Cillín an Stiabhnaigh	I
98	Killenaule	Cill Náile	M
99	Killodiernan	Cill Ó dTiarnáin	J
100	Killoscully	Cill Ó Scolaí	L
101	Killoskehan	Cill Ó Sceacháin	F
102	Kilmastulla	Cill Mhac Stola	L
103*	Kilmoleran	Cill Moilearáin	N (PL)
104	Kilmore	An Chill Mhór	G
105	Kilmore	An Chill Mhór	K
106	Kilmucklin	Cill Mhíolchon	A
107	Kilmurry	Cill Mhuire	D
108	Kilnaneave	Cill na Naomh	K
109	Kilnarath	Cill na Rátha	L
110	Kilpatrick	Cill Phádraig	G
111	Kilruane	Cill Ruáin	J, K
112	Kilshane	Cill tSeáin	A
113*	Kilsheelan	Cill Síoláin	D (PL)
114	Kiltegan	Cill Tagáin	D
115	Kiltinan	Cill Teimhneáin	I
116	Kilvellane	Cill Mhealláin	L
117	Kilvemnon	Cill Mheanmnáin	M
118	Knigh	An Cnaoi	J
119	Knockgraffon	Cnoc Rafann	I
120	Latteragh	Leatracha	K
121	Lattin	Laitean	A
122	Lickfinn	Leic Fhinn	M
123	Lisbunny	Lios Buinne	K
124	Lismalin	Lios Moling	M
125	Lisronagh	Lios Ruanach	D
126	Lorrha	Lothra	J
127	Loughkeen	Baile Locha Caoin	J
128	Loughmoe East	Na Cealla Beaga	B
129	Loughmoe West	Luachma	B

130	Magorban	Maigh gCorbáin	I
131	Magowry	Maigh Gabhra	I
132	Modeshill	Maigh Dheisil	M
133	Modreeny	Maigh Drithne	J
134	Molough	Maigh Locha	E
135	Monsea	Maigh Sotha	J, L
136	Mora	Baile na Móna	I
137	Mortelstown	Baile an Mhoirtéalaigh	E
138	Mowney	Maigh Abhna	M
139	Moyaliff	Maigh Ailbhe	H
140	Moycarky	Maigh Chairce	B
141	Moyne	An Mhaighean	B
142	Neddans	An Neadán	E
143	Nenagh	An tAonach	J, K
144	Newcastle	An Caisleán Nua	E
145	Newchapel	An Eaglais Nua	D
146	Newtownlennan	Baile Nua an Loinneáin	D, M
147	Oughterleague	Uachtar Liag	A, G
148	Outeragh	Uachtar Rátha	I
149	Peppardstown	Baile Bhriodúnach	I
150	Rahelty	Ráth Eilte	B
151	Railstown	Baile an Ráiligh	I
152	Rathcool	Ráth Cuala	I
153	Rathkennan	Ráth Cianáin	G
154	Rathlynin	Ráth Laighnín	A
155	Rathnaveoge	Ráth Mobheóg	F
156	Rathronan	Ráth Rónáin	D
157	Redcity	An Chathair Dhearg	I
158	Relickmurry and Athassel	Reilig Mhuire agus Áth Iseal	A, I
159	Rochestown	Baile an Róistigh	E
160*	Roscrea	Ros Cré	F (*UF*)
161	St. Johnbaptist	Paróiste Eoin Baiste	I, M
162	St. Johnstown	Baile an tSeánaigh	I
163*	St. Mary's, Clonmel	Paróiste Mhuire	C, D (*PL*)
164	St. Patricksrock	Carraig Phádraig	I

165	Shanrahan	Seanraithin	E
166	Shronell	Srónaill	A
167	Shyane	An Sián	B
168	Solloghodbeg	Sulchóid Bheag	A
169	Solloghodmore	Sulchóid Mhór	A
170*	Stradbally	An Sráidbhaile	L (*Lm*)
171	Templeachally	Teampall an Chalaidh	L
172	Templebeg	An Teampall Beag	H
173*	Templebredon	Teampall Uí Bhrídéain	A (*Lm*)
174	Templederry	Teampall Doire	K
175	Templedowney	Teampall Dóinín	K
176	Temple-etney	Teampall Eithne	D
177	Templemichael	Teampall Mhichíl	M
178	Templemore	An Teampall Mór	B, F
179	Templeneiry	Teampall Néire	A
180	Templenoe	An Teampall Nua	A
181	Templeree	Teampall Rí	F
182	Templetenny	Teampall Toinne	E
183	Templetouhy	Teampall Tuaithe	B, F
184	Terryglass	Tír Dhá Ghlas	J
185	Thurles	Durlas	B
186	Tipperary	Tiobraid Árann	A
187	Toem	Tuaim	A, H
188	Tubbrid	Tiobraid	E
189	Tullaghmelan	Tulaigh Mhaoláin	E
190	Tullaghorton	Tulach Artáin	E
191	Tullamain	Tulaigh Mheáin	I
192	Twomileborris	Buiríos Léith	B
193	Upperchurch	An Teampall Uachtarach	H
194	Uskane	Uisceán	J
195	Whitechurch	An Teampall Geal	E
196	Youghalarra	Eochaill	L

LOGAINMNEACHA DAR CÉAD EILIMINT *CLUAIN*

Cluain (1)
Cloone B 128; 29; S121699; 6:1

1601	Clone	*F* 6537
	Cloane	*F* 6522
1602	Cloane	*F* 6706
1614	Clone	*CPR* 268
1624	Clone	*CPR* 595
1654	Cloine	*CS* I 25
	Cloyne	*CS* I 37, 38, 49, 50
	Cloane	*CS* I 50
	Cloone	*CS* I 78
	Clone	*CS* I 25, 26, II 370
1840	Cluain	*AL:*dúch (=*OD*)
1991	kluːn	*Áit.*

pasture

Cluain (1) agus An tSiúir ar dheis

[35]

Suíomh:
(i) An tSiúir atá ar an teorainn thoir. Tá géag den abhainn chéanna ar theorainn thuaidh an bhaile fearainn (féach an grianghraf ar lch. 35).
(ii) Teorantach laisteas le *bf Kilnaseer* / **Cill na Saor** (féach *Log. na hÉ* II 205), de réir teorainneacha *CS* agus *DS* an 17ú haois.
(iii) Is é cur síos a dhéantar san Ainmleabhar (bliain 1840) ar chineál na talún sa bhaile fearainn ná, 'all arable'.

Nóta:
Thuairimigh Nicholls, eagarthóir *Chart. John* 275, gurbh ionann *Clontribroc* na cairte sin (ibid. 269, bl. 1192-3) agus *Cluain* faoi chaibidil.

Cluain (2)
Clone G 40; 52; S000486; 6:2

1586	Clone	*F* 4907
1601	Clone	*F* 6522
1618	Cloyne	*CPR* 359, 426
1654	Cloone	*CS* II 95, 96
1657	Clone	*DS*
1840	Cluain	*AL:pl*, dúch (=*OD*)
	'a meadow or boggy pasturage'	*AL:*dúch (=*OD*)
1993	klu:n	*Áit.*

pasture

Suíomh:
(i) Sruthaíonn *Multeen River* / **An Moiltín** tríd an mbaile fearainn. 'Liable to floods' an cur síos atá déanta ar léarscáil athbhreithnithe *TÁ (SO)* (bl. 1903) ar an talamh in aice na habhann i ndeisceart an *bf.*
(ii) De réir foinsí an 17ú haois (*CS, DS* m.sh.), aonad talún níos fairsinge ba ea *Clo(o)ne et var.* an tráth úd. Taobh istigh den aonad fairsing úd bhí cuid de thailte *Clonedarby SO* / *Cluain Diarmada* q.v. De réir an dá fhoinse réamhráite, bhí cuid de thalamh *Clo(o)ne* 'heathy' (*CS* II 96).

Cluain (3)
Cloon I 7; 52, 60; S059437; 6:3

1798	Cluen	*CGn.* 509.377.334176
1840	Cluain	*AL:pl*, dúch (=*OK*?)
1993	kluən, klu:n	*Áit.*

pasture

Suíomh:
(i) *Arglo River* / **An Arglach** atá ar theorainn theas an bhaile fearainn. I dtaca leis an abhainn sin de, féach faoi *Cluain an Bhreatnaigh*, n. *d.*
(ii) Teorantach lastuaidh agus laistiar le *Cluain Mhór 5 infra*. Cuid den *Cluain Mhór* sin ba ea talamh *Cluain* faoi chaibidil, de réir teorainneacha fhoinsí de chuid an 17ú haois (*CS, DS*; féach *Cluain Mhór 5,* Suíomh).

Cluain (4)
Cloon K 175; 21; R965769; 6:4

1840	Cloon	*AL:BS*
	Cluain	*AL:pl* (glanta), dúch (=*OD*)
1991	klu:n	*Áit.*

pasture

Suíomh:
Teorantach ar an taobh thiar thuaidh le *Cluain Lao* q.v.

Cluain (Beag, Mór)
Clon (Beg, More) B 78; 40; S046606; 6:5

1634	Clonemore, Clonebegg	*Inq.(TÁ)* II 175
1637	Clonbegge	*Inq.(TÁ)* III 60
1654	Clonmore	*CS* I 94
1840	Cluain beg	*AL:pl* (=*OC*)
	Cluain mór	*AL:*dúch (=*OD*)
1991	ˌklonˈbeg, ˌklonˈmo:r	*Áit.*

(little, big) pasture

Suíomh:
(i) Tá *bf Clon More SO*, faoi chaibidil, teorantach lastoir le *bf Barracurragh* / **Barr an Churraigh** (H 13) a chiallaíonn 'top / upper part of (the) moor' (?): foirmeacha is luaithe de, *Barrecurrehe COD* IV 287 (1545), *Barcurro COD* IV 290 (1546).
(ii) Sruthaíonn *Clodiagh River* / **An Chlóideach** soir ó dheas trí *bf Clon More* agus feadh na teorann thoir de *bf Clon Beg*. Ar theorainn thoir *Clon More* tá abhainn *Cromoge River* / **An Chromóg** idir é agus *bf Barracurragh* thuasluaite.
(iii) Tá *Clon More SO* teorantach ar an taobh thuaidh le *bf Goldengrove,* mar a bhfuil láthair eaglasta **Cill Eanaigh** suite (féach *Log. na hÉ* II 124).

[37]

(iv)   Seo cuid den chur síos a rinneadh ar chineál na talún sa dá bhaile fearainn seo in Ainmleabhar, '... one half of its content being under the denemination (sic) of rough pasture'. Cé nár ainmníodh **Cluain Beag** ná **Cluain Mór** ar léarscáil *DS* (bl. 1657), aicmíodh cineál na talún mar seo, 'Notorious R[ed] Bog'.

Nóta:
Bhí an dá roinn ann, **Cluain Beag** agus **Mór**, faoin 17ú haois de réir na fianaise stairiúla thuas.

Cluain Abhla
Clonoulty A, G 40; 46; S025494; 6:6

1280c	Clonaule	*Reg. St. Jn. B* 342
1281c	Clonhawil	*Reg. St. Jn. B* 337
1296-7	Clonhauyll	*PR* 38 *RDK* 29
1326	Clonaule	*STemp. Ir.* 191
1327	Clonaul	*Reg. Kilm.* 14, 18
	Clonal	*Reg. Kilm.* 18
1328	Clonaul	*STemp. Ir.* 203, 206
1335	Clonaul	*Reg. Kilm.* 52
	Clonawill	*Reg. Kilm.* 60, 69
1339	Clonawill	*Reg. Kilm.* 105
1349	Clonawyll	*Reg. Kilm.* 120
1486	Clonawell	*IMED* 50
1488	Clonawul	*CPL* XIV 224
1489-90	Cloynawll	*CPL* XIV 255
1492	Clonol	*CPL* XIV 300
1503	Cloynhawly	*Ann. Cas.* 25
1546	Cloneawle	*COD* IV 292
1548	Clonawnle	*COD* V 5
1572-3	Cloneawly	*COD* V 238
1574	Clonhal alias Clonnall	*F* 2406
1578	Cloneawlie	*Inq.(TÁ)* I 93
1596	Clonnall	*F* 5988
1605	Clonnell	*CPR* 74
1607	Clonawlie	*CPR* 105
1611	Clonall otherwise Clanawly	*CPR* 206
1620	Clonnolty	*Inq.(TÁ)* I 289
1654	Clonoulty	*CS* II 93-6
1659	Clouneoulty	*Cen.* 304

1665-6	Clonoulty	*HMR (TÁ)* 36
1666-7	Clonoltye, Cloneultagh	*HMR (TÁ)* 76
1685	Conolty	*Hib. Del.*
1699	Clonoula, Clonola alias Clonoulty	5 *RDK* 48
1840	C: ollta	*AL:pl (=OD)*
	Cluain Olltaigh, 'lawn or meadow of	
	the Ulstermen'	*AL*:dúch (=*OD*)
1989	klə'nəulti:, klə'no:lti:	*Áit.*

pasture of (the) apple-tree (< apple-trees)

Suíomh: *St. Johns Well, bf Clonoulty Churchquarter, p Clonoulty*.

(i) Láthair eaglasta ba ea *Clonoulty SO* agus maireann cuid mhaith tagairtí ó dheireadh an 13ú haois i leith, don fhondúireacht a chuir na Teamplóirí ar bun timpeall na bliana 1200 meastar (Wood, 1907, 363-71; *Med. Rel. Ho.* 327 ff.: *The Knights Templars*) agus a tháinig i seilbh Oird *The Hospital of St. John of Jerusalem* i dtús an 14ú haois (*Med. Rel. Ho.* 332-42; *Reg. Kilm.* iii).

Is léir ó thuairisc A. Gwynn & R. Hadcock ar na Tithe a bhí ag an Ord úd in Éirinn (*Med. Rel. Ho.* 334-42) gur as Naomh Eoin Baiste a ainmníodh a lán díobh, rud nach taise do *praeceptoria* dá gcuid a bhí in Aird Uladh: 'The ... parish of Castleboy was also known as St. Johnstown/Johnston, owing to its association with the Hospital of St. John of Jerusalem' (*PNI* II 75).

Is áirithe gurbh í láthair an Oird i gCluain Abhla atá sa tuairisc seo a leanas a bhailigh Seán Ó Donnabháin ó mhuintir na háite i *TÁ* sa bhliain 1840, *LSO (TÁ)* I 102/278:

The people have a tradition that there was an extensive Monastery here dedicated to St. John, the last part of which was pulled down ... about forty years since. No part of it is visible at present and a part of its site is occupied by the modern Protestant Church [atá suite i *bf Clonoulty Churchquarter SO*]. There is a holy well dedicated to St. John [.i. *St Johns Well SO*] ... in the townland called Clonoulty Church Quarter.

(ii) Tá sruthán gan ainm ar theorainn thoir an bhaile fearainn.

(iii) Teorantach laisteas le *bf Kilmore* / **An Chill Mhór** (G 40) – féach *Log. na hÉ* II 172.

Nótaí

(a) Ón tagairt is luaithe thuas go dtí deireadh an 15ú haois (*Clonawell* bl. 1486; *Clonol* bl. 1492 m.sh.), is ar chonsan a chríochnaíonn foirmeacha an logainm i bhformhór na samplaí stairiúla. Foirm an ghinidigh iolra den ainmfhocal **abhall** atá sa dara mír. Mar le deilbhíocht an fhocail de, féach *DIL* (1962, A 9-10 **aball**, 'apple-tree').

Tá dhá bhaile fearainn eile i *TÁ* a bhfaightear **Abhall** mar cháilitheoir iontu sa tuiseal ginideach iolra:

Lisheenanoul / **Lisín na nAbhall** (E 12) i ndeisceart *TÁ*: **lisín a noll** a scríobhadh le peann luaidhe in *AL* (1840) agus [ˌlˈiʃiːnˈəˈnəul] [ˌlˈiʃiːnˈəˈnɛul] na foirmeacha a bhailigh Ó Cíobháin (1964, 35) ó chainteoirí Gaeilge sa cheantar.

Corrowle (J 133) i dtuaisceart *TÁ*: foirmeacha is luaithe de, *Korrowill F* 4680 (1585), *Corrovill F* 4674, *Correowle* (1613) .i. réadú ar **Corr Abhall**.

Tá an focal le fáil chomh maith sa logainm *Cluain na Abhall infra*, ar foroinn de bhaile fearainn é.

(b) Cuireann roinnt samplaí den logainm ón 16ú haois go tosach an 17ú haois foirm dheilbhíochta dhifriúil in iúl den fhocal bunaidh **Abhall** – *Cloynhawly* (bl. 1503), *Clonawlie* (1607) m.sh. – .i. **(Cluain) Abhla** de réir dealraimh, foirm an ghinidigh uatha.

Tá an fhoirm chéanna caomhnaithe i *bf Clonoulla* i *Mu* (*p* Dhroim Ailí, *bar* Dhartraí) ar a dtugtar **Cluain Abhla** i *Liostaí Log. Mu* 10. Seo foirm stairiúil den logainm úd, *Cloneowly F* 5603 (1591).

Cuir i gcomparáid leis an meascán idir **Achadh Abhla** agus **Achadh Abhall** i bhfianaise stairiúil luath *bf, p Aghowle* i *CM* (*bar* Shíol Éalaigh) atá cnuasaithe i *PN Wicklow* 368-9 agus i *FSÁG* I 10.

Seo logainm de chuid *TÁ* a thaispeánann an claochlú deilbhíochta ainmneach uatha go dtí ainmneach iolra (na Meán-Ghaeilge / Nua-Ghaeilge), **coill > coillte**: **Coill in Ruaid** *LB* 184*i* (*RIA Cat*. 3390) (1410c), *Kylroo COD* IV 244 (1543), *Koyllta Rua Last Lords* 235 (1580c), *Sylvae Rubrae (Cuillthe Rua) Hist. Cath. Ib.* 248 (1621). *Redwood*, aistriúchán Béarla, a thugtar ar an mbaile fearainn ón 18ú haois i leith i gcáipéisí – féach faoi *Cluain Leathan infra*, Suíomh.

B'fhéidir a áiteamh chomh maith gur *****Cluain Abhlaigh**, foirm shioctha thuiseal áinsíoch / tabhartach uatha baininscneach den fhréamhaí aidiachtúil **ablach (1)** (*DIL*, 1964, A 11), a rinneadh de **Cluain Abhall** thuas: *-hawly* (bl. 1503) m.sh. Tugtar solaoidí faoi *Cluain na Ros infra*, n. *a* áfach de *-y* neamhaiceanta i litriú Béarlaithe logainmneacha ag seasamh do *schwa*.

(c) Go luath sa 17ú haois, tá athrú suntasach eile le sonrú ar litriú an logainm i bhformhór na gcáipéisí. Faightear *t* sáiteach idir *l* an dara mír agus an guta deireanach. An tsolaoid is luaithe de sin ná *Clonnolty* (bliain 1620 thuas). Mar le foirm Ghaeilge an Ainmleabhair de, **C[luain] ollta**, is cosúil go gcuireann **ollta** an fuaimniú /əultə/ in iúl. Níl de dhifear idir é agus an fuaimniú áitiúil a chualathas ó chainteoirí Béarla sa bhliain 1989 – an chéad sampla ar lch. 39 [kləˈnəultiː] – ach foghar an ghuta dhéanaigh [iː], a d'eascair seans as foirmeacha scríofa ar nós *Clonoulty*.

Seo achoimre más ea ar na hathruithe a d'imigh ar cháilitheoir an logainm de réir na fianaise stairiúla: **(Cluain) Abhall > Abhla** (16ú haois) > **Abhalta** (17ú haois amach).

Tá dhá bhaile fearainn eile i *TÁ* ina bhfaightear cáilitheoirí atá cosúil le **abhalta**:

Rossoulty (H 172), timpeall naoi gciliméadar taobh thuaidh de *Clonoulty*, ar a dtugtar *Rosseoultagh, Rossoulty CS* II 117 (1654), *Rosulty DS* (1657), *Rosolta Inq.(TÁ)* III 320 (1663), **Ros Ollta** *AL:pl* (1840), **Ros Olltaigh**, 'the Ulsterman's wood' *AL:dúch* (=*OD*), [ˌrɑˈsəulti:], [ˌrɑˈsoːlti:] *Áit.* (1993). Ó thaobh an logainm seo de, ní léir cé acu an bhunfhoirm, **abhalta** nó leagan an Donnabhánaigh, **Olltaigh** (< **Ulltaigh**) – féach **ul(l)tach**, 'an Ultonian ...' *DIL* (1976, U 78); **olltach, olltaibh**, 'Munster forms of **Ultach, Ultaibh**' *FGB (Dinneen)* 820; Ó Cearbhaill (1995-7, 209 nótaí 12-14).

Annaholty (L 170): *Annaghoulty CS* II 171 (1654), *Annagholty CS* II 197, *AnnaghOultagh CS* IV 58, *Annagh Owlty CS* IV 59, *Annaghallty Cen.* 324 (1659), **Anna chollta** *AL:pl* (1840), **Eanach Ollta** *AL:dúch* (=*OD*), [ˌanəˈhoːlti:] *Áit.* (1989).

Tá a thuilleadh solaoidí ag Ó Cearbhaill (1993 agus 1995-7 go háirithe).

(d)   Ó ré na Meán-Ghaeilge i leith is ag fairsingiú a bhí an carn consan -*(l)lt*-idir gutaí. D'athraigh an logainm **Muille Farannáin** > **Muilte Farannáin** / *bf, p Multyfarnham* in *IM* (*bar* Chorca Raoi). Tá an t-athrú **Muille** > **Muilte** sa logainm pléite in *PN Westmeath* 136-8, mar a gcuireann an t-údar Paul Walsh (ibid. 137) litriú den chineál seo, *Molifernan, Molyfernan* (1302-6), i gcomparáid le samplaí den log. le -*t*- iontu nach bhfuil chomh luath céanna, leithéid *Multefaranan* (1488). Cf. *DIL*, 1939, M 184-5, s.v. **muilend**: 'Mid.Ir. *np* muille (ll < ln) ... in Mod. Ir. also muilte ...'. Athrú ar dheilbhíocht iolra an ainmfhocail **muileann** ba ea an t-athrú foghraíochta seo ar léiriú é ar bhisiúlacht an fhoircinn dhéadaigh iolra -*tal-te*. Tá samplaí cruinnithe ag Strachan (1905, 38) agus ag Breatnach (1994, 251) ó ré na Meán-Ghaeilge a léiríonn gur ag leathnú a bhí an foirceann seo. Tabhair faoi deara go bhfuil samplaí den iolra **caille**, 'woods', agus den iolra le -*t*- a tháinig ina áit (**cailltib** m.sh.) le fáil i dtéacsanna Meán-Ghaeilge (*Aisl. MC* 82, §xiv).

Féachaimis anois ar an bhfoirceann bisiúil –*ltach*. Taispeánann fianaise stairiúil *bf Quilty* i *Cl* (*p* Chill Bhaile Eoghain, *bar* Mhaigh Fhearta) gur eascair **Coillteach**, an fhoirm a bhí in úsáid ag cainteoirí Gaeilge an cheantair san fhichiú haois, as **Caille**: 'ann sa Caille' (*recte* **Chaillidh**?) *AID* 37 (1400c.), *Keiltie CPR* 553 (1622), [ˈkrosər'ən'xi·ltəg'] (*recte* -l't'-?) 'crosaire an Chaoiltigh' *DCoCl* I 84 (1946), [ən'xi:l't'əx, ən'ki:l't'əx] (Ó Cíobháin, 1969, 102).

I gceann d'aguisíní Russell (1990, 184-206), bhailigh an t-údar na fréamhaithe go léir dar críoch -*tach/-tech* i ndiaidh -*(l)l*- de réir iontrálacha *DIL* (seacht n-iontráil is seasca ar fad). Gheobhfaí bunús an fhoircinn seo a rianú siar, ar an gcéad dul síos, go dtí an fhorbairt fhoghraíochta seo a leanas, gur díshéimhíodh cuimiltigh dhéadacha taobh leis an gconsan gaoil *l* (*GOI* 88), ar nós **felltach** (*DIL*, 1950, F 73) ón ainm briathartha **fellad**; nó, ar an dara dul síos, go dtí

[41]

an carn -*lt(-)* i mbunfhocail, ar nós **eltach** (*DIL*, 1932, E 115) a fhréamhaigh ó **elta**, nó **foltach** ó **folt** (*DIL*, 1957, F 279, s.v. **2 foltach**). Is léir sa chnuasach úd de fhréamhaithe dar críoch -*ach/-ech* a tógadh as *DIL* samplaí áirithe de bhunfhocail ('bases') le foirceann -*lach/-lech* agus le foirceann -*ltach/-ltech* freisin, fréamhaithe ar nós **ceólach, ceóltach** agus **coillech, cailltech.**

Níltear i dtaobh le hiontrálacha *DIL* amháin chun teacht ar shamplaí d'fhoircinn mhalartacha -*ltach* agus -*lach*. D'imigh an t-athrú céanna foghraíochta ar an bhfocal **cabhlach** (**coblach** *DIL*,1970, C 279) sa log. **Carraig an Chabhaltaigh** (*GÉ* 46) / *Carrigaholt SO*, sráidbhaile i *Cl* atá suite i bparóiste agus i mbarúntacht Mhaigh Fhearta. Chuir Éamonn de hÓir eagar cheana ar fhianaise stairiúil an logainm in *Dinnseanchas* V (1973, 97-9). Tá foirmeacha ar nós **Chairrge an Cobhlaigh** (gin.) *ARÉ* VI 2090 (1598) curtha i gceann a chéile ansin. Baineann an sampla is luaithe den -*t*- sáiteach leis an mbliain 1625: *Carrighoulta, Inq.(Cl)* II 43. Mar leis an ainmfhocal **cabhlach** de, faightear an fhoirm **colltaigh** (gin.) 'of the fleet' i ndán a chum Dáibhí Ó Bruadair sa bhliain 1652 cuir i gcás (*Ó Bruadair* I 42).

Nuair atá cúplaí den sórt sin comónta sa teanga, níorbh aon iontas foirm analachúil ar nós **abhaltach, -taigh**, ónar eascair **abhalta** (< **abhla**) b'fhéidir, a theacht chun cinn.

Cluain Aird (Mobhéacóg)
Peakaun Church A 94; 75; S005285; 6:7

690	Do-Bécóc **Cluana Airdd**	*AU* 152 §4
	Da Beoóc **Cluana hIraird**	*ATig.* XVII 211
	Mo-Beoch **Cluana hAird**	*AIF* 100
	Quies Beccain, ab **Cluana Iraird**	*Frag. Ann.* 38 §104
	Do-Becoc **Cluana Airaird**	*ARoscrea* 157 §151
	Dabecog **Cluana hAird**	*ARÉ* I 294 (sub anno 689)
	Beccan **Cluana hIoraird**	*ARÉ* I 294 (sub anno 687)
800/830c	Becan **Clúana Aird**	*Mart. Tall.* 46
	Béccán … hi **Clúain Aird**	*FOeng.* 126
1100c	ra loiscset **Cluain Aird Mo Béccóc**	*LL* V 39349 (*CGG*)
1150c	**Cluain Ard Mubeoc**	*CGG* 6
1170c	(Beccan) i c**Cluain Aird Mo Bhecócc**	
	i Muscraighe Breoghain	*FGorm.* 104 (gluais)
	(Bécan) .i. i **Cluain Aird Mo Beccóc**	
	im-Muscraigi Breogain … 7 isí a adbha	
	Cluain Aird	*FOeng.* 136 (*Laud* 610; gluais)

	o **Chluain Mobecóc** a Múscraige	
	Breogain	*FOeng.* 2 xc (*LB*; gluais)
1192-3	Clonardmubecoc	*Chart. John* 269
1218	... sanctus vir [=Abbanus]	
	aquilonalem plagam montis crott, in	
	regione Muscraighi, perrexit; et ibi ...	
	monasterium, quod uocatur **Cluain**	
	Aird Mobhecoc, construxit. ... In	
	predicto vero loco, id est **Cluain Aird**,	
	... Becanus ... permansit	*VSH* I 17 (Vita S. Abbani)
	Cluain Ard Mobecoc ... In loco autem	
	predicto, silicet **Cluain Aird**[1], fuit	*VSH (Heist)* 264-5 (Vita S.
	postea beatus Beccanus	Abbani)
	([1]'**Asid** cod[ex], before corr[ector] **sid**'	
	ibid., 265, n. 6)	
1630	Becan, o **Cluain Aird Mobecog i**	
	Muscraighe Breoghain	*FNÉ* 138
1633c	**Cluain Aird Mobheadhóg**	*FFÉ* III 156
	Cill Bhéacáin	*FFÉ* III 68
1645	**Kill-becain** alias **Cluain-aird**	
	Mobhecoc	*ASH* 751
1840	Teampuillín Phéacáin, Péacán	*OK, LSO (TÁ)* III 64/195
	Cill Phíocáin	*AL:*dúch (=*OD*)
1990	piː'kɑːn	*Áit.*

pasture of (the) height (of Mobhéacóg)

Suíomh: *Peakaun Church (in ruins), St. Peakaun's Well, bf Toureen.*
 (i) Tá cur síos ag Moloney, (1962-65, 99) ar an láthair eaglasta, 'in fields flanking
     a wide clear stream ... a little oratory ..., a pleasant well, two cross-shafts and
     various mounds mark the hermitage of Beccan'. Is é 'Peacán's Well or Tobar
     Phéacain' an t-ainm a thugtar ar an tobar réamhráite i *LSO (TÁ)* III 64/195;
     féach chomh maith MacNeill (1962, 642-3) faoi **Tobar Phéacáin**. Tá tuairisc
     ar thochailt thaiscéalaíoch a rinneadh ar an láthair ag Duignan (1944, 226-7).
     Séadchomhartha Náisiúnta atá ann – féach Harbison (1992, 314) faoi *Toureen
     Peakaun Church, Crosses and Slabs.*
 (ii) *Peakaun Stream* ainm an tsrutháin atá taobh leis an láthair eaglasta.
 (iii) Teorantach ar an taobh thoir thuaidh le *bf* Glebe / **An Ghléib** (A 94) ina bhfuil
     fothrach eaglasta **Cill Airdrí** suite – féach *Log. na hÉ* II 44-6.

Teampaillín Phéacáin

(iv)   I **Múscraí Breoghain**, de réir cuid de na foinsí thuas, ar nós Féilire Uí Ghormáin
(bl. 1170c) – féach *Cluain an Mhuilinn infra*, n. *b*.

Nótaí:
(a)   D'fhiafraigh Hogan, údar *Onom. Goed.* 255 (s.v. **C. Árd**), cé acu **Cluain
Ard** nó **Cluain Aird** foirm an ainmnigh, faoi mar nár léir ó fhoirmeacha an
tabharthaigh, an áinsígh ná an ghinidigh, cé acu **ard** aidiacht nó ainmfhocal
sa ghinideach uatha an cáilitheoir (cf. *DIL*, 1967, A 385-7). Thagair Hogan
(*loc. cit.*) d'fhoirm seo a leanas an ghinidigh, **Cluana airdeo** (*recte* **airdo**)
ARÉ I 294 n. *b*, amhail is gurbh fhoirm bhaininscneach den logainm í. Is i
nóta eagarthóra áfach atá **Cluana airdo** luaite in Annála Ríochta Éireann, mar
ar tugadh le fios go bhfuarthas an fhoirm úd in Annála Uladh, bliain 689 (bl.
cheartaithe 690). **Cluana Airdd** foirm dhlistineach an logainm in *AU* faoin
mbliain úd áfach – féach fianaise stairiúil thuas. Is léir go deimhin ó fhoirm
ghinidigh leanúnach an cháilitheora, **Aird**, nach aidiacht bhaininscneach í
ard (*ā*-thamhan, *DIL loc. cit.*) anseo. Dá mba aidiacht fhirinscneach í **ard**
(*o*-thamhan) ar an láimh eile, ní thiocfadh na samplaí éagsúla de **Aird** sa
tabh./áins. leis an deilbhíocht sin. Is ainmfhocal sa ghinideach uatha é **ard**

[44]

ní foláir, agus is léiriú ar an deilbhíocht sin an tráchtadh a cuireadh le Féilire Aonghasa thuas, 'isí a adbha **Cluain Aird**' (*FOeng.* 136), ón uair gurb é an logainm an t-ainmní.

Féach chomh maith sampla an ainmnigh **Cluain Aird** in *VSH* I 17 – Vita Sancti Abbani (1218c). Is léir go bhfuil na foirmeacha atá ag freagairt don iontráil sin in *Codex Salmanticensis,* **Cluain Sid, Cluain Asid,** lochtach – féach *VSH (Heist)* xx.

(b) Tá an fhoirm **Cluain I(o)raird, Airaird** a thugtar i gcuid de na hannála thuas (fianaise stairiúil) mí-cheart, mar a thug eagarthóir *ARÉ* I 294, n. *f* faoi deara. Ba é an rud ba chionnsiocair leis an tuaiplis sin, de réir dealraimh, meascán idir an suíomh eaglasta atá faoi chaibidil, inar éag **Béacán** de réir na n-annála, agus mainistir iomráiteach **Cluain Ioraird** / *Clonard* i *Mí* (*bf, p* Chluain Ioraird, *bar* Mhaigh Fionnráithe Uacht.; féach *Onom. Goed.* 265).

(c) Léiríonn an fhianaise stairiúil thuas ionmhalartacht na bhfoirmeacha ceana seo a leanas d'ainm an naoimh: **Da-/Do-Béccóc, Mo-Béccóc, Béccán**. Botún litrithe is dócha is bun leis an gconsan pléascach /k/ a bheith in easnamh idir dhá ghuta i bhfoirmeacha áirithe den ainm pearsanta thuas, **Da Beoóc** (*ATig.*), **Mo-Beoch** (*AIF*), **Mubeoc** (*CGG*). Maidir leis an sampla deireanach úd as *Cogadh Gaedhel re Gallaibh,* tabhair faoi deara gurb é foirm atá in atheagar an Leabhair Laighnigh den téacs céanna ná **Mo Béccóc** – dhá atheagar den téacs atá sna lámhscríbhinní (Ní Mhaonaigh, 1992, 139). Díol suime áfach go gcomórtar naomh den ainm **Mobeóc** i bhFéilire Thamhlachta ar an 28ú Deireadh Fómhair (*Mart. Tall.* 85), agus gur **mo Béccóc** a thugtar ar an naomh céanna i bhFéilire Uí Ghormáin (*FGorm.* 204).

Féach chomh maith **Mobecoc Aird** atá le fáil in 'The guarantor list of *Cáin Adomnáin*, 697' (Ní Dhonnchadha, 1982, 180) agus **Mobeooc** mar mhalairt léimh (ibid. 181 & 189 §16). D'ionannaigh Meyer (1905) urradh úd Cháin Adhamhnáin le 'Mophiócc ó **Ard Camrois** ...' (*FNÉ* 336) a chomórtaí ar 16ú Nollaig. Is ionann **Ard Camrois** *et var.* (féach *Log. na hÉ* II 225) agus *bf, p* *Ardcandrisk* i *LG* (*bar* Shíol Mhaolúir Thiar). Is é breithiúnas Ní Dhonnchadha (1982, 189) i leith thuairimíocht Meyer, 'Unfortunately this identification is not supported by an obit or pedigree and must be considered tentative'. Chuir Nicholls in *Chart. John* 272 suas d'ionannú Meyer freisin agus mhaígh, ina ionad sin, gurbh ionann 'Mobecoc Aird' forus Cána Adamhnáin na bliana 697 agus Mobhéacóg Cluana Aird faoi chaibidil, ainneoin *obit* 690 (dáta ceartaithe) an naoimh dheireanaigh in *AU* 152 – 'Do-Bécóc Cluana Airdd' thuas.

(d) Mhaígh eagarthóirí *Mart. Tall.* 218 (Index) gurbh ionann logainm na hiontrála 'Beccain (gin.) Cluana' (ibid. 36, 26ú Aibreán) agus **Cluain Mhic Nóis**. Tá an iontráil réamhráite tugtha i bhfoirm nóta i bhFéilire Uí Ghormáin faoin dáta céanna, 'Beccán Clúana' (*FGorm.* 84) agus ina dhiaidh sin i *FNÉ* 110. Cé gur gnách go dtagraíonn an fhoirm ghiorraithe úd do **Cluain Moccu Nóis** > **Cl. Mhic Nóis** (féach *DIL*, 1970, C 257), d'fhéadfadh sí a bheith ag freagairt do **Cluain Aird** anseo. Cf. 'o Chluanaib' *Mart. Tall.* 43 (17 Bealtaine) = 'ó Chlúain Airbh' *FGorm.* 98.

(e)　**Cluain Aird (Mobhéacóg)** an t-ainm ba choitianta a bhí ar an suíomh eaglasta san fhianaise stairiúil. Thrácht John Colgan in *Acta Sanctorum Hiberniae* ar 'Sanctus ... Becanus ... Monasterium **Kill-becain** alias **Cluain-aird Mobhecoc** erexit' (*ASH* 751). D'ionannaigh seisean (*loc. cit.*) an 'Becanus' úd le **Béccán mac Eogain** (O'Keeffe, 1931, 1), deartháir do **Cúlán** a bhfuil a ainm caomhnaithe sa logainm *Cill Chúláin* i *TÁ* (féach *Log. na hÉ* II 117). De bhreis ar **Kill-becain** (bl. 1645) réamhluaite, níl ach dhá sholaoid eile ar fáil de **Cill Bhéacáin** mar ainm ar an láthair eaglasta. I bhForas Feasa ar Éirinn atá an sampla is sine díobh, 'go rángadar **Cill Bhéacáin** don leith thuaidh do Shliabh gCrot' *FFÉ* III 68 (1633c). Ní heol dúinn aon leagan eile den scéal míorúilteach atá eachtraithe ann ar athbheoú mac rí Éireann, Breasal, trí ghuí Bhéacáin. **Cill Phíocáin** foirm Ghaeilge an logainm a scríobh Seán Ó Donnabháin le dúch in *AL* (1840c). Ní léir gur chuala an Donnabhánach an fhoirm sin sa chaint áitiúil. Is iad na hainmneacha a thug Patrick O'Keeffe ar an láthair eaglasta i Litreacha na Suirbhéirachta Ordanáis an tráth céanna ná, 'Teampuillín Phéacáin but more generally contractedly Péacán'. An leagan giorraithe [piːˈkɑːn] a fuarthas sa chaint i 1990. Is mar seo a tháinig athrú ar an ainm le himeacht aimsire, **Cluain Aird, Cluain Aird Mobhéacóg, Cill Bhéacáin, Teampaillín Phéacáin** nó **Péacán**; ainmneacha eile: **Cill na nDéar** (féach *Log. na hÉ* II 265); **Cluain Loiscthe / Loisc** (féach *Cl. Loiscthe infra*, n. *d*).

(f)　Cuir i gcóimheas leis na logainmneacha seo a leanas ina bhfaightear na foirmeacha **Béacán, Béacóg, Peacán, Péacán.** Cáilitheoirí i ndiaidh téarmaí lonnaíochta eaglasta is ea a bhformhór:

　　p *Kilbeacon* i *CC* (*bar* Chnoc an Tóchair) / **Cill Bhéacáin** *Liostaí Log. CC* 2 – an fhoirm cheana, **Béacóg,** atá mar cháilitheoir san fhianaise is sine den log. áirithe seo, *Kilbecoch IMED* 308 (1252), Kylbecok *RPat. Cl.* 199 (1412) cuir i gcás. Is léir ó thuairisc seo a leanas Carrigan, i stair Dheoise Osraí (1905, IV 176), ar ainm an naoimh gurb ionann é agus **Mobhéacóg** faoi chaibidil:

　　　The parish church of *Kilbecan* ... was dedicated to, and had its name from St. Becán or Becóg (pronounced *Beecawn* or *Beecoogue*), Bishop and Confessor, whose feast is set down, in Bishop Phelan's *List [of Patrons]* [.i. James Phelan (1669-95): Carrigan, 1905, I 125], on May 27th. As no St. Becán is, however, found commemorated on this day, it must be presumed that the patron of *Kilbecan* is identical with St. Becan whose feast is assigned by Irish martyrologies to the preceding day, May 26.

(Cé gur ar an 26ú Bealtaine a chomórtaí **Béacán** sna Féilirí Éireannacha, is ar an gcéad lá de Mhí Lúnasa a bhíodh a phátrún i gCluain Aird faoi chaibidil i dtús an 19ú haois de réir *LSO (TÁ)* III 66/199.)

bf, p Bekan i *ME* (*bar* Choistealach) / **Béacán** (féach Ó Muraíle, 1985, 41-2), arb ionann é, seans, agus foirmeacha ar nós *Disertbecan* ón 14ú haois (ibid. 42).

bf Dunbeacon i *Co* (*p* na Scoile, *bar* Chairbreach Thiar) mar a bhfreagraíonn an fhianaise stairiúil do **Dún Béacáin**, *Downebekhane F* 3080 (1577) m.sh.

bf, p Kilpeacon i *Lm* (*bar* na Déise Bige) (= 'do Chill Bhéacáin' *Sen. Síl Bhr.* 178) ar scríobhadh an méid seo faoi i *Log. na hÉ* I 106 s.v. **Cill Pheacáin**, 'Peacán – ainm pearsanta ar foirm é de **Beacán, Béacán, Beagán**'. Féach *Log. na hÉ* II 69 chomh maith.

Dealraíonn sé gur sampla de **Péacán** i bhfeidhm cáilitheora i ndiaidh **Cill** atá sa logainm seo a leanas, ainneoin an fhianaise a bheith scáinte: *Kilpeacan Grave Yard* i *Ci* (*bf* Achadh Tiobraid, *p* na Cathrach, *bar* Uíbh Ráthaigh – féach faoi 'early ecclesiastical sites' in O'Sullivan & Sheehan, 1996, 249-251). Scríobh An Seabhac faoin láthair in *Uí Ráthach* 13 mar seo, 'Tá sean-reilig ná húsáidtear anois, le hais na teorann thiar sa bhaile fearainn'.

Faightear **Péacán** mar cháilitheoir i ndiaidh **Ráth** sa logainm *(bf) Rathpeacon* i *Co* (*p* an Teampaill Ghil, *bar* Chorcaí) ar a dtugtar *Rathpiekane CPR* 590 (1624), *Rathpeakane DS* (1655c).

Tráchtar in *Archd. CE* ix ar an logainm **Raith Becain** in Éile atá luaite in *Vita Naomh Abán* (*VSH* I 18) (= **Raeth Betain** (*VSH (Heist)* 265), agus ionannaítear é le tuarastal ('prebend') 'Kilbeacain' (*et var.*) a bhí i ndéanacht Éile Uí Fhógarta. Tá cuntas tugtha ar an log. deireanach i *Log. na hÉ* II 68-9 (= *Kealbecan* bl. 1192-3 srl.) faoi **Cill Bhreacáin**.

(g)   Tá an sloinne **Ó Béacáin** caomhnaithe sa logainm *(p) Ballybacon* / **Baile Uí Bhéacáin** i *TÁ* (*bar* Uíbh Eoghain & Uíbh Fhathaidh Thiar). An fhoirm is sine den log. ná *Balibecan Pap. Tax.* 306 (1306c). **Baile ui phiacáin** an fhoirm Nua-Ghaeilge a scríobhadh le peann luaidhe san Ainmleabhar (1840).

(h)   Mar le foirmeacha an ainm phearsanta de, consan pléascach, neamhghlórach, idirghuthach, /k/, is coitianta i bhfianaise na logainmneacha thuas.

I gcás *bf, p Kilbeggan* in *IM* (*bar* Mhaigh Chaisil) / **Cill Bheagáin** *GÉ* 54, d'áitigh Paul Walsh, údar *The place-names of Westmeath*, gur minicí **Bécán** ná **Beagán** i bhfianaise stairiúil an logainm: 'Obviously **Cill Beagán**, church of **Beagán**, was the form in popular use [sa chéad leath den 19ú haois]. But there was a personal name **Bécán**, with long vowel in both syllables, and in reference to this place, it is employed more frequently than the other, namely, **Beagán**' (*PN Westmeath* 273-4). Féach na samplaí atá tugtha le chéile ag an údar, ar nós 'mainistir chille Bécain' *ALC* I 194 (1196), 'abb Cilli Becan' *AConn.* 198 (1298 §8). Dealraíonn sé gur consan pléascach glórach /g/ lárchonsan an cháilitheora i gcuid d'fhianaise stairiúil an logainm sin, *Kilbegain Ann. Ult.* 78 (1493) m.sh., mar aon le foirm Ghaeilge *AL*, **chille bogáin** (féach *PN Westmeath* 273; féach an tsolaoid **Chille-beagain** (gin.) *AU* II 392 (1294, *recte* 1298) atá in *FSÁG* III 131 s.v. **C. Bheagáin** 1). Ní taise do chuid d'fhoirmeacha stairiúla an logainm *Emlagh / Imleach Bheagáin* i *Mí* (*bar* Cheanannais Uacht.), ar nós *Imlachbegan Pap. Tax.* 269 (1302-6c), *Ymlaghbegan RPat. Cl.* 234 (1423-4). Seo samplaí Gaeilge den log. úd, **Imleach mBécáin** *ARÉ* II 726 (990, *recte* 991), **Imleach Becáin** *LGen.* I 164.3 (1650c); féach faoi **Imblech mBéccáin** *Onom. Goed.* 545.

Dealraíonn sé go bhfuil an sloinne **Ó Beagáin** (Woulfe, 1923, 434) caomhnaithe sa log. *Ballyviggane* i *TÁ*, *bf* atá timpeall dhá chiliméadar lastuaidh de *Cluain Aird* faoi chaibidil; an fhoirm is luaithe de ná *Balliveggan CPR* 75 (1605) agus an fhoirm a scríobhadh le peann luaidhe in *AL* ná **Baile ui bhiogain**.

(i)   In *Cummian's Letter* 8 ff. ba é tuairim na n-eagarthóirí, Walsh agus Ó Cróinín, tar éis dóibh an fhianaise a mheas, nárbh fhéidir a chruthú gurbh ionann 'Beccanus solitarius' ar chuir *Cummianus* litir ag triall air i dtaobh chonspóid na Cásca sa bhliain 632/3 (Kenney, 1929, 220), agus **Béacán** Chluain Aird (féach chomh maith Moloney, 1962-5, 101-5; Kelly, 1975, 74, n. 6).

Cluain an Bhreatnaigh
Clonwalsh D 91; 77; S250260; 6:8

1840	Clonwalsh alias Ballina Little	*AL:BS*
	Cluain Walsh, beul an aitha	*AL:pl* (=*OC*)
	Cluáin Walsh, béul an atha	*AL*:dúch (=*OC*)
	'Clonnara river here'	*AL:pl*
1989	ˌklɑnˈwelʃ	*Áit.*

the pasture of Walsh

Suíomh:
Sruthán (gan ainm) atá ar theorainn thuaidh an bhaile fearainn agus *Anner River / An Annúir* atá ar an teorainn thoir (féach n. *b* thíos). Is éard atá curtha síos ar léarscáil *TÁ (SO)* 77 faoin talamh feadh an dá bhealach uisce úd ná 'Liable to floods'. Scarann An Annúir *bf Clonwalsh* agus *bf Ballinamore / **Béal an Átha***

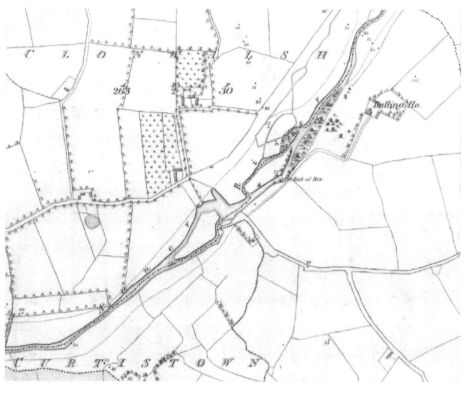

TÁ (SO) 77

Mhóir (D 113) taobh thoir de, ó chéile (féach an léarscáil thuas agus an grianghraf ar an gcéad lch. eile). Samplaí stairiúla de *Ballinamore* is ea iad seo, *Bealenaghwore COD* V 74 (1556), *Biallanmore Inq.(TÁ)* II 67 (1633), *Ballinohay Hib. Del.* (1685), **Beul ..n atha mhoir** *AL:pl* (glanta) (1840); [ˌbaləˈnaː], [ˌbalənəˈmoːr] *Áit.* (1989). Is éard a scríobh Power i *Log-ainmneacha na nDéise* faoi shuíomh **Béal an Átha Mhóir**, 'the ford in question was (and is) the unbridged crossing place of the Anner through which the present public road runs' (*PN Decies* 274). Tabhair faoi deara gur tugadh ainm eile ar *Clonwalsh* sa bhliain 1840, **Béal an Átha** nó *Ballina Little.* Níl i **Béal an Átha** ach leagan giorraithe de **Béal an Átha Mhóir** – tá a chruthúnas sin i bhfianaise áitiúil na bliana 1989 [ˌbaləˈnaː] agus i bhfoirm na bliana 1685 thuas, *Ballinohay*. Tá aithenatas tugtha don leagan gearr den ainm i *PN Decies* 267: 'Clonwalsh alias Ballina, Béal an Átha', chomh maith le 'Ballinamore, popularly Ballinaha' (ibid. 274).

[49]

Cluain an Bhreatnaigh, Béal an Átha Mhóir agus An Annúir eatarthu

Nótaí:
(a)   Ní sine fianaise an logainm seo ná iontrálacha an Ainmleabhair. Ar a shon sin, is féidir cáilitheoir an bhaile fearainn, an sloinne Cambra-Normannach *Walsh*, a rianú siar go dtí An Mheánaois:
      Ba é 'David Wailsh of Rathronan' (féach an chéad pharagraf eile) úinéir aonaid talún *Ballenvohir* sa bhliain 1640 de réir *CS* I 291. Freagraíonn an logainm sin do *bf Ballinvoher SO* / **Baile an Bhóthair** (D 91) atá taobh le *Clonwalsh SO*. Is léir ón gcur síos ar theorainneacha *Ballenvohir* in *CS* I 291 go raibh an t-aonad talún úd níos fairsinge i lár an 17ú haois agus go raibh *Clonwalsh SO* mar chuid de. Taobh thiar de bhailte fearainn *Ballinvoher* agus *Clonwalsh*, in aon pharóiste leo, tá *bf Croane SO* / **Cruán**. Is é an t-ainm a bhí ar an aonad talún úd sa 17ú haois ná *Cronewalsh DS* (1657), *Croan-wailsh CS* I 291 (1654).

[50]

De réir *Cen.* 314 (bl. 1659), bhí *Walsh* ar cheann de na sloinnte comhaimseartha ba líonmhaire i mbarúntachtaí **Uíbh Eoghain agus Uíbh Fhathaidh Thoir, Thiar** (= *bar* D & E). Sa bhliain 1333, bhí biataigh a raibh an sloinne *le Walshe, Walche* orthu ina gcónaí i mainéar **Lios Ruanach** (> *p Lisronagh, bar* D) (*RMan. Lis.* 46), lastuaidh de pharóiste Chill Chrónata mar a bhfuil *Clonwalsh* suite. I lár an 13ú haois, bhí duine den sloinne céanna i seilbh *Rathronan* (> *p Rathronan* / **Ráth Rónáin**, *bar* D), lastoir de *p* Chill Chrónata, 'William Walensis, lord of Rathronan' *COD* I 46. Foirm Laidinithe den sloinne *Walsh, Welsh* atá ansin, sloinne a bhfuil bunús Béarla aige < Sean-Bhéarla *wéalisc, wélisc* (Reaney, 1961, 346).

(b) Ón bhfréamh chéanna a shíolraigh an sloinne *Wallis, Wallace et var.* < *Waleis, Walais* (AN.) (Reaney, 1961, 341). Tá foirm Ghaelaithe den sloinne deireanach caomhnaithe i bhfoirmeacha stairiúla an logainm seo a leanas i *Lm, bf Scart* (*p* Carn Fhearaígh, *bar* Chlann Liam): *Scarte Ballyn Wallishoe CS* IV 470 (1655), *Scartbally Willashagh DS* srl. – féach *Log. na hÉ* I 243-4. Réadú ar **Scairt Bhaile an Bhailisigh** atá san fhianaise sin. Tabhair faoi deara gur sloinne déshiollach atá anseo, .i. **(de) Bhailis** > **An Bhailiseach**, **-sigh** (gin.) (féach **de Bhailéis, de Bhailís, de Bhailis** in Woulfe, 1923, 243). Thug údar *PN Decies* 267 le fios gurbh in é an sloinne a bhí mar cháilitheoir sa logainm *Clonwalsh* idir lámha: 'I also got **Cluain Bhailise** "Wallace's (Walsh's) Meadow"'. Taobhaíonn solaoidí mar *Walsh* (*et var.*) thuas le cáilitheoir aonsiollach, sa log. áirithe seo áfach.

(c) Tá leagan Gaeilge den sloinne *Walsh* le feiscint i gcuid d'fhianaise an dá bhaile fearainn seo a leanas i *TÁ*:

Walshsbog (I 115) timpeall seacht gciliméadar lastuaidh de *Clonwalsh*. Níor scríobhadh ach foirm Bhéarla den log. in *AL, Walsh Bog* (1840). Bhí an leagan Gaeilge **Currach an Bhreatnaigh** ann roimhe sin: *Corrocavranha Vis. Bk.* I 42 (bliain 1764).

Graigue / **Gráig na mBreatnach** (I 136) arb ionann é agus *Graignemanagh* (sic) alias *Walshe graunge Inq.(TÁ)* II 116 (1576), *Graignamrenagh CS* I 213, II 380 (1654) srl., **Gráig** *AL*, scríofa le peann luaidhe (1840). Is inmheasta gur tagairtí don áit chéanna iad seo, 'Edmund Brettenagh of *Grage*' *COD* IV 16 (1514), **Gráig na mBreathnach** *FFÉ* II 68 (1633c).

Níl leagan Gaeilge den sloinne caomhnaithe i bhfianaise stairiúil *Clonwalsh* atá idir chamáin ar na cúiseanna seo seans, toisc nach sine an fhianaise ná iontrálacha an Ainmleabhair – féach **Cluain Walsh** (bl. 1840 thuas) – agus toisc go mba shloinne comónta é *Walsh* i ndeisceart *TÁ* (cf. **Cillín Bhuitléir** *Log. na hÉ* II 77).

(d) B'fhéidir go raibh cáilitheoir Gaeilge sa logainm seo go neamhspleách ar an sloinne *Walsh*, agus gur iarsma í an fhoirm aonair *Clonnara river* san Ainmleabhar den cháilitheoir úd. Mar atá léirithe faoi Suíomh, tá an **cluain** seo i gcoigríoch dhá abhainn.

[51]

Má chuiream i gcás gur foirm Bhéarlaithe d'ainm abhann na hAnnúire (= 'ón Annúir' *Céitinn* 64, bl. 1642) a leanann **Cluain** sa logainm, ní mór a admháil gur mór an giorrú a rinneadh ar an ainm. Abhainn nótaílte ba ea **An Annúir**, ón gcuntas ar bhunús an phobail **Déise** (**Mumhan**) i leith: 'co hAndobar' (áins.), 'o hAnnobar' (tabh.), 'for brú Andobar' (gin.) (Meyer, 1907, 141; féach Ó Cathasaigh, 1984, 1 ff., Ó Cearbhaill, 2001, 148 ff.). Tá ainm na habhann caomhnaithe leis sa logainm *(bf) Newtownanner Demesne* i *TÁ* (D 113): foirm is luaithe de, *Newtown Anner COD* IV 229 (1542).

Maidir leis an mbealach eile uisce atá ar theorainn thuaidh an bhaile fearainn agus atá gan ainm ar léarscáil *SO* (Suíomh thuas), 'Rathronan stream' a thugann Curtis air (*RMan. Lis.* 60; bunaithe ar eolas áitiúil) – is é sin le rá go bhfuil an sruthán ainmnithe as an logainm *Rathronan* (n. *a*) taobh leis. An t-ainm a bhí ar an sruthán úd thiar sa bhliain 1654 ná *Argidagh CS* I 290 ff., *Arigidagh CS* I 291 (= 'Arigida' i nótaí Curtis, *RMan. Lis.* 60) .i. **Airgeadach**. Murab ionann is *Rathronan Stream*, déanann an t-ainm seo cur síos ar an abhainn, < **argat**, 'silver' (*DIL*, 1967, A 398) + iarmhír aidiachtúil -*ach*. Tá an t-ainm céanna ar abhainn eile fós i *TÁ*, mar atá *Arglo River TÁ (SO)* 52, 53 (athbhreithnithe, 1903): seo foirmeacha stairiúla de, *Ar(r)igidagh CS* I 215 srl. (1654), **Argloch, Droichid na h-arglaoighe**, 'bridge of the Argla stream' *AL* (*p Ardmayle*, bl. 1840) .i. **Airgeadach > Arglach**.

Ar an iomlán níl dóthain fianaise ann le cruthú gurb ionann cáilitheoir 'Clonara' agus ceachtar den dá bhealach uisce **Airgeadach** nó **Annúir**.

Cluain an Locha
Clonalough L 100; 31; R768685; 6:9

1654	Clonnyloghy	*CS* II 171
	Clounyloghy	*CS* II 172
	Cloniloghy	*CS* II 174
	Clonloghy	*CS* II 175
	Clonyloghy	*CS* II 186
	Cloneloghy	*CS* II 187
1657	Clonloghy	*DS*
	Cloneloghy	*DS (P)*
1659	Clonnyloughy	*Cen.* 324
1840c	Clonalough	*AL:BS*
1840	Cluain a locha	*AL:pl* (glanta)
	Cluain an locha	*AL:*dúch (=*OD*)
1989	ˌklanəˈlax, ˌklonəˈlax	*Áit.*

the pasture of the lake, pond

[52]

Suíomh:
(i)   In Ainmleabhar (bliain 1840) tugadh *Cluain-a-lougha* ar loch a bhí sa bhaile
        fearainn. Deirtear ann (*loc. cit.*) gur taoscadh é 'about 12 years ago'. As an loch
        úd a ainmníodh an baile fearainn gan amhras.
(ii)   Teorantach lastoir le **Cluain Uí Ghaoithín**.

Nótaí:
Logainm eile i *TÁ* ina bhfaightear an fhoirm ghinidigh **locha** is ea *bf Gortalough* /
Gort an Locha (H 73) arb iad seo na foirmeacha is luaithe de, *Gorteyloghe COD*
V 186 (1570), *Gortlogha COD* V 187, *Gorteylogha COD* V 201 (1571), *Gorteloghe
COD* V 204 (1576).
      Sampla luath (700c) den fhoirm ghinidigh uatha ná cáilitheoir an logainm
Cenn Locho *Pat. Texts* 170, as 'Additamenta' i Leabhar Ard Mhacha – in innéacs
an leabhair sin ionannaítear é le *(bf) Kinlough* / **Cionn Locha**, *p* Inbhir, *bar* Ros
Clochair, *Li* (ibid. 254).
      Tá an logainm **Cluain Locha** caomhnaithe sa téacs 'Críchad an Chaoilli' (*CrC* 173
agus *CrC* 2 72 n.; féach Ó Dálaigh, 1995, I 13), téacs a tiomsaíodh timpeall na bliana
1200. Is ionann é agus *bf Cloonlough* i *Co* (*p* Bhrí Ghabhann, *bar* Chondúnach agus
Chlann Ghiobúin).
      Solaoid eile de **Cluain an Locha** is ea *bf Cloonalough* i *ME* (*p* Bhaile Easa Caoire,
bar Thír Amhlaidh) ar a dtugtar *Cloonalough AL:BS* (1838), **Cluain a' locha** *AL:OD*.
      Seachfhoirm de **loch** is ea **lach**. Tá an fhoirm sin caomhnaithe sa logainm *Cluain
Lacha infra* agus i logainmneacha eile nach é a luaitear i n. *b* ansiúd.

Cluain an Mhuilinn
Cloonawillin J 4; 7; R921985; 6:10

1336	Clomolyn	*COD* I 288
1337	Clonmolyn	*COD* I 298
1840	Clunavillan	*AL:BS*
	Clon a mhuilin	AL:*pl* (=*OC*)
	Cluain a mhuilinn	AL:dúch (=*OC*)
1989	ˌklan'wilən	*Áit.*

the pasture of the mill

Suíomh:
(i)   Tá glaise gan ainm ar theorainn thiar an bhaile fearainn. Ar an sruthán sin is
        dócha a bhí an muileann atá caomhnaithe sa logainm. Ar léarscáil *DS*, sa bhliain
        1657, cuireadh síos an téarma tuairisciúil 'mill' díreach lastuaidh den *bf* faoi
        chaibidil. Taobh thall den sruthán thuasluaite, sa pharóiste céanna, **Eaglais**

[53]

Chlocháin, tá *bf* den ainm *Milford SO*. Logainm eile is ea é sin atá ainmnithe as muileann, cé go bhfuil an fhianaise déanach go maith – *Millford CGn*. 862. 165. 574665 (1830) an fhoirm is luaithe de.

(ii)   Seo a leanas an cur síos a rinneadh san Ainmleabhar ar chineál na talún sa *bf*: 'this townland is partially cultivated, being composed of lime-stone rocks, underwood and flooded land' (bl. 1840).

Nótaí:
(a)   Maidir leis an dá sholaoid den logainm ón 14ú haois, ba é Edmund Curtis, eagarthóir *Calendar of Ormond Deeds*, a d'ionannaigh iad le *Cloonawillin SO* faoi chaibidil (*COD* I 298). Measaimid go raibh an ceart aige. Conarthaí is ea na cáipéisí úd idir Iarla Urumhan agus Ó Cinnéide ina luaitear tailte a bronnadh ar Ó Cinnéide a bhí suite in Urumhain ('in Ermonia' ibid.). Is léir ó thuairisc *CS* II 347 ff. ar úinéirí talún *p* **Eaglais Chlocháin** sa bhliain 1640, mar a bhfuil *Cloonawillin* suite, gur i seilbh mhuintir Chinnéide a bhí a lán de thailte an pharóiste an tráth úd.

Díol suntais a bhfuil de bhearna idir tagairtí stairiúla an 14ú haois agus na chéad tagairtí eile don áit chéanna a leanann iad in ord aimsire, iontrálacha an Ainmleabhair (1840). Is dealraitheach ar an bhfianaise sin gurb é forbairt a d'imigh ar an logainm ná **Cluain Muilinn** (14ú haois) > **Cluain an Mhuilinn** (19ú haois).

(b)   I dtaca le **muileann** de, cáilitheoir an logainm, iasacht is ea é ó **molīna** na Laidine (*DIL*, 1976, M 184-5 s.v. **muilend**). I ré na Gaeilge Cianaí ('Primitive Irish') a glacadh an focal isteach sa teanga is cosúil, mar chuaigh na hathruithe fóineolaíochta seo a leanas i gcion air, giorrú an ghuta fhada neamhaiceanta agus ardú *o* aiceanta roimh ghuta ard (McManus, 1983, 56-7 & 59). Tá samplaí d'úsáid an fhocail **muilenn** i dtéacsanna dlí an 7ú/8ú haois, ar nós 'Coibnes Uisci Thairidne' (Binchy, 1955, 56-7, 70), pléite ag Kelly (1997, 483-4).

Tá naoi mbaile fearainn déag ar fad i *TÁ* ina bhfaightear **muileann**, nó *mill* i mBéarla, leithéid *Cluain Lis Mhuilinn infra*. Bhí leagan Gaeilge agus leagan Béarla den logainm *Milltown Britton SO* (I 21), cuir i gcás, á malartú i bhfad siar, *Ballynwolin* ('Ricardus Bretine') *COD* III 334 (1508), *Miltowne* ('James Brittyn of') *F* 1043 (1567).

Tá tagairtí do **Cluain Muilinn* eile i *TÁ* i bhfoinsí de chuid an 16ú haois, ar nós: *Clonmoyline Inq. (TÁ)* I 127 (1580), *Clonemoylin* 'in Mowskry quirke' *Inq. (TÁ)* I 193 (1590), *Clonmoylen F* 5565 (1591), *Clonemoilen* 'in Mowskriquirke' *COD* VI 56 (1593). Chuaigh an log. úd ar ceal ó shin. I seilbh na mBúrcach a bhí an t-aonad talún tráth. Tá cur síos in *Senchas Búrcach* ó lár an 16ú haois ar na háiteanna 'ar Múscraide Chuirc' réamhluaite a bhí curtha faoi bhunchíos ag 'Barún Chaisléin Ui Chonaing .i. tigerna Búrcach Conntae Luimnigh' (*Sen. Búrc.* 159). Níl aon trácht ar **Cluain Muilinn** ansin áfach. Shíolraigh an t-ainm ceantair **Múscraí Coirc** (= **Musccraighe Cuirc** *ARÉ* V 1268) atá dulta as feidhm leis, ó **Múscraí Breoghain** nó **Múscraige Bregoin** i litriú na Sean Ghaeilge. Bhí *Cluain Aird (Mobhéacóg)* agus *Cluain Fionnghlaise* i gcríoch Mhúscraí Breoghain cuir i gcás, faoi mar atá ríofa sa leabhar seo ar lgh. 44 agus 112, chomh maith le *Cill Fhiacal* (*Log. na hÉ* II 136-8). As Múscraí Breoghain a ainmníodh déanacht eaglasta Mhúscraí i ndeoise Chaisil. Is inmheasta gur mar a chéile líomatáiste na déanachta agus críoch Mhúscraí Breoghain (féach Ó Riain, 1993, 46 & 57, n. 8). I mbarúntacht Chlann Liam (< Uilliam) i *TÁ* agus i ndeisceart bharúntacht Choill na Manach Íochtarach atá na paróistí inaitheanta uile de chuid na déanachta úd a luadh i gcáin phápach na tréimhse 1302-06c (féach *Pap. Tax.* 285 s.v. *Muscri* agus ibid. 316-7 s.v. *Muskery*). Féadaimid a bheith measartha cinnte de gur ann a bhí **Cluain Muilinn** faoi chaibidil.

(c) Tá baile fearainn chomh maith den ainm *Cloonawillin* / **Cluain an Mhuilinn** in oirthear Co. an Chláir (*p* Inse Chrónáin, *bar* Bhun Raite Uacht.); samplaí stairiúla den ainm is ea iad seo, *Clonmullin BSD (Cl)* 108 (1660c), *Clounvillen ASE* 226 (1670), foirm Ghaeilge an phinn luaidhe in *AL*, **Cluain a mhuillinn** (1839).

Cluain Béala
Clonbealy L 116; 31, 37; R729627; 6:11

1625-49	Cluonebeala	*Inq.(TÁ)* II 247
1654	Cluonebially	*CS* II 186
	Clonebeally, Clounebeally	*CS* II 191
1657	Clonebealy	*DS*
	Clonekely	*DS (P)*
1660c	Clonebealy, Clonebeally	*BSD (TÁ) 208*
1840	Clonbealy	*AL:BS*
	clu[a]in bealaigh	*AL:pl* (glanta)
	Cluain béalaigh, 'plain or loan of the pass, mouth or opening'	*AL:*dúch (=*OD*)
1989	ˌklɑnˈbiːliː, ˌklonˈbeːliː, ˌklunˈbeːli:	*Áit.*

pasture of (the) axe?

Suíomh:
Mulkear River / **An Mhaoilchearn** atá ar theorainn thiar agus thuaidh an bhaile fearainn agus *Small River*, géag den Mhaoilchearn, ar an teorainn theas agus thoir theas (féach an grianghraf ar lch. 56).

Cluain Béala

Cluain Béala agus An Mhaoilchearn

Nótaí:
(a) **Cluain béalaigh** an fhoirm Ghaeilge a scríobhadh san Ainmleabhar. Ní deimhin scéal gur foirm thraidisiúnta ón gcaint í mar bhí líon na gcainteoirí Gaeilge sa bharúntacht seo (Uaithne & Ara) chomh híseal le 5.2% de réir daonáireamh na bliana 1851 (féach *Log. na hÉ* II 14). Ní léir cé acu guta deiridh gairid nó guta deiridh fada /iː/ atá sna foirmeacha Béarlaithe dar críoch *-y* ón 17ú haois i leith (cf. *Log. na hÉ* II 10). B'fhéidir gur athmhíniú ar an logainm, < *-bealy* srl. (foirm Bhéarlaithe), atá san fhoirceann úd *-igh* mar sin. Ní léir dúinn brí ***béalaigh** mar cháilitheoir le **Cluain**. Fréamhaí ón mbunfhocal **bél** is ea **bélach** de réir *Vendr. Lex.* (1981, B 29) agus tá an ceangal idir an dá fhocal le sonrú ar mhíniú áirithe a thugtar sa téacs Meán-Ghaeilge *Cóir Anmann* ar an dara heilimint den ainm pearsanta **Bres(s)al Bēlach,** 'nó is bel mór bái aige' *CAnmann* 372. **Bé(o)lach** ceannfhocal na haidiachta céanna in *DIL* (1975, B 81), aid. nach n-úsáidtí a

[56]

deirtear ann ach amháin 'as epithet' (*loc. cit.*). Ar an iomlán, agus logainmneacha eile a áireamh a bhfuil **Bé(a)la** mar cháilitheoir iontu (n. *b* thíos), is é is dóichíde gurb in é buncháilitheoir an log. faoi chaibidil freisin.

(b)   **Béala** is cáilitheoir do na logainmneacha seo a leanas:
   Tulach Béla i ndinnseanchas **Tráig Thuirbe** (*MDind.* IV 226). Tá comhardadh slán san aiste filíochta chéanna idir **(Thulaig) Béla** (tabharthach): **ména** (ibid. ll. 7-8). Sa leagan próis den dinnseanchas seo tugtar le fios gur ginideach an ainmfhocail **biail**, 'axe' (*DIL*, 1975, B 90-1) atá sa logainm: '... foceirdedh aurchur dia bíail [a]**a Taulaigh in Bela**[a] fri hagaid in tuile' (*Rennes Dind.* III 76-7 – *var. lec.* [a-a]**i Tulaid i mBela** *BB* 408 b 19, **a Tulaig an Biail** *Lec.* 260 Vb 44). Freagraíonn **Tuirbhe** réamhluaite do bhaile fearainn *Turvey* i *BÁC* (*p* Lusca agus *p* Dhomhnach Bat, *bar* Bhaile an Ridire Thoir agus *bar* na Croise Íocht.). Timpeall ceithre chiliméadar ar an taobh thiar theas de, tá *bf Rathbeal* (*p* Shoird, *bar* na Croise Íocht., *BÁC*) ar a dtugtar *Rathbele* in *Alen's Reg.* 52 (1213-28). Is inmheasta gur réadú ar **Ráth Béala** atá san fhoirm dheireanach úd agus go bhfuil baint aige le **Tulach Béla** an dinnseanchais.

   bf Clonbeale (Beg Glebe, More) in *UF* (*p* Dhroim Cuilinn, *bar* na hEaglaise), díreach lastuaidh de bharúntacht Bhaile an Bhriotaigh agus de sheanchríoch **Éile (Tuaiscirt)**. Seo í an fhoirm stairiúil is luaithe den logainm, *Clonbela CPR* 557 (1622), .i. réadú ar **Cluain Béala** is dealraitheach.

Cluain Big
Clonbeg A 37; 73; R872294; 6:12

	Setna m. Essen ... Is e congaib **Cluain** [**mBicc**][a] eter Chrotta Cliach 7 Sliab Marce [sic, leg. *Muicce*]	*CGSH* 179 §722.94 (*var. lec.* [a] **big** *BB* 214 a 16, **bic** *Lec.* 34 Vb 47, **n**(**...**)**c** *LL* VI 52117)
1200c	torchair Faolan ... a **Cluain Bic** an Atharlaigh	*Lis.* 199 Vb 35 (*Ac. Bec*)
1302c	Clonbey	*Pap. Tax.* 279
1306c	Clonbyg	*Pap. Tax.* 289
1583-4	Clonbeg	*Inq.(TÁ)* I 181
1587	Clonbeg	*F* 5032
1601	Clonbigg	*F* 6479
1607	Clonbegg	*CPR* 108
1607-8	Cloneveg	*RVis.(CE)* 306
	Clonbig	*RVis.(CE)* 311
1615	Cloonbegg, Cloonbigg, Cloonbig	*CPR* 300

1620	Clonibegg	*Inq.(TÁ)* I 282
1636	Cluonebegge	*Inq.(TÁ)* II 309, 312
1645	ecclesia **Cluanensis** inter montes	
	Crot & Marge [recte *Muice*]	*ASH* 573
1654	Clonebigge	*CS* II 21
	Clonebigg	*CS* II 21, 23
1840	Cluain Big	*AL:*dúch (=*OD*) anuas ar *pl*
1989	͵klan'beg	*Áit.*

little pasture?

Suíomh: *Church (in ruins), St. John's Well, bf Newtown, p Clonbeg.*

(i)   Tá cur síos ar an láthair eaglasta san Ainmleabhar (s.v. *Clonbeg Old Church*): 'This old church is nearly perfect'. Cuireadh le cuntas *AL* níos déanaí: ... [it has] lately [been] pulled down to erect a small neat church: the west gable only is left standing' (1840c); féach chomh maith *LSO (TÁ)* I 1.

Cluain Big, suíomh eaglasta sa lár in íochtar agus An Eatharlach ar dheis

TÁ (SO) 73

(ii) Tá an láthair eaglasta cois na hEatharlaí / *River Aherlow* (féach *Log. na hÉ* II 200) (féach an grianghraf ar lch. 58 agus an léarscáil thuas). De réir *Acallam Bec* (fianaise stairiúil thuas), is i ngleann Eatharlaí / *The Glen of Aherlow TÁ-Lm,* trína sníonn **An Eatharlach** réamhráite a bhí an áit. De réir *Pap. Tax.* 289, (279) (1302-6c), i ndéanacht *Natherlagh* / **Eatharlach** (féach *Log. na hÉ* II 200).

(iii) De réir *CGSH* agus *ASH* thuas idir **Crota Cliach** .i. *Galty Mountains TÁ-Lm* (féach *Onom. Goed.* 309) agus **Sliabh Muice** (*Onom. Goed.* 610-1) / *Slievenamuck TÁ (SO)* 74.

(iv) Seo cuid den chur síos a rinneadh ar chineál na talún sa bhaile fearainn in *AL*: 'All ... is of middling quality except a portion of the North which is rough, uncultivated ground'.

[59]

Cluain Big

Eaglais Chluain Big; binn an tseanteampaill ar dheis (P. Ó Cearbhaill)

Nótaí:
(a) Is í **Cluain Bec** foirm neamhdhíochlaonta an logainm dar le heagarthóirí *Onom. Goed.* 255 agus *CGSH* 318 (Index). Ar an mbonn sin is baininscneach do **cluain** sna heiseamláirí Gaeilge (fianaise stairiúil) agus is aidiacht í **beag** atá faoi réir ag an ainmfhocal, leithéid 'a cluain bic' sa tuiseal tabharthach (1200c). (Gheobhadh séimhiú a bheith ar thúschonsan an cháilitheora, *B-*, i gcás na samplaí Gaeilge thuas gan amhras; féach *GOI* 21 §29.) Ní léirítear séimhiú áfach ar thúschonsan an cháilitheora sna téacsanna Laidine ná Béarla ó thosach an 14ú haois (*Pap. Tax.*) go dtí an 19ú haois, cé is moite den fhoirm *Cloneveg* sa téacs Laidine *RVis. CE* 306 (bl. 1607-8). Ní gnách séimhiú a léiriú ar bhonn rialta i dtéacsanna den chineál seo. An fhoirm Ghaeilge a thugtar in *AL* ná **cluain big**, gan séimhiu ar *b-*.

Is féidir gur firinscneach do **cluain** sa logainm seo, gur ainm pearsanta é **Beag** ón aidiacht a litrítear ar an gcuma chéanna (= **Becc** in O'Brien, 1973, 222; McManus, 1991, 70; Ó Corráin & Maguire, 1981, 30) agus gurb í foirm ghinidigh (*o*-thamhan) an ainm phearsanta, **Big**, atá léirithe i dtéacsanna Laidine nó Béarla ar nós *Clonbyg* i *Pap. Tax.*, *Clonbig RVis.(CE)* thuas. I dtéacs luath Gaeilge *Beatha Bharra* – a cumadh sa tréimhse aimsire 1215-1230 de réir an eagarthóra is déanaí, Pádraig Ó Riain – luaitear 'Scothnat Cluana Bicc'

[60]

(ibid. 68), gan aon eolas breise a thabhairt a chinnteodh suíomh an logainm. Sin í an fhoirm ghinidigh a bheadh ag **Cluain** (fir.) + **Bicc** (ginideach an ainm phearsanta) ar ndóigh.

San iomlán measaimid gur fearr a thagann an fhianaise leis an deilbhíocht **Cluain** (baininscneach) + **Beag, Big** (aidiacht). Táimid tar éis tagairt a dhéanamh don fhoirm *Cloneveg* cuir i gcás. Ina theannta sin malartaítear na gutaí *-i-/-y-* agus *-e-* i bhfoirmeacha an cháilitheora i dtéacsanna Laidine agus Béarla: féach m.sh. *Clonbey* (leg. *-beg?*) agus *Clonbyg (Pap. Tax.), Cloneveg* agus *Clonbig (RVis. CE).* Léiriú is ea an éagsúlacht litrithe sin ar an idirdhealú foinéimeach idir **Beag** (foirm ainmnigh na haidiachta) agus **Big** (foirm áinsíoch/thabharthach na haidiachta) dar linn. Foirm thabharthach úd an logainm in ionad bhunfhoirm an ainmnigh a d'fhág **Cluain big** *AL* againn (féach fianaise thuas, 1840), le séimhiú thúslitir an cháilitheora ar lár.

Is fiú an fhoirm dhéanach úd a chur i gcóimheas le hainm an oileáin *Hog Island or Inishbig* i *Cl* (*p* Chill Rois, *bar* Mhaigh Fhearta) ar léir ó na tagairtí dó a bhailigh Ó Cíobháin (1970-1, 122) gur mar seo a d'athraigh cáilitheoir an ainm, *(Inish)beg, big > pig > Hog (Island)* ón ainm Gaeilge **Inis Beag.**

(b)   Seo roinnt solaoidí de **Cluain Beag** i gcontaetha eile:

bf Clonbeg in *UF* (*p* Chill Cholmáin, *bar* Bhaile an Bhriotaigh) ar a dtugtar *Clonebegg CPR* 453 (1620).

bf Cloonbeg i *PL* (*p* Leasa Móire agus Mhaigh Cholpa, *bar* Chois Abha Móire agus Chois Bhríde): foirmeacha stairiúla de, *Clonebegge Inq.(PL)* I 258, **Cluain Beag** *AL*, scríofa le *pl* (1841).

bf Cloonbeg i *Ga* (*p* Mhaírois, *bar* Bhaile na hInse): *Cloonbeg CPR* 348 (1618), **Cluain beag** *AL:OD* (1839).

Cluain Bolg
Clonbulloge A38; 68; R991316; 6:13

1302c	Clonbolg	*Pap. Tax.* 317
1306c	Clonhalke	*Pap. Tax.* 285?
1437	Clonbolygg	*Proc. CE* 330
1551	Clonebolge	*Inq.(TÁ)* I 72
	Clonebolge	*F* 744
	Clonbolge	*IMED* 263
1570	Cloneboge	*COD* V 169, *F* 1643
1575	Cloneboge	*COD* V 270
1582	Conbolge	*F* 4013

1603	Conbolge	*CPR* 10
1615	Clonbolog	*RVis.(CE)* 285
1654	Clonebolloge	*CS* II 5
	Clonebulloge	*CS* II 15, 18
	Clonebolog	*CS* II 16
	Clonebullucke, Clonbullock	*CS* II 366
1840	Clonbulloge	*AL:BS*
	Cluain bolg	*AL:pl*(=*OK*?), dúch (=*OD*)
1993	ˌklɑnbə'loːg, ˌklɑnˌbalə'hoːg	*Áit.* (faisnéiseoir amháin)

*pasture of the **Boilg**; of the gaps?*

Suíomh: *Clonbullogue Church (in ruins), Grave Yard, bf Carriganagh, p Clonbulloge.*
(i) Rinne Patrick O'Keeffe cur síos ar an bhfothrach eaglasta i *LSO (TÁ)* III 61/ 186-7.
(ii) Tá an láthair eaglasta thuasluaite timpeall 500 méadar siar ó dheas ó *Fidaghta River* / **Abhainn Fhiodachta**. Is é cur síos a thugtar ar an talamh feadh na habhann ar eagrán athbhreithnithe *TÁ (SO)* (1903-4) ná 'liable to floods'.

Nótaí:
(a) Sa leabhar *Early Irish History and Mythology* tá samplaí den fhocal **Bolg** sa ghinideach iolra mar cháilitheoir i logainmneacha agus tá an logainm faoi chaibidil ina measc (O'Rahilly, 1946, 44-5). Logainm eile ar thagair an Rathileach dó sa saothar céanna ná *(p)* *Aghabulloge* i *Co.* Thaispeáin Ó Riain (1993, 45 ff.) gur cirte an fhoirm bhunaidh **Achadh Bolg** ná **Aithbhe Bolg** an Rathiligh (*op. cit.* 44)

Ó thaobh *TÁ* de, bhí dul amú ar O'Rahilly, dar linne, *bf Knockbulloge* (I 164) a áireamh mar shampla de **Bolg**, toisc go dtaobhaíonn an fhianaise stairiúil le guta fada sa siolla deireanach den logainm úd, leithéid, *Knockebulloge CPR* 208 (1611), *Cnockbulloge Inq.(TÁ)* II 5 (1629), **Cnoc Bológ** *AL:OD* (1840), [ˌnokbə'loːg] *Áit.* (1993).

Bhí an guta deireanach fada i bhfuaimniú áitiúil *Clonbulloge* atá idir chamáin chomh maith sa dá leagan a chualathas ó fhaisnéiseoir aonair (bliain 1993 thuas). Níl aon ghuta fada léirithe sna leaganacha Béarlaithe is sine den log. áfach, in iontrálacha na mblianta 1302c, 1437 m.sh.
(b) Féach na logainmneacha seo a leanas as foinsí Gaeilge:
'co **Dun mBolcc** i Laigin' (áinsíoch) *AU* 326 (870) srl. arbh í **Dúin Bolg(g)** foirm choitianta an ghinidigh i bhfoinsí luatha Gaeilge (*LL* I 3040, IV 24957, V 38484-5 m.sh.); féach *PN Wicklow* III 162-3 i leith an tsuímh.

'Fintan **Maige Bolg**' *CGSH* 145 §707.410; 'Fiacha … docer i **mMaig Bolgg**' *LL* III 15171; tá suíomh an dá iontráil sin éiginnte – ionann is *p Moybolgue, bar* Chlann Chaoich i *Ca / bar* Cheanannas Íocht. i *Mí* de réir *Onom. Goed.* 513, s.v. **Mag Bolcc**.

Thiocfadh díochlaonadh na solaoidí réamhráite le barúil O'Rahilly (1946, 43, 45) gur ginideach iolra í an fhoirm **Bolg** i logainmneacha den ainm pobail **Boilg** (**Builg**), foirm luath de **Fir Bholg** – cf. **Bolg** *DIL*, 1975, B 140; **3 Bolg** *Vendr. Lex.*, 1981, B 68. Féach **Builc** sa saothar Laidine *Historia Brittonum* le "Nennius" ag freagairt do **Fir Bolg** in aistriúchán Gaeilge na staire sin, *Lebor Bretnach* (van Hamel, 1932, 23 & 24; *FSÁG* II 217). Cuireann O'Rahilly (1946, 31) an t-athrú ***Builg** > **Fir Bolg** i gcóimheas le hainmneacha treabhchais ar nós **Monaig** > **Fir Manach**; cf. 'Monaig Ulad 7 fir Monach la hĒrni' *CGH* 47 = *Lec.* 87 Vc 19-20. Má chuimhnímid go bhfaightear an t-ainm **Bolg** in ainmneacha treabhchais ar nós **Hūi Builg** (*CGH* 262), **Bolg-thuath Echthgi** (*Hy-Many* 92, *UM* 10 Ra 25; féach **B. Eachtgha** *FSÁG* II 161), **Bolgraighe** (*Onom. Goed.* 119, *FSÁG* II 161), ní miste a mheas gurb ainm pobail iolra ('plural name' MacNeill, 1911, 59-63 & 81-2) é **Boilg** sa log. atá faoi chaibidil.

(c)   Féach áfach na hainmfhocail **1, 2 bolg** *DIL* (1975, B 138-40), *Vendr. Lex.* (1981, B 66-7). (Ba cheart dhá ainmfhocal ar leith, nach ionann brí ná inscne dóibh, a bheith áirithe faoi **1 bolg** *DIL* dar le Hamp, 1989, 181.) Tá sampla dearfa amháin de **bolg** mar chéad eilimint i logainm in *Onom. Goed.* lch. 119, viz. **Builgg Boinne** (gin.) *AU* 222 (770 §9) – féach faoi **Bolg Bóinne**, 'bulge of the Boyne?' in *FSÁG* II 161. Mar ainmfhocal a chaitear le **bolg** sa chás sin, fearacht an logainm *Bullogbrean*, is cosúil, i *Mu* (*p* Chluain Eois, *bar* Dhartraí) arb é **Bolg Bréan** an fhoirm Ghaeilge atá air i *Liostaí Log. Mu* 61 – an fhoirm is sine de ná *Bolgybrean* F 5042 (1587).

Ní mór a chur san áireamh gurb í foirm an ghinidigh iolra, **bolg**, a fhaightear mar cháilitheoir ar bhonn rialta i logainmneacha, .i. gur 'of the gaps' an bhrí a bhainfí as **2 bolg** (baininscneach) na bhfoclóirí thuas.

Ba í breith Carey (1988, 78) ar an eilimint **bolg** in ainmneacha abhus: 'while it is certainly significant that *bolg* is attested as an element in local and personal nomenclature, these names afford no clear evidence of its sense.'

Cluain Breasail
Clonbrassil B 60; 34; S061672; 6:14

1619	Cloynbressell	*CPR* 453
1635	Cloynbressell	*Inq.(TÁ)* II 200
1726	Clonbrazil	*CGn.* 49. 311.32105
1840	Clonbrassit	*AL:BS*

	Clonbrassil	*AL:*Rev. J. Mullany *et al.*
	Cluain breasail	*AL:pl* (=*OD*)
	Cluain bhreasail	*AL:*dúch (=*OD*)
1991	ˌklɑnˈbrazəl, ˌklunˈbrasəl	*Áit.*

the pasture of Breasal

Suíomh:
(i) Tá bealach uisce den ainm *Fishmoyne River SO* ar theorainn thuaidh an bhaile fearainn agus tá *bf Fishmoyne* / **Fia Múin** i dteorainn leis laistiar (féach n. *d* thíos; *Log. na hÉ* II 140) (féach an léarscáil thíos agus an grianghraf ar an lch. thall).
(ii) De réir na dteorainneacha a bhí leagtha síos i bhfoinsí áirithe sa 17ú haois (*CS* agus *DS* m.sh.) cuid d'aonad talún *Killvelchorish CS* I 60 (1654), *Kiluolcorrish DS* ba ea réimse talún *Clonbrassil SO* faoi chaibidil. Freagraíonn an logainm réamhráite do *bf Kilvilcorris* (B 60) atá lastoir de *bf Clonbrassil* de réir *SO*. Is iad seo a leanas na samplaí is luaithe de, *Keillveill urisc F* 4907 (1586),

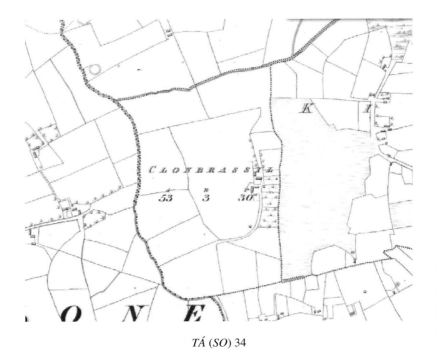

TÁ (SO) 34

[64]

Cluain Breasail

Cluain Breasail, Abhainn Fhia Múin sa lár in uachtar; coill ar an talamh portaigh ar dheis

Kilmolkearishe F 6538 (1601), *Killvoilchorisse F* 6628 (1602), *Killoell-Cherist CPR* 26 (1603), *Kilvolcorris CPR* 453 (1619). Réadú atá sna foirmeacha úd, de réir dealraimh, ar an bhfoirm Nua-Ghaeilge **Coill Mhaolchoraís** < **Mhaolchorghais**. Mar le haicmitheoir an logainm de, níl aon chuntas ar iarsmaí eaglasta sa bhaile fearainn a thabharfadh le fios gur **cill** a bhí ann. **Coill Mhaoil córais** an fhoirm a scríobh Ó Donnabháin le dúch san Ainmleabhar. Solaoidí luatha den ainm pearsanta atá ina cháilitheoir sa logainm is ea iad seo, **Māel-Corguis mac Ōengussa** *CGH* 219 (*Rawl*. B 502 150 b 49, **Éoganacht**) (féach n. *d* thíos), **Mael Corgis** *AU* 176 (722 §3), **Mael Corgais** *Mart. Tall*. 22 (12ú Márta).

(iii)   Tá paiste portaigh in iarthar *bf Kilvilcorris* ar theorainn *Clonbrassil* (féach an grianghraf).

Nótaí:

(a)   Tá fianaise stairiúil an logainm seo ag freagairt do **Cluain Breasail**, an fhoirm Ghaeilge a scríobhadh le peann luaidhe in *AL* (1840). Ba ainm comónta luath é **Bressal**. Daichead sampla ar leith den ainm a d'áirigh O'Brien (1973, 232)

[65]

a bheith sa bhailiúchán ginealach réamh-Normannach *Corpus Genealogiarum Hiberniae*. Ina measc tá **Bresal mac Maíl-Maire** (*CGH* 384, LL 325 c 45) ar de **Éle Descirt** é. On ainm pobail agus ceantair sin is ea a d'eascair déanacht (agus barúntacht) **Éile Uí Fhógarta**, mar a bhfuil *p* **An Drom** suite (B 60) (= *Drum Pap. Tax.* 318, s.v. 'deanery of *Clyrogt*' (sic), bl. 1302c), agus **Cluain Breasail** dá réir.

(b)   Tá Carville (1973, 18) tar éis láthair sheanadh **Ráth Breasail**, a tionóladh sa bhliain 1111, a ionannú le **Cluain Breasail** faoi chaibidil: 'The Synod of *Rathbresail* (or *fidh Mac Aengusa*) [= **Fíad mac nAengussa** *AIF* 268, **Fiadh m. Aenghussa** *AU* 552] was held in what is now *Clonbrasil* near Templemore. The site borders on *Rathleasty* ...'. Tá talamh slán déanta ag an údar den ionannú sin, gan aon bhonn a chur lena tuairim. Ní mór mar sin pé eolas atá ar fáil faoi shuíomh **Ráth Breasail** a scrúdú d'fhonn an t-ionannú a thástáil:

Ba é Eugene O'Curry sa tsraith léachtaí *MSS Mat.* 485-6, n. 40 a d'áitigh den chéad uair gur i mbarúntacht **Éile Uí Fhógarta** (= B) a bhí **Ráth Breasail**. Ar bhonn na foirme stairiúla seo a leanas, go príomha, a shocraigh sé ar an gceantar úd: 'ac Raith Bresail ar Maig Mossaid' *LL* I 3179, in aiste filíochta atá curtha síos do Dubthach húa Lugair (féach chomh maith Ó Murchadha, 1999, 155 & 160 n. 46). Ina dhiaidh sin, bhí Ó Comhraí ag brath ar na tagairtí seo a leanas do **Magh Mosaidh** chun teacht ar shuíomh **Ráth Breasail**:

De réir *Senchas Fagbála Caisil*, atá curtha in eagar ó shin ag Dillon (1952), is léir gur idir áitreabh rí Éile agus Caiseal a bhí **Mag Mosaid** (ibid. 67) – mheas an Diolúnach gur sa 10ú haois a cumadh an chuid sin den téacs.

De réir *Vita* Naomh Mochaomhóg (Kenney, 1929, 455), bhí 'campus Mossadh' (*VSH* II 174) lastuaidh de Chaiseal agus é ag críochantacht le **Magh Feimhin** laisteas.

Seo í, más ea, achoimre O'Curry (*MSS Mat.* 486) ar shuíomh **Magh Mosaidh** ina raibh **Ráth Breasail**:

at least its southern part must have been that part of the present barony of Eliogarty which adjoins the northern boundary of the ancient *Corca Eathrach*, now the barony of Middle Third in which the city of Cashel is situated. Of *Ráith Breasail*, which ... was situated in the plain of *Mossad*, I can give no further account.

Tá a lán údar tar éis géilleadh do bhreithiúnas O'Curry ó shin i leith: féach m.sh. *Onom. Goed.* 526, 568 s.v. **Mag Mosadh, Ráith Bresail** faoi seach; Mac Erlean (1914, 28-9) s.v. **Ráith Breasail**; *AIF* (Index) 555 s.v. **Raith Bresail**. I dtaca le tuath **Chorca Eathrach / Athrach** de, féach *Log. na hÉ* II 259, MacNeill (1911, 92). Tabhair faoi deara go raibh *Killough Hill TÁ (SO)* 47 ar **Mhagh Mosaidh** nó **Mosadh**, mar gur tugadh *Slievemosse* (.i. **Sliabh Mosaidh**) ar an gcnoc sa bhliain 1611 (*CPR* 197; féach *Log. na hÉ* II 134; Ó Murchadha, 1999, 155-6). Is i mbarúntacht an Treana Mheánaigh, le hais bharúntacht Éile Uí Fhógarta, atá an cnoc úd suite de réir *SO.*

(c) Thagair Carville (*loc. cit.*, féach n. *b* thuas) do *bf Rathleasty*, ar theorainn theas *bf Clonbrassil* sa pharóiste céanna, amhail is go raibh ceangal idir é agus suíomh sheanadh **Ráth Breasail**. Seo a leanas cuid d'fhianaise luath *Rathleasty*: *Rathless COD* III 335 (1508), *Rathlesse F* 6583 (1602), *Rathlegty Inq.(TÁ)* I 295, 297 (1624), *Rathleasty Inq.(TÁ)* III 32 (1625-49). **Rath a léistig** an fhoirm Ghaeilge a scríobhadh le peann luaidhe san Ainmleabhar (*p Drom*, bl. 1840) agus [ˌratˈleːstiː], [ˌrahəˈleːʃtiː] na foirmeacha áitiúla a chualathas i 1991. Géillimid do bhailíocht na foirme Gaeilge in *AL.* Mar leis an aicmitheoir de, **Ráth**, an t-aon séadchomhartha amháin atá sa bhaile fearainn sin de réir *FSCTÁ* I 210 ná láthair den aicme, 'enclosure site', nach ann di a thuilleadh − 'the site was bulldozed approximately twelve years ago' (ibid.). Is sloinne de bhunús Angla-Normannach an cáilitheoir − féach *Leach, Leche* (Reaney, 1961, 196). Bhí an sloinne sin le fáil i *TÁ* faoi thosach an 14ú haois, *Adam le Leche CJR* I 47 (1305) 'Adam le Leche of Gel' *CJR* III 126 (1309) (= *p* **Gael** / *Gaile*, *bar* I) agus 'Adam Leche de Geel' *CJR* III 252 (1312). Cuir gaelú an tsloinne *Leche* > ***Léiste, An Léisteach,** (**Ráth**) **an Léistigh** (ginideach) i gcóimheas le leaganacha Gaeilge den sloinne Angla-Normannach *Roche* atá pléite ag Risk (1974, 70-1 §229), ar nós *Rōtsechybh AIF* 332 (1283 §3): 'the earliest dated example of Irish [tsʹ] representing AN [tš] … later Róistigh', mar aon le samplaí eile nach é sa saothar céanna de na foircinn Ghaeilge *-áiste, -óiste* srl. (*loc. cit.*).

Níl aon chúis *a priori* nach **Ráth Breasail** a bhí ar **Ráth an Léistigh** roimh lonnú na nAngla-Normannach, cé nach bhfuil aon chruthúnus ann gurb amhlaidh a bhí. Tá a dhíol comparáide sa tslí inar athraigh *bf Rathavin* i *TÁ* (I 152), timpeall 2.5 ciliméadar lastuaidh de bhaile Fhiodh Ard, mar ar cuireadh sloinne AN. in ionad an cháilitheora **Éadan**, de réir dealraimh .i. ***Ráth Éadain** > **Ráth an Bhinnigh**: *Radedan* i *Reg. St. Jn. B* 282, 283 (1200), *Rathvyne COD* IV 13 (1513), 'Thomas Vyn, burgess of Fethard, … *Rhahywynche*' COD IV 14, **Rath a bhinne** *AL:pl* (1840) − féach 'John, Maurice le Venne' *CJR* III 120 (1309).

(d) Gné shuaithinseach a bhaineann le suíomh **Cluain Breasail** agus **Ráth an Léistigh** laisteas de, iad araon a bheith ag críochantacht ar an taobh thiar le *bf Fishmoyne SO* < *Fithmone CS* (*et al.*) < **Fiadh Mughain** (féach **Cill Fhia Múin** i *Log. na hÉ* II 139-42): 'The said Colpe [*Fithmone*] is bounded on the East with the lands of Killvelchorish [féach Suíomh n. *ii* thuas] and Rathlesty' (*CS* I 73, 1654). 'Tir Mugain i n-Eilib' a tugadh ar **Fiadh Mughain** i ngluais dlíthiúil ón 12ú haois (*Log. na hÉ* II 139), mar ar tugadh le fios gur fearann rí Chaisil a bhí ann:

certain lands in each kingdom were set aside specifically for the use of the king during his reign. Such land is described in the law-texts as *mruig ríg*, 'king's land'. As an example, a legal glossator refers to *Tír Mugain i nÉlib*, which is 'king's land' for the king of Cashel.' (Kelly, 1997, 403).

Rí Mumhan, Muircheartach Ó Briain, a thionóil seanadh **Ráith Bressail** (*AIF* 268). Díol suime gur ar láthair ríoga Chaisil a thionóil an rí céanna seanadh eaglasta eile deich mbliana roimhe sin (Gwynn, 1992, 155 ff.). B'fhéidir gur chuid den tír a bhí i seilbh rí Chaisil **Cluain Breasail** agus **Ráth an Léistigh** tráth.

Tá áitithe ag Diarmuid Ó Murchadha (1999) gur ar fhearann *Kilvilcorris SO* thuasluaite nó ar fhearann *Clonbrassil* atá idir chamáin a tionóladh seanadh **Ráth Breasail**. Ba chuid d'aon **fiadh** amháin ó bhunús an talamh sin dar leis-sean, mar aon le *Fishmoyne SO* (*op. cit.* 158): 'The eastern part may then have been renamed [Fiad mac nÁengusa] for the sons of Áengus, one of them being Máel Corguis' [**Máel-Corguis mac Óengussa**, Suíomh, n. *ii* thuas].

(e)   Tá Candon (1984) tar éis láthair sheanadh **Ráth Breasail** a ionannú le *bf Fortgrady SO* i *Co* (*p* Dhrom Tairbh, *bar* Dhúiche Ealla), ar léir ó sholaoidí Béarlaithe den ainm ó dheireadh an 16ú haois – 17ú haois gur **Ráth Breasail** a bhí air tráth (ibid. 327-8). Tuigeadh don údar go raibh deacrachtaí leis an ionannú a bhí á mholadh aige, 'what of Ráith Bressail in Mag Mossaid, in Co. Tipperary? It must have been another place of the same name. This site [*Fortgrady* i *Co*] is very far south in Munster, while the natural place to seek its location would be much further north' (ibid. 329).

Cluain Bric
Clonbrick A 169; 50, 58; R856443; 6:15

1609	Clonbricke, Clonebricke	*CPR* 146
1619	Gorteluonabrick, Cluoynbrick	*CPR* 454
1654	Clonebricke	*CS* II 44, 53
1664	Clonbrick	*Inq.(TÁ)* III 338
1840	Cluain Bric	*AL:pl* & dúch (=*OD*)
1989	ˌklɑnˈbrik	*Áit.*

*pasture of **Breac**; of (the) trout; speckled pasture*

Suíomh:
(i)   Suite idir dhá ghéag den abhainn *Dead River* / **An Abhainn Mharbh** (*TÁ-Lm*) (féach an grianghraf ar lch. 69).

[68]

Cluain Bric idir dhá ghéag den Abhainn Mharbh

(ii) Is éard atá scríofa faoi chineál na talún sa bhaile fearainn in *AL* (bl. 1840), 'the land is flat and wet'.

(iii) Cuid d'aonad talún níos fairsinge ba ea an logainm seo de réir cuntaisí áirithe de chuid an 17ú haois: féach m.sh. 'the castle, town and lands of *Clonebricke* in *Kilsallagh*' *CPR* 146 (1609), '*Kearonknockvelagha* [= *bf* **Cnoc Bhéal Átha**, A 169] ... *Gorteluonabrick* ... in the territory of *Killsallagh*' *CPR* 454 (1619), '*Killsallagh* ... halfe a colpe thereof (whereof *Clonebricke* is part)' *CS* II 53 (1654). Ní hann don logainm *Kil(l)sallagh* a thuilleadh (< **Coill / Cill Saileach**?).

Nótaí:

(a) Is ródhócha go bhfuil an fhoirm Ghaeilge atá scríofa le peann luaidhe in *AL*, **Cluain Bric**, i gceart. Tá fuaimniú áitiúil na bliana 1989 ag teacht leis an bhfoirm sin.

Ar chuma **beag**, cáilitheoir *Cluain Big supra*, n. *a*, ba ainm pearsanta agus ba aidiacht é **breac** sa tréimhse luath – féach **brecc**, aid. *o/ā*-thamhan in *DIL* (1975, B 168-9); **Brecc**, ainm pearsanta *o*-thamhan in O'Brien, 1973, 219 (& 222) s.v. 'ordinary uncomposed adjectives' agus 'Aedh filius Bricc' m.sh. *AU* 94 (589).

Déantar cúram de shanasaíocht an fhocail **brecc** in *GOI* 135 agus in *Vendr. Lex.* (1981, B 82) agus luaitear sa dá shaothar úd, mar aon le Schmidt (1957, 155), an focal gaolmhar Breatnaise *brych* agus na hainmneacha pearsanta Gaillise *Briccus, Briccius* atá gaolta leis.

Is ainmfhocal é **breac** chomh maith. Féach a bhfuil ráite in *Vendr. Lex. (loc. cit.)* faoi úsáid seo an fhocail, 'L'adjectif [brecc] s'emploie lui-même substantivement pour désigner une truite ou un saumon ...'; féach iontráil ar leith an ainmfhocail in *DIL* (1975, 169), **brecc**, *o*-thamhan firinscneach. Tabhair faoi deara go bhfuil *bf Clonbrick* suite cois abhann (Suíomh, n. *i*).

Cuireann *Gorteluonabrick* (bliain 1619) foirm ghinidigh den logainm in iúl, mar atá **Gort (C)luana Bric** de réir dealraimh. Ní léir cé acu feidhm aidiachtúil, feidhm ainmfhoclach nó ainm phearsanta atá ag **Bric** sa log. seo ó bhunús.

Ní léir ach chomh beag feidhm bhunaidh **Bricc** sa log. seo a leanas de chuid an Dinnseanchais, **Loch mBricc** *LL* III 22518, IV 27436 (*Onom. Goed.* 495)

(b) Tá *bf* eile ann den ainm *Clonbrick*, in oirdheisceart *Cl* (*p* Chluain Lao, *bar* na Tulaí Íocht.). Is áirithe áfach gur *Br-* leathan a bhí sa Ghaeilge anseo, rud is léir ó na solaoidí inár ndiaidh, *Clonebruicke Cen.* 172 (1659), **Cluain bruic** *AL:pl* (1839). Féach gur áiríodh beirt den sloinne **Ua Bruic** san 11ú haois mar chomharbaí Sheanáin Inis Cathaigh in *Annála Inse Faithleann* (*AIF* sub annis 1037, 1070, 1081).

(c) Tá sampla de **breac** i bhfeidhm ainmfh. bain., sa ghinideach uatha, caomhnaithe sa logainm *Cloonnabricka* in oirthuaisceart *Ga* (*p* Chill ar Ghualainn, *bar* Chill Liatháin): *Clonenebricky Inq.(Ga)* III 47 (1611), 'fearann **Chluain na Brice**' *Éigse* VI 221 (1794) (= *PÉ* 51), **Clún na Brice** *AL:pl* (1838). Measimid gur 'the speckled cow' is brí leis **an bhreac** seo.

Cluain Brógáin
Clonbrogan I 130; 62; S184413; 6:16

1200c	Clonbrogan	*Reg. St. Jn. B* 329, 330
1220c	Clombrogan	*Reg. St. Jn. B* 330
1308	Clonbrogan	*CJR* III 99
1318	Clonbrogan	*Reg. St. Jn. B* 331

1508	Clonebrogan	*COD* III 334
1548	Clonbrogan	*F* 215
1569	Clonbrogan	*F* 1298
1576	Clonbrogan	*F* 2877
1578	Clonebrogan	*F* 3317
	Clone brogane	*Inq.(TÁ)* I 85;
1604	Clonebrogan	*CPR* 54
1638	Clonebrogane	*Inq.(TÁ)* III 187
1654	Clounbrogan	*CS* I 158
	Clonbrogane	*CS* I 323 *et var.*
1840	Clúaín brogáin	*AL:pl* (=*OC*)
	Clúain brogain	*AL:*dúch (=*OC*)
	Tobar Brogáin,	
	'St. Brogan's Well'	*AL:*dúch (=*OD*)
1993	ˌklonˈbroːgən	*Áit.*

the pasture of **Brógán**

Suíomh: *St. Brogan's Well, bf Clonbrogan.*

(i) Rinne Tomás Ó Conchúir *(OC)* cur síos mar a leanas ar an tobar réamhráite i *LSO (TÁ)* II 173/493 (1840), '... a holy well called St. Brogan's Well with a large tree standing at it'. Féach an fhoirm Ghaeilge **Tobar Brogáin** a scríobh Ó Donnabháin le dúch san Ainmleabhar (thuas).

(ii) Tamall gairid ón tobar úd ar theorainn thoir an bhaile fearainn tá sruthán den ainm *Clashawley River SO* ar réadú é ar **Glais Álainn** de réir na fianaise stairiúla: 'aqua de *Glascalin' Reg. St. Jn.* B 301 (1319), 'the river of *Glassalin' CS* I 169 srl.

Nótaí:

(a) Is iad **Clúaín** (sic) **brogáin** agus **Clúain brogain** na foirmeacha Gaeilge a scríobhadh san Ainmleabhar. Nuair a chuirtear san áireamh fuaimniú áitiúil na bliana 1993, mar aon leis an bhfianaise stairiúil thuas, is áirithe gur **Cluain Brógáin** an cheartfhoirm Ghaeilge.

Naomh ba ea **Brógán**, arbh ann do fhuílleach dá chultas sa chomharsanacht, an tobar beannaithe, sa chéad leath den 19ú haois (féach Suíomh thuas). Ní miste a lua ach chomh beag gurb é baile fearainn atá ar theorainn thuaidh *Clonbrogan* ná *Buffanagh* (*p* Chill Chonaill) agus gur léir ón fhianaise stairiúil – *Bothmanagh CJR* III 133 (1309), *Boffanagh CS* I 103, 105, 158, 203 (1654) – gur **Both Mhanach**, 'hut of (the) monks', a cheartfhoirm (Ó Cearbhaill 2005, 10, 16).

Faightear an t-ainm pearsanta céanna mar cháilitheoir leis an téarma lonnaíochta eaglasta **Cill** sa logainm (*bf, p*) *Kilbrogan SO* i *Co* (*bar* Chineál mBéice) / **Cill Brógáin** (*GÉ* 54): foirmeacha luatha de, *Cellbrogan Pont. Hib.*

[71]

I 108 (1199), *Kylbrogayn CPL* XIV 32 (1487). Thuairimigh Ó Riain, eagarthóir *Beatha Bharra* 256, n. 207, gurbh ionann an chill úd agus láthair eaglasta Bhrógáin mhic Sheanáin na *Beatha* céanna .i. **Cluain Carna** (ibid. 70). Ón ainm pearsanta sin a shíolraigh an sloinne **Ó Brógáin** (Woulfe, 1923, 444; Ó Corráin & Maguire, 1981, 37 s.v. **Bróccán**). Tá an sloinne úd caomhnaithe sa logainm *(bf) Ballybrogan /* **Baile Uí Bhrógáin** i *RC* (*p* Theach Eoin, *bar* Bhaile Átha Luain Theas) ar a dtugtar *Ballibrogan Cen.* 590 (1659), *Ballyvrogan BSD (RC)* 115 (1660c), **Baile Ui Bhrogáin** *AL:OD* (1837).

(b) Is deacair an t-ainm faoi chaibidil a aithint ó **Broccán** (< BROCAGNI Macalister, 1945, 304, 356, 457) i bhfoinsí luatha Gaeilge. Consan pléascach, neamhghlórach, idirghuthach atá san ainm deireanach (< **Brocc** + iarmhír dhíspeagtha, féach *GOI* 79, 173; McManus, 1991, 107), murab ionann is **Brógán** (< **Bróc(c)án*).

Tá deichniúr naomh cláraithe i bhFéilire Thamhlachta faoin cheannfhoirm **Broccán** (*Mart. Tall.* 234, Index). Ar an 8ú Iúil a cheiliúrtaí duine díobhsan, 'Broccán scribnidh' *Mart. Tall.* 54 (= *FOeng.* 161, *FGorm.* 132, *FNÉ* 190). Is é an ghluais a cuireadh leis an iontráil chéanna i bhFéilire Uí Ghormáin (*FGorm.*) ná, 'scribhnidh ó Maothail Bhroccain i nDeisibh Muman'. Is ionann an logainm úd agus *bf, p Mothel /* **Maothail** i *PL* (*bar* Uachtar Tíre) – féach *Liostaí Log. PL* 3, 38. Cáilíonn **Brógán** ainm na mainistreach in iontrálacha eile chomh maith, leithéidí, 'i Maethail Brócáin isna Déssib' *AIF* 332 (1204 §2), 'monasterium Sanctorum Choani et Brogani de Motalia' *Ann. Lis.* 20 (1463), mar aon le seanchas béil faoi Naomh Cuán agus Naomh Brógán a bhaineann le paróiste Mhaothla agus atá i gcló in *PN Decies* 405.

Sa liosta minicíochta ainmneacha a bhunaigh M. A. O'Brien (1973, 232) ar iontrálacha *Corpus Genealogiarum Hiberniae* ba é **Broccán** (sic) a scríobh sé mar cheannfhoirm (fiche sampla). Mar atá ráite ag eagarthóir na haiste úd (Baumgarten, *loc. cit.* 233), **Brōccan** (*recte* -**ān**) an fhoirm a fhaightear in innéacs *CGH* 526.

Cluain Buach
Clonbuogh F 95, 183; 24, 30; S187752; 6:17

1192-3	Clonbruc	*Chart. John* 269?
1334	Clonboyagh	*CN* R.C. 8/29, 15 (*Chart. John* 275)
1632	Clonebough	*Inq.(TÁ)* II 51
1654	Clonebogh	*CS* I 19
	Clonebough	*CS* I 20, 27
1657	Clonebogh	*DS*
1659	Clonbouch	*Cen.* 316
1660c	Clonebeagh, Clonebuogh	*BSD (TÁ)* 10

1840	Clonboo or Clonbuogh	*AL:BS*
	Cluain buadhach	*AL:*dúch (=*OD*)
1991	ˌklɑnˈbuː, ˌklonˈbuː	*Áit.*

pasture (of)?

Suíomh:
(i) Seo é an cur síos a rinneadh in *AL* ar chineál na talún sa bhaile fearainn, 'this is a large townland, containing two large portions of bog and some marsh, rest arable' (féach an grianghraf thíos agus an léarscáil ar lch. 74). Taispeántar réimsí portaigh – '*(red) bog*' – ar theorainn thuaidh agus ar theorainn thiar an bhaile fearainn ar léarscáil *DS* (1657).

(ii) De réir na bhfoinsí *CS, DS*, achar talún níos mó ná *bf Clonbuogh SO* ba ea '*Clonebo(u)gh*' sa 17ú haois. Bhí sé ag críochantacht le 'Queens County' > *La*

Iarthar Chluain Buach gona phortach

[73]

TÁ (SO) 30

lastoir. Cuid dá líomatáiste ní foláir ba ea *bf Togher*, *TÁ (SO)* 24, 30 (F 183) ar a dtugtar *Toher CGn.* 698.105.478839 (1816). Tóchar (portaigh) is brí leis an logainm úd. Lastoir de *bf Togher* tá *bf Clonmeen* i *La* (*p* Ráth Domhnaigh, *bar* Chlann Donnchadha): foirm is luaithe de, *Clonmin COD* I 100 (1282), i. readú ar **Cluain Mín**.

(iii)   Teorantach laistiar le *Killavinoge* / **Cill Momhéanóg** (F 95) – féach *Log. na hÉ* II 185-7.

Nótaí:

(a)   Ní mór amhras a chur i gcruinneas na foirme is sine thuas, *Clonbruc* (1192-3): 'The -*r*- in the present form may be a scribal error' dar le K. W. Nicholls, eagarthóir na cairte (*Chart. John* 275). B'fhéidir gurb ionann é agus *Clonbuogh SO* atá i dtrácht (ibid.).

[74]

(b) Réitíonn fuaimniú áitiúil na bliana 1991 le ceann de leaganacha Béarlaithe an Ainmleabhair, *Clonboo* (1840). Níl consan cuimilteach coguasach neamhghlórach, /x/, i ndeireadh an log. i gceachtar díobhsan. Is inmheasta go ndeachaigh an consan úd ar ceal faoi thionchar an Bhéarla.

Foirm Ghaeilge a scríobhadh le dúch amháin atá in *AL*, **Cluain buadhach**, i láimh Uí Dhonnabháin. Ní dócha gur foirm ón gcaint í sin áfach ach foirm athchumtha. Níor áiríodh ach 1.3% de dhaonra bharúntacht **Uí Chairín**, mar a bhfuil an logainm suite, ina nGaeilgeoirí de réir daonáireamh na bliana 1851 (féach *Log. na hÉ* II 14). Ar a shon sin, tá formhór na fianaise stairiúla ó fhoirm na bliana 1334 amach, *Clonboyagh*, ag freagairt do leagan Gaeilge úd *OD*.

Fréamhaí ón ainmfhocal **búaid** atá i **búadach** (> buadhach, buach *FGB* 150), 'victorious, triumphant [srl.]' (*DIL*, 1975, B 219). Féach m.sh. na samplaí Sean-Ghaeilge seo a leanas den fhréamhaí (*loc. cit.* & *Vendr. Lex.* B 107 s.v. **búaid**): 'Brigit būadach' *Thes.* II 327 (i bhfeidhm aidiachta); 'inna mbuadach' *Thes.* I 33 (i bhfeidhm ainmfhocail sa ghinideach iolra). Tá an t-ainmfhocal **bua** (< **búaid**) caomhnaithe sa logainm (*bf, p*) *Carnew* i *CM* (*bar* Shíol Éalaigh) / **Carn an Bhua** *GÉ* 45. Chruinnigh Liam Price in *PN Wicklow* 342, foirmeacha luatha den log. úd, ar nós *Carnebothe* (bl. 1248), *Carn Buada* (1475), *Carnwoo* (1543).

Ní heol dúinn samplaí eile áfach de **buach** (< **buadhach**) mar cháilitheoir i logainmneacha. Ní léir dúinn ach oiread brí bheacht **Cluain Buach**.

(c) I *Scéla Cano meic Gartnáin* luaitear an logainm **Búach** faoi dhó sa véarsaíocht (*SCano* 14). '[It] may have been a strand or rock near the island of Skye' dar le K. Jackson, eagarthóir an téacs (ibid. 32, n. 385). Faightear an logainm céanna in *ATig.* XVII 161, *CScot.* 64 m.sh., ag tagairt do bhás **Aed mac Ainmirech** sa bhliain 598 (féach *SCano* 33, n. 389; *FSÁG* II 213 s.v. **Buach**). Is ionann an log. úd agus *bf Dunboyke SO* i *CM* (*p* Chillín Chaoimhín, *bar* Bhaile an Talbóidigh Íocht.) dar le Price, *PN Wicklow* 213.

Cluain Buinne
Clonbunny L 116; 37; R713600; 6:18

1576	Clonbwny	*F* 2865
1584	Clonbonny	*F* 4535
1587	Clonbonny	*F* 4975
1591	Clonbume	*F* 5689
1609	Cloynbonny	*CPR* 146
1618	Clonbunny	*CPR* 426
1625-49	Cloenbunny	*Inq.(TÁ)* II 250

1654	Clonbunny	*CS* II 174, 188
	Clonebunny	*CS* II 186, 189-190
	Clounebunny	*CS* II 194
1840	Cluain buinne	*AL:pl* (glanta), dúch (=*OD*)
1989	ˌklɑnˈbuni:	*Áit.*

pasture of (the) river, flood

Suíomh:
(i) Teorantach laisteas le *Cluain Singil infra.*
(ii) Ag críochantacht lastoir le *Clare River* / **Abhainn an Chláir** nó 'the River of Clare' *CS* IV 2 (1654); féach an grianghraf ar lch. 192.

Nótaí:
(a) Glacaimid le foirm Ghaeilge an Ainmleabhair, **Cluain buinne**. Nuair a áirítear suíomh an logainm, is é is dóichí gur tuile nó abhainn is brí leis an gcáilitheoir; féach solaoidí luatha ar nós **buinne dílend**, 'flood stream', s.v. **buinne (a)** *DIL* (1975, B 237) agus **2 buinne** *Vendr. Lex.* (1981, B 115-6).
(b) Is dealraitheach go bhfuil an bhrí chéanna le **buinne** sna logainmneacha seo a leanas cuir i gcás:
   bf, p Lisbunny / **Lios Buinne** i *TÁ (bar* K) le hais *Ollatrim River* / **Abhainn Chalatroma**: foirmeacha luatha de, *Lisbunny Pap. Tax.* 302 (1306c), *Lisboyng CJR* III 121 (1309)?, *Lysboyn CJR* III 270 (1313).
   Loch den ainm *Lough Bunny SO* i *Cl (p* Chill Chaoide, *bar* Inse Uí Chuinn): *Loughbuna BSD (Cl)* 499 (1660c), **Loch Buinne** *AL:pl* (1839).
   bf Clontybunnia i *Mu (p* Thigh Damhnata, *bar* Mhuineacháin) ar a dtugtar **Cluainte Buinne** i *Liostaí Log. Mu* 11; foirm an logainm ar léarscáil *McCrea* (1793c) ná *Clintybunny*. Suite cois srutháin.
   bf Toberbunny / **Tobar Buinne** i *BÁC (p* Chlochráin, *bar* na Cúlóige*): Tipperboyne Inq. Lag. (BÁC)* §37 Jac. I (1618), *Tobberbuny CS* VII 187 (1655).
   Buinne an Bheithe (= **Buindi in beithe** *ATig.* XVIII 10 srl.) ar an tSionainn a d'ionannaigh Ó Murchadha (1996-7, 5) le *Long Island SO* i *RC (p* an Mhúir, *bar* Mhaigh Charnáin).
   Tá samplaí eile fós ag P. W. Joyce (1875, 410-411) de **buinne**, nó **buinneach**, mar cháilitheoir le **cluain** i logainmneacha. Seo mar a mhínigh an t-údar céanna (ibid.) an cáilitheoir:
   Buinne ... means a wave or flood, any flow of water; and this word, or a derivative from it, is pretty often found forming a part of local names applied to watery or spewy spots, or places liable to be inundated by the overflow of a river or lake.

[76]

Ar na samplaí a thug an Seoigheach bhí *bf Cloonbon[n]y SO* in *IM* (Paróiste Mhuire, *bar* Bhreámhaine) atá pléite ó shin ag Walsh in *PN Westmeath* 115-6. Is í an bhreith thomhaiste a thug an t-údar deireanach ar bhunús an ainm (*op. cit.* 116), 'the Irish of the name is perhaps ... *Cluain Bhuinneach*, flooded meadow. The Ordnance Map indicates that portion of the townland is flooded in winter time. It borders the Shannon'.

Cluain Buinneáin
Clonbonane A 40; 52, 60; S033440; 6:19

1654	Cloneboynane	*CS* I 157
	Clonbonane	*CS* I 244, II 94
	Clonebinane	*CS* II 3
	Cloneblynane	*CS* II 9
	Clonebonane	*CS* II 5, 92-4
	Clonbane	*CS* II 74
	Clonebane	*CS* II 90
1657	Clonbonane	*DS*
1659	Clonebane	*Cen.* 304
1666-7	Clonebenean	*HMR (TÁ)* 76
1840	Cluain Buinneáin,	*AL:pl* & dúch (=*OD*)
1989	ˌklɑnbəˈnaːn, ˌklonbəˈnaːn	*Áit.*

pasture of (the) shoot; of (the) little torrent

Suíomh:
(i) Teorantach laistiar le *Kilshenane* / **Cill tSeanáin** (A 147) agus lastuaidh le *Kilbreedy* / **Cill Bhríde** (I 7) – féach *Log. na hÉ* II 252, 72 faoi seach.
(ii) Tá glaise ar theorainn thoir an bhaile fearainn ag rith soir ó dheas go dtí abhainn na Siúire (féach an grianghraf agus an léarscáil i do dhiaidh ar lgh. 78-9). Tá droichead ar a dtugtar *Drehideenglashanatooha Bridge TÁ (SO)* 60 ar an sruthán úd, timpeall ciliméadair laisteas de *Clonbonane*. Scríobhadh leaganacha Gaeilge an droichid mar seo in *AL (p Ardmayle)*, **Droichidin Claise na tuaithe** breactha le peann luaidhe agus **Droichidín Glaise na tuaithe** le dúch. Tá fianaise ann, seachas an tAinmleabhar, a thugann le fios gurb é **Glaise na Tuaithe** ainm an tsrutháin, ar nós, 'the / a brook called Glassynatoughy' *CS* II 3, 5 srl. (1654). I dtaca le hainm na tuaithe de a bhfuil feidhm cáilitheora aige san ainm **Glaise na Tuaithe**, tá leaganacha stairiúla Béarlaithe de ar fáil, leaganacha mar *Tohyndelyn COD* IV 242 (1543), 'the lands of Tohindelyn' *CS* I 157 (1654) *et var.* Is léir go deimhin ón chur síos atá déanta ar an **tuath** réamhráite sa *Civil Survey* (= *CS*) gur chuimsigh sí, ach go háirithe, talamh **Baile na hInse** / *Ballynahinchy SO*

[77]

Cluain Buinneáin, Glaise na Tuaithe ar dheis

(A 16), baile fearainn atá suite laisteas de *Clonbonane*. Ní léir dúinn ainm bunaidh Gaeilge na tuaithe úd, **Tuath *(an)** ?.

Nótaí:

(a)   Tagann malairtí litrithe shiolla tosaigh an cháilitheora san fhianaise stairiúil le cáilíocht chonsan **Buinn-**: *Cloneboynane, Clonebinane* (1654) m.sh. agus **Cluain Buinneáin** (1840). Féach *DIL* (1975, B 238) s.v. **buinnén**, foirm dhíspeagtha de **buinne** 'sprig, branch' **(buinne (b)** *op. cit.* 237; **1 buinne** *Vendr. Lex.*, 1981, B 115) agus cf. **Cluain Buinne** *supra*.

    Seo mar a thiontaigh Ó Donnabháin an logainm seo san Ainmleabhar, 'Bunayne's meadow or bog island (*Bunayne* is a family name)'. Is éadóigh linne an míniú sin ar an gcáilitheoir. Sloinne de bhunús gallda é *Bunyan* (Reaney, 1961, 53) a fhaightear in Éirinn: féach m.sh. *Ballybunnion* i *Ci*

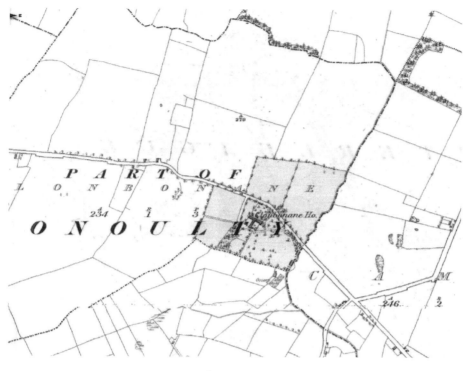

TÁ (SO) 52, 60

/ **Baile an Bhuinneánaigh** (*p* Chill Eithne, *bar* Oireacht Uí Chonchúir; *GÉ* 11) a fhreagraíonn do **Baile an Bhuindénaigh** in *ARÉ* V 1780 (1582). Níl aon fhianaise stairiúil ann, go bhfios dúinn, a thaispeánfadh go raibh daoine den sloinne seo i *TÁ* anallód.

(b) Tá solaoidí eile de **buinneán**, de réir dealraimh, caomhnaithe sna logainmneacha seo:

bf Carrowbunnaun / **Ceathrú an Bhuinneáin**? i *Sl* (*p* Chill Easpaig Bhróin, *bar* Chairbre) ar ar tugadh *Carrowbunan DS* (1655c), **Ceathramh Bhunáin** in *AL*, scríofa le peann luaidhe (1838), *Carrowbun-yawn* in *AL*, curtha síos do 'local pron[unciation]'.

bf Toornamongan / **Tuar na mBuinneán** i *CC* (*p* Adhairce, *bar* Ghabhalmhaí): *Toernemuniane CPR* 199 (1620), *Turnemongan Inq. Lag. (CC)* §107 Car. I (1639).

Cnoc na mBuinneán an bunús atá le *bf Knocknamunnion* i *CM* de réir *PN Wicklow* III 175 (*p* Dhomhnach Mór, *bar* Bhaile an Talbóidigh Uacht.). Is é an bhrí atá le **buinneán** sa logainm úd i dtuairim Price (ibid.), 'probably here a diminutive of **buinne**, ' a flood, torrent' – féach **Cluain Buinne** supra, n. a. Ar an gcuma chéanna, is é an tiontú atá déanta ar **An Buinneán** nó **An Bunnán**, sráidbhaile i *Ci*, in *FSÁG* II 219, 'the little rapid?'.

    Is inmheasta go dtagraíonn cáilitheoir **Cluain Buinneáin** don ghlaise atá feadh na teorann (Suíomh thuas, n. *ii*).

(c) Ainneoin fianaise an bhaile fearainn seo a leanas i *TÁ* a bheith cuíosach déanach, b'fhéidir gurb é an focal céanna atá sa cháilitheoir, *Clybanane*, *TÁ (SO)* 12 (F 160): foirm is luaithe de, *Cleybonane CGn.* 5.384.2126 (1711).

Cluain Canann
Cloncannon F 24; 22; S039782; 6:20

1100c	**Clúain Cannan**^a criche Ele	*LL* III 20399 – dinnseanchas filíochta; *var. lec.* ^a**canda** *BB* 380 b 28 – dinnseanchas filíochta (& próis)
	Cluain Cannan	*LL* III 22472 – dinnseanchas próis (& ceathrún)
	Rogab Candan dano i **Cluáin Candain**^b a Crich Eli, 7 i **Caislib** Can**náin**^c tathaim, ... **Cluain** Can**nain**	*Rennes Dind.* XV 454 – dinnseanchas próis (& filíochta); *var. lec.* ^b**Canann** *Lec.* 239 Vb 10; ^c**Canann** *Lec.* 239 Vb 11
1602	Clonekannenane	*F* 6583
1637	Cluonkeananane	*Inq.(TÁ)* III 81
1654	Clonecannanane	*CS* I 4
	Clonecanonane	*CS* I 5
	Clonecannan	*CS* I 7
	Clonecanane	*CS* I 17
	Clonecannane	*CS* I 17, 18
	Clonekeanenane	*CS* I 22
	Cloncananane	*CS* II 215, 216
	Clonkeannane	*CS* X 32
	the pass called Aghcloncanane	*CS* I 21
1840	Clooncannon	*AL:BS*
	Cluain Ceannann, 'the spotted plain or lawn'	*AL:*dúch (=*OD*)
1991	klon'kanən	*Áit.*

the pasture of **Cana(nn)**, **Cannán**, **Canannán?**

Suíomh:

(i) Seo cuid den chur síos a rinneadh in *AL* (bliain 1840) ar an gcineál talún a bhí sa bhaile fearainn, '...consists of a portion of bog and arable land'.

(ii) *Ollatrim River* / **Abhainn Chalatroma**, nó *Owg Callatroim CS* II 210 (1654) *et var.*, atá ar theorainn thiar agus theas an bhaile fearainn.

(iii) I leagan filíochta, agus i leagan próis agus filíochta dhinnseanchas **Slige Dala** (féach fianaise stairiúil thuas), nasctar seanchas na logainmneacha **Slige Dala**, **Cluain Cannáin, Ros Cré** agus **Dún Cairin / Cairín** (*Rennes Dind.* XV 454, *MDind.* III 276-8 m.sh.). Le hais **Slige Dala** a bhí **Ros Cré** (*p Roscrea, TÁ* / *UF*; féach Ó Lochlainn, 1940, 471, Smyth 1982, 72 s.v. **S. Dála**). Siar ó dheas ó **Ros Cré** atá **Dún Cairin** (*p, bar* Chluain Leisc, *UF*), in aice an phríomhbhóthair ó Ros Cré go Luimneach; bheimis ar aon tuairim le Ó Lochlainn (1940, 471) gur cuid de **Slige Dala** an bóthar sin. Timpeall seacht gciliméadar siar ó dheas ón áit úd atá *bf Cloncannon* suite, tuairim is trí chiliméadar ó dheas ón bpríomhbhóthar céanna. Téann bóthar eile trí cheartlár an bhaile fearainn siar go dtí seanláthair eaglasta pharóiste Áth na Méadal (K 3) atá taispeánta ar *TÁ (SO)* 22.

Dealraíonn sé gurb ionann *Cloncannon SO* agus **Cluain Cannáin** a bhí suite le hais nó i gcóngar **Slige Dala**. Féach go ríomhtar sa dinnseanchas céanna gur 'i Caislib Cannáin / Canann' a thit an té a bhfuil a ainm buanaithe sa logainm (fianaise stairiúil thuas). Díol suime gurb í uimhir iolra **caisel** (*DIL*, 1968, C 51-2) atá in úsáid sa dinnseanchas filíochta agus sa leagan próis agus filíochta de, nuair a chuimhnítear gur aimsíodh iarsmaí seacht gcinn de ráthanna ('ring-forts') taobh istigh de *bf Cloncannon* in *FSCTÁ* I 92-3; 'a cluster of ringforts' a thugann Stout (1984, 112) orthu. An í an chrobhaing seo ráthanna atá i gceist le **caisil**?

Nótaí:

(a) I ndinnseanchas **Slige Dala**, sna foirmeacha difriúla de (Bowen, 1975-6, 128, Ó Concheanainn, 1981-2, 88-9), a fhaightear na leaganacha luatha thuas. Cé nach bhfuil scoláirí na Gaeilge ar aon tuairim faoin ngaol atá idir leaganacha filíochta agus próis an dinnseanchais – féach achoimre Uí Choncheanainn (1981-2, 88-91) i leith na tuairimíochta sin – is léir ón gcomhardadh slán i ndinnseanchas filíochta na haiste céanna idir **fand-ág**[a]:**Cannán** (ainm pearsanta) (*MDind.* III 278, ll. 21-2 – *var. lec.* [a]**fandad** ibid. 278 = **fann-ád** *DIL*, 1950, F-fochraic 40?) agus idir **Channáin** (gin. ainm pearsanta):**barráin** (*MDind.* III 278, ll. 29-30) gur tuigeadh go raibh guta fada i siolla deireanach an ainm phearsanta agus i gcáilitheoir an logainm a ainmníodh as dá réir, ní folaír, sa leagan áirithe sin den dinnseanchas. (Féach n. *b* thíos áfach i dtaca leis an bhfoirm **Cluain *Canann** de.)

[81]

Faightear an t-ainm pearsanta céanna mar cháilitheoir sa logainm seo a leanas, i ndinnseanchas **Echtge**: **Cailli Cannáin** *LL* IV 27426 (filíocht), **Caílli Cannain** *LL* III 22513 (prós) agus féach chomh maith an tsolaoid **Cannāin** (gin.) *CGSH* 157 §709.149.

Tá an iarmhír dhíspeagtha -*ucán* curtha leis an bhfréamh san ainm **Cannacān** *CGH* 429 (LL 337 a 36).

Ní léir ó fhianaise stairiúil *Clonconane* i *Lm* (Paróiste Mhainchín, *bar* na Líbeartaí Thuaidh) cé acu -*n*- teann (neamhshéimhithe) nó -*n*- éadrom (séimhithe) é an consan láir ó bhunús. **Cluain Canáin** (le -*n*- séimhithe) is ea a mholtar mar fhoirm Nua-Ghaeilge i *Log. na hÉ* I 116: is i gcáipéis Laidine atá an sampla is luaithe den logainm a thugtar ann, *Clonecannan Inq.(Lm)* II 7 (1615).

Is é **Can(n)án** chomh maith céanna cáilitheoir an log. seo a leanas i *TÁ*, *Moankeenane SO* (H 73): an sampla is luaithe de, *Monecanane CS* I 88, 90 (1654).

Cé nach léir cainníocht ghuta dheireanaigh an ainm treabhchais seo a leanas, ní miste a lua gur i dtuaisceart *TÁ* a bhí an pobal lonnaithe: 'Canan mac Baite (o fuilit .**h. Canan** a n-Urmhumain beus)' (Pender, 1951, §820). I lár an 9ú haois a rinne sliocht **Baite** úd imirce go dtí an Mhumhain ó **Teathbha** (féach Ó Canann, 1993, 140, n. 138).

(b) Taobh amuigh d'fhianaise Meán-Ghaeilge an dinnseanchais, ní théann fianaise stairiúil *Cloncannon* níos sia siar ná an 17ú haois, tráth a fhaighimid foirmeacha Béarlaithe den chineál seo, *Clonekannenane F* 6583 (1602), *Clonecannanane CS* I 4 (1654). Is é ár dtuairim go gcuireann na leaganacha úd **(Cluain) Canannáin** in iúl, .i. foirm dhíspeagtha le foirceann -*án*. Cuir i gcóimheas leis an ainm **Meanmnán** < **Meanman** + *án*, foirm dhíspeagtha de **Meanma** (gin. **Meanman**) atá pléite i *Log. na hÉ* II 166. B'fhéidir a áiteamh gurbh ón mbunfhoirm **(Cluain) *Cannan(n)** – le -*n* deireanach treisithe de réir 'dlí Mhic Néill' (*GOI* 89) – a d'eascair an fhoirm dhíspeagtha úd ach ar chuma **cenand** < **cenn** + **find** (ibid. 75) nó **Ailill** < **Aillill** (O'Brien, 1956, 182), is dócha go ndéanfaí *n* séimhithe den -*nn*- de bharr díshamhlaithe (> **Canann**). Cf. bunfhoirmeacha ar nós **Clúain Cannan**, **Canann** san fhianaise stairiúil thuas. Ón uair gurbh ann don ainm treabhchais **Uí Chanannáin** (< **Cana**) in **Uaithne**, le hais Loch Deirgeirt i *TÁ* de réir Leabhar Leacáin (*Gen. Tracts* I 151), níor dhóichí rud de ná go rachadh an t-ainm úd i gcion air.

Dealraíonn sé go bhfuil an fhoirm ghinidigh **Canann** caomhnaithe sna logainmneacha seo:

Ráith Chanand atá luaite i ndinnseanchas filíochta Thailtean (*MDind.* IV 156, l. 143);

bf Cloncanon in *UF* (p Mhainistir Fheorais, bar. Bhaile an Chúlaígh) / **Cluain Canann** *Liostaí Log. UF* 15, foirm is luaithe de: *Cloncannen* in *Offaly Survey* 329 (1550).
Díol suime gurbh as an bhfoirm **Ó Canannáin** a d'eascair an sloinne **Ó Canann** a fhaightear i *DG*: '.. in Donegal the name-form **Ó Canann** represents the Classical and Modern Irish of the late Middle Irish **Ó Canannáin**' (Ó Canann, 1989-90, 112; 1986, 28).

Cluain Caoi

800/830c	Fainche **Clúana Cae** i nEoganacht Casil	*Mart. Tall.* 10, 21ú Eanáir
1170c	(Fainche) **Chluana cai** i n-Eoganacht, Fainche 7 Eglinna i **Cluain cái** i n-Eoghanacht Chaisil	*FGorm.* 20 (gluaiseanna)
	Fainchi **Cluana cain** i n-Eoganacht Caisil	*FOeng.* 50 (*Rawl.* B 512, gluais)
1630c	Fainche acus Eghlionna, da oigh acus a **cCluain Caoi** in Eoghanacht Chaisil	*FNÉ* 24

the pasture of Caoi?

Suíomh:
(i)   In **Eoghanacht Chaisil** de réir na fianaise stairiúla thuas.
(ii) Shíl Skehan, eagarthóir *Archdiocese of Cashel and Emly*, gurbh ionann 'the site of the ancient monastery of Cluain Caoi' faoi chaibidil agus 'Kilbragh near Cashel' (*Archd. CE* ix n. 11), is é sin *(p)* **Cill Bhrácha** (*bar* I) atá pléite i *Log. na hÉ* II 66-7.

Nótaí:
(a)   Ní léir suíomh na logainmneacha seo,
      'Berchain (gin.) Clúana Caí' *Mart. Tall.* 45, 24ú Bealtaine, 'ó Cluain Cái' *FGorm.* 102 (gluais s.v. Berchán, 24ú Bealtaine), (?) ionann is Berchan m. Ultain ... i **Cluain Cai**ᵃ *CGSH* 44, §267 (*var. lec.* ᵃ**Cain**). Féach *Log. na hÉ* II 61.
      'Uii nepscop Cluana Cae' *LL* VI 52354.
(b)   Is cosúil gur logainm neamhspleách é **Cae** sna 'Notulae' atá i Leabhar Ard Mhacha (*Pat. Texts* 182) – féach áfach go ndeirtear i *Pat. Texts* 49 faoi na focail atá sna 'Notulae' céanna gur minic a bhíonn siad 'drastically abridged and occasionally reduced to their initials'. Tá an logainm sin ag freagairt do

Mullach Cáe 'fri Carnd Feradaig andes' (*Bethu Phát*. 122) in Uí Fhidhgheinte (ibid.). Is inmheasta gurb ionann **Mullach Cáe** agus *bf Knockea SO* / **Cnoc Caoi** (?) i *Lm*, *p* Charn Fhearaígh, *bar* Chlann Liam, mar a d'áitigh Begley (1906, 29) agus Mac Spealáin (1942, 109). Cf. an t-ainmfhocal **cáe** *DIL* (1968) C 8-10: '"way, path' (orig. meaning?)" *DIL* C-9, **1 cáe** *Vendr. Lex*. (1987) C-5. Is í **cue, cua** áfach foirm an ghinidigh uatha: féach *Críth Gabl*. 9, l. 237 agus lch. 81 s.v. **cóe**.

(c) Mar le cáilitheoir an logainm faoi chaibidil de, is léir ón bhfianaise stairiúil gur réadú ar dhéfhoghar *áe/aí* na Sean-Ghaeilge (*GOI* 42-3) atá i bhfoirceann *FNÉ* na Nua-Ghaeilge, **(C)aoi** thuas (1630). Tá an litriú sin ag teacht le foirmeacha stairiúla bhaile *Kilkee* i *Cl* (*bf Kilkee Upper* & *Lower*, *p* Chill Fhiarach, *bar* Mhaigh Fhearta), ar nós **Ceill Caoi** (*RIA* 24 B 11, 154) a fhuaimnítear i nGaeilge mar [k´eil´ ¹xI:] *LASID* II 252c. Ainm naoimh ba ea an cáilitheoir, de réir an chuntais áitiúil seo a leanas a bhailigh Eoghan Ó Comhraí in 1839: 'They shew the site of a little burying place at Kilkee (Cill-Chaoidhe) from which the Townland takes its name, and the Holy Well of St. Caoidhe, called still Tobar-Caoidhe, lies about two miles south west of it ...' *LSO (Cl)* I 128/354. Is ionann foirm Ghaeilge don logainm atá díreach pléite agus do log. eile ar a dtugtar *Kilkee* (*bf*) i *Cl* (.i. bailte fearainn *Kilkee East* & *West*, *p* an Ruáin, *bar* Inse Uí Chuinn), mar a léirionn an sampla seo a leanas den ainm deireanach úd, **Chille Caoidhi** (gin.) *Inch. Docs*. 50 (1592).

D'áitigh Fitzsimons (2003,16-7) gurbh ainm ceana é **Cáe**: 'The name *Mochae* is formed by dropping the second syllable of the radical name *Caelán* and prefixing *mo* … Another variation of the name is … *Cae*, where the honorific *mo* is dropped …'. Tá an t-ainm úd **Cáelán** le fáil sa logainm *Cluain Caoláin infra*, lch. 218, log. nach eol dúinn a shuíomh.

Cluain Ceallaigh
Clonkelly G 147; 52; R998458; 6:21

1607	Clonkelly	*CPR* 105
1654	Cloon Kelly	*CS* II 93
	Cloone Kelly	*CS* II 90, 92, 101
	Clone Kelly	*CS* II 90, 92, 95
1657	Clonakelly	*DS*
1659	Clookelly (sic)	*Cen*. 303
1660c	Clonakelly, Clonkelly	*BSD (TÁ)* 177
1665-6	Clonkelly	*HMR (TÁ)* 39
1666-7	Clonikelly	*HMR (TÁ)* 162

Cluain Ceallaigh, An Moiltín in uachtar ar chlé; portach in íochtar ar dheis

1840	Cluain ui c(h)ealladh	*AL:pl* (glanta)
	Cluain Ui Cheallaigh	*AL:*dúch (=*OD*)
1993	ˌklonˈkeli:	*Áit.*

the pasture of **Ceallach**

Suíomh:
  (i) *Multeen River /* **An Moiltín** atá ar theorainn thiar an bhaile fearainn (féach an grianghraf thuas agus an léarscáil ar an gcéad lch. eile).
 (ii) Teorantach laisteas agus laistiar le *Cluain Lis Bó* ina bhfuil láthair eaglasta Theampall Bhearaigh (féach *Cluain Lis Bó infra*, Suíomh n. *iv*).
(iii) Portach atá sa chuid thoir den *bf* (féach go bhfuil cuid den phortach le feiceáil sa ghrianghraf agus féach *Cluain Lis Bó*, Suíomh, n. *iii* leis).

Nótaí:
Tá **Cellach** ar cheann de na hainmneacha is comónta in *corpus* na nginealach réamh-Normannach (féach *CGH* 538-40, Index); réamhtheachtaí na foirme úd ar inscríbhinn

[85]

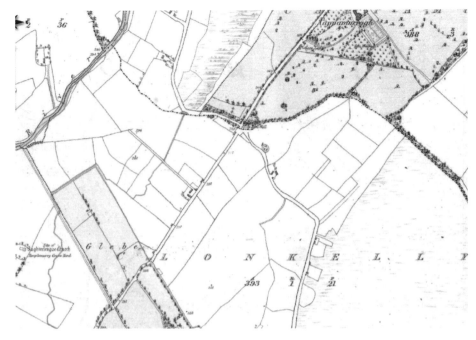

TÁ (SO) 52

oghaim is ea QENILOCI (ginideach) (Macalister, 1945, 163). Nócha sampla ar leith den ainm a d'áirigh O'Brien (1973, 232) a bheith sa bhailiúchán ginealach réamhráite. Ina measc tá **Cellach m. Forinla** (sic) (*CGH* 373, LL 324 b 42) ar de **Múscraige Treithirni** é; géag de Mhúscraí Breoghain ba ea an pobal sin agus bhíodar lonnaithe laistiar de Chaiseal i *TÁ* (féach *Log. na hÉ* II 252-3). Ina theannta sin, is i ndéanacht Mhúscraí i ndeoise Chaisil a bhí *p* **Uachtar Liag** (ibid.) .i. an paróiste ina bhfuil an baile fearainn faoi chaibidil suite.

Tá an sloinne **Ó Ceallaigh** caomhnaithe sa logainm (*bf*) *Ballykelly* i *TÁ* (I 20) ar ar tugadh *Bali Icheallaich* i gcairt a bronnadh ar Mhainistir na Croiche Naoimh sna blianta 1185-6 (*Facs. Nat. MSS* II 62, *COD* I 3; féach *Log. na hÉ* II 258). Níl an baile fearainn úd ach timpeall deich gciliméadar lastoir de *Cluain Ceallaigh* faoi chaibidil.

Cé go dtaobhaíonn **Cluain ui c(h)ealladh, Ui Cheallaigh** – foirmeacha Gaeilge *AL* thuas (bl. 1840) – le sloinne mar cháilitheoir sa log., ní réitíonn formhór na fianaise stairiúla roimhe sin le sloinne i ndiaidh **Cluain**, taobh amuigh, b'fhéidir, de na foirmeacha *Clonakelly* (bl. 1657, 1660) agus *Clonikelly* (1666-7).

Cluain Cliath
Clooncleagh B 192; 42; S200600; 6:22

1756	Cloancleagh	*CGn.* 177.587.120367
1778	Clonecleagh otherwise Cloncleagh	*CGn.* 315.557.216669
1840	Cluain cliách	*AL:pl* (=*OD*)
	Cluain cliath	*AL*:dúch (=*OD*)
1991	ˌklɑnˈkliːk, ˌklunˈkliːk, ˌklɑnˈkleːx, ˌklɑnˈkliək	*Áit.*

pasture of (the) hurdles

Suíomh:
(i) *Drish River / **Abhainn na Dríse*** atá ar theorainn thiar thuaidh an bhaile fearainn. Foghéag den abhainn réamhráite atá ar an teorainn thiar theas, *Clover River SO*.

Teampaill Léith

[87]

(ii) Seo cuid den chur síos a rinneadh in *AL* (bliain 1840) ar an gcineál talún a bhí ann, '... consisting of a considerable portion of bog, rest arable ...'

(iii) Teorantach lastuaidh le *bf Kilmakill* / **Cill Mhaí Coille** (B 141) – féach *Log. na hÉ* II 160. Teorantach laisteas le *bf Borris* / **An Bhuiríos**, *p Twomileborris* / **Buiríos Léith** (B 192), mar a bhfuil iarsmaí eaglasta meánaoiseacha *Burgage lech PR* 37 *RDK* 40 (1289-40), *Burgag' leth Pap. Tax.* 318 (1302c). Tá *Borris* taobh le láthair eaglasta **Liath (Mór Mochaomhóg)** / *Leigh* (féach an grianghraf ar lch. 87; *Log. na hÉ* II 123, 152, 188).

Nótaí:

(a) Ní sine ná lár an 18ú haois fianaise stairiúil an logainm seo, *Cloancleagh* (1756). Mar le bunús an cháilitheora de, ní mór fiafraí an ó chainteoirí áitiúla Gaeilge a fuarthas an fhoirm **Cluain cliách** san Ainmleabhar? Ní móide go gcuirfí an chontráracht fhóinéimeach /l~l´/ in iúl – .i. **Cl. *Cliath** ~ **Cl. *Claíoch** (n. *c* thíos) – i litriú stairiúil Béarlaithe an logainm, ná fós i bhfianaise áitiúil chainteoirí Béarla na bliana 1991 thuas; féach Réamhrá, lch 8.

Má chuirtear an logainm faoi chaibidil i gcóimheas le fianaise logainmneacha eile i bparóiste Bhuiríos Léith (B 192), tabharfar suntas do bhailíocht fhoirmeacha Gaeilge an Ainmleabhair sin i gcoitinne, leithéid: *bf Ballydavid SO* a ndeirtear faoi in *AL* '**Baile Dháibhidh** pronounced **Dáidh**'; *bf Blackcastle* agus *bf Coldfields* a bhfuil a bhfoirmeacha Gaeilge in *AL* chomh maith, **Caisleán dubh** agus **Bánta fuara** faoi seach. Ní foláir nó fuarthas an t-eolas sin ó chainteoirí Gaeilge.

Is dóigh linn gur foirm chruinn í **Cluain Cliath** an Donnabhánaigh in *AL* thuas. Dealraíonn sé ar fhoirm chomhaimseartha an phinn luaidhe, **(Cluain) cliach**, gur foghar /x/ a bhí ag an gconsan deireanach an tráth úd. Tabhair faoi deara chomh maith, /x/#, /k/# i bhfuaimniú áitiúil na bliana 1991 thuas. Ní miste an réadú foghraíochta sin a chur i gcomparáid lena mhacasamhail de chlaochlú a tharla don logainm **Liath** sa pharóiste céanna (féach Suíomh thuas, n. *iii*): 'the present name among the people is **Liath**, pronounced **Liach**' a scríobh Ó Donnabháin san Ainmleabhar (1840) – féach *Log. na hÉ* II 152. Chomh fada le canúintí na Nua-Ghaeilge de, fuaimnítear *th* deiridh leathan mar *ch* /x/ sna Déise (Breatnach, 1947, 137; Ua Súilleabháin, 1994, 487) agus d'fhuaimnítí amhlaidh é i *CC* thuaidh agus theas (féach *LASID* II 64).

(b) De dhroim a bhfuil léirithe i n. *a*, is é is dóichí gur foirm dheilbhíochta ghinidigh iolra an ainmfhocail **cliath**, *ā*-thamhan, baininscneach (*DIL*, 1968, 239-41; *Vendr. Lex.* 1987, C 119) atá i gcáilitheoir an logainm. Tá an fhoirm dheilbhíochta chéanna sna logainmneacha luatha éagsúla ar a dtugtar **Áth**

Cliath, nó **Áth Cliath** + eilimint eile, atá ainmnithe in *FSÁG* I 119-21 agus in *Onom. Goed.* 55-6. Mar le brí **cliath** de san aicme logainmneacha sin: '... the ford at Dublin was called **Áth Cliath**, 'the ford of the hurdles' from early times. This was doubtless because hurdles were placed horizontally on the riverbed to provide a convenient path for crossing' (Kelly, 1997, 393 & ibid. n. 226).

Samplaí eile d'úsáid an fhocail **cliath** i logainmneacha *TÁ* is ea, **Áth Clēithi** *CGH* 368 (LL 323 g 17) nach bhfuil in úsáid a thuilleadh ach a bhí i Múscraí Tíre (féach *FSÁG* I 119). Tá logainmneacha eile as an téacs céanna luaite i *Log. na hÉ* II 260.

bf Gortnacleha / **Gort na Cléithe** (K 105): foirmeacha luatha de, *Gortnaclehy Inq.(TÁ)* III 53 (1637), *Gortnacleahy, Gortnaclehy CS* II 244 (1654).

bf Clehile / **Cléithchoill** (B 78): foirmeacha luatha de, *Cloykeill CS* I 76, *Cleyquill CS* I 77 (1654), *Clequill Cen.* 318 (1659); **Clé choill** foirm *AL*, scríofa le peann luaidhe (1840).

Caisleán Cinn Chléithe *Marcher Lords* 10 (1482): cé nach ann don logainm seo a thuilleadh, ionannaítear é le *bf Ballygarrane* / **Baile an Gharráin** (G 104) i nóta téacsach atá ag gabháil leis an aiste filíochta réamhráite (ibid. 98). I dtéacsanna Laidine meánaoiseacha faightear foirmeacha mar a leanas den log. úd, *Kylm' cleth PR* 37 *RDK* 40 (1289-90), *Kylm' kleth PR* 38 *RDK* 83 (1301-2), *Kilmaleth Pap. Tax.* 282 (1302c), *Kylmecleagh CN* R.C. 7/11, 193 (1305; féach *Chart John* 272, n.), *Kylmacleth PR* 43 *RDK* 59 (1332-3), *Kylmaclef PR* 44 *RDK* (1334-5).

(c) Ag scríobh dó faoin logainm *Cluenclaidmech BBL* 26, 28 (1201) – log. atá imithe as feidhm ach a bhí i nDeoise Luimnigh (féach Begley, 1906, 102-3) – bhí an méid seo le rá ag eagarthóir *Onom. Goed.* 687, 'the *word* [**claidmech**] may be represented in t[own]l[and]s *Cloonclivry* (sic), *Cloonclayagh* (sic), *Clooncleagh*'. Is iad na trí bhaile fearainn faoi seach a bhí i gceist ag Hogan ní foláir ná,

Cloonclivvy i *Li* (*p, bar* Mhaothla): foirmeacha stairiúla de, *Clooneclevy DS* (1655), *Cloonclivy ASE* (1667), **clun cloimhe** *AL*, scríofa le peann luaidhe (1836). Measaimidne go gcuireann an fhianaise úd **Cluain Cloimhe** in iúl agus gur foirm Nua-Ghaeilge de **claime** *DIL* (1968, C 214-5), 'mange' (?) (*DIL* C, 1968, 214-5) é an cáilitheoir.

Clonclayagh i *DG* (*p* Chill Taobhóg, *bar* Ráth Bhoth Theas) ar a dtugtar **Cluain Cladhach** in *AL,* ó láimh *OD*. Réadú is ea fuaimniú áitiúil an logainm mar a d'athscríobh O'Kane é, [əxlöN″xlöix´] *PN Inniskeel & Kilteevoge* 119, ar an bhfoirm Ghaeilge **An Chluain Chladhach**; féach Hughes (1986, 92-3). Fréamhaí aidiachtúil ón ainmfhocal **clad** (féach *Log. na hÉ* II 159) atá sa cháilitheoir, .i. **cladach (1)** (*DIL*, 1968, 207) a chiallaíonn 'surrounded by a **clad**, fortified' (ibid.). D'aistrigh Hughes (*op. cit.* 93) an log. mar seo, 'the ramparted pasture-land or meadow'.

Clooncleagh SO i *TÁ*, faoi chaibidil. Mar atá mínithe faoi n. *a* thuas, athchruthú iontaofa is ea **Cluain Cliath** le *-l-* caol, murab ionann is **Cl. Claíoch** (< **Cladhach) / Cl. *Claidmech** le *-l-* leathan.

Níl aon cheann de na trí logainm atá díreach pléite ag freagairt do **Cluain *Claidmech** mar sin.

Cluain Comair
Mountphilips L 116; 31; R722645; 6:23

1587	Clonconer	*F* 4975
1654	Clonecomer	*CS* II 186, 190
	Clonecumer	*CS* II 190, 191, 195
	Clounecumer	*CS* II 190
	Clounecoumure	*CS* II 194
1657	Clonecumuve	*DS*
1657	Clonecumure	*DS (P)*
1840	Mount Phillips	*AL:BS*
1840	...in c(h) ..mair	*AL:pl* (glanta)
	Cluain Comair	*AL:*dúch (=*OD*)
1989	ˌməunt'filəps	*Áit.*

pasture of the meeting-place?

Suíomh:
I bhfoinsí de chuid an 17ú haois (*CS, DS* cuir i gcás), bhí aonad talún úd *Clonecomer et var.* teorantach leis an mbaile fearainn ina bhfuil iarsmaí eaglasta **Cill Chomnaid** suite – féach *Log. na hÉ* II 102-4.

Nótaí:
(a) *Mount Phillips* an t-ainm Béarla a thugtar ar an mbaile fearainn san Ainmleabhar, curtha síos do 'Boundary Surveyor'. Dealraíonn sé go raibh ainm Gaeilge an bhaile fearainn fós ar eolas an tráth úd (1840), i bhfianaise an mhéid atá i láimh Uí Dhonnabháin ar an leathanach céanna den *AL*, 'Cluain Comair was the old name'. An sampla is sine den ainm Béarla atá ar eolas

againne ná *Mount Philips* in atlas de bhóithre na hÉireann a foilsíodh sa bhliain 1778 (*T & S* 210).

(b) Is minic gur 'confluence of rivers' is brí le **comar** i logainmneacha (*DIL*, 1970, C 396 s.v. **commar**). Léiriú ar an mbrí sin is ea an t-ainm **Comar na dTrí nUisce** mar an gcomhraiceann An tSiúir, An Fheoir agus An Bhearú (*CC, PL, LG*; féach m.sh. **Cumar na dtrí nuisce** *ARÉ* I 490 (bl. 856), *Onom. Goed.* 323). Tá samplaí bailithe le chéile i saothar Joyce (1869, 63) de **Comar** mar logainm simplí ('simplex') sna reachtaibh Béarlaithe *Cumber, Comber, Cummer, Comer.*

Is léir óna suíomh gur 'comar abhann nó sruthán' atá sna samplaí seo a leanas den fhocal i logainmneacha *TÁ*:

bf Cummer (& *Cummer Mulloghney, Quinlan*) (K 174, H 193): foirmeacha is luaithe de, *Cumur CS* II 124, 127 (1654), *Comur CS* II 227, *Comure CS* II 226 – déanann **An Chlóideach** / *Clodiagh River* agus géag di comar idir *Cummer Mulloghney* agus *Quinlan*.

bf Cummer (*Beg, More*) i *TÁ* (H 187): foirmeacha is luaithe de, *Comurr, Cumormore CS* II 128 (1654). I dteorainn thiar theas *Cummer Beg* / **Comar Beag** faoi chaibidil, tá *bf Garracummer* / **Garraí an Chomair** (H 57), ar a dtugtar *Garricomer CGn.* 97.158.67748 (1739). Tá comar sruthán anseo.

(c) Tá trí bhaile fearainn eile ar a dtugtar **Cluain Comair** ar eolas againn agus comar uisce is brí lena gcáilitheoirí uile:

Cloncumber i *CD* (*p* Chill Maodhóg, *bar* Chonnala) ar a dtugtar *Cloncumber* ar léarscáil *Noble & Keenan* (1752); anseo atá comar an dá shruth uisce *Slate River* / **An Tarae** agus sruthán gan ainm ar *SO*.

bf Cloncumber i *Mu* (*p* Chluain Eois, *bar* Dhartraí) arb ionann é agus *Clonecowmber F* 5042 (1587), *Clonecumber CPR* 11 (1603), *Cloncomer Inq. Ult.* (*Mu*) §7 Jac. I (1623); suite i ngabhal ag bun dhá ghéag de *Finn River* / **An Fhinn**.

bf Clooncumber i *Li* (*p* na Cluana, *bar* Mhaothla): *Cloncomer CPR* 552 (1622)?, **a g-clun comair** *AL*, scríofa le peann luaidhe (1836); anseo a chomhraiceann *Rinn River* / **Abhainn na Rinne** agus *Black River* / **An Abhainn Dubh**.

(d) Murab ionann is solaoidí nótaí *b-c*, is áirithe ó shuíomh **Cluain Comair** atá idir chamáin nár ainmníodh é as comar uisce. Brí eile a thugtar le **commar** in *DIL* (*loc. cit.*) is ea 'meeting-place', cé go bhfuil amhras ag baint le solaoidí an fhocail (ibid.). Tabhair faoi deara gur imigh an fhorbairt chéanna ar bhrí an fhocail Bhreatnaise atá gaolmhar le **comar**, .i. *cymer* (< *cimer* na Sean-Bhreatnaise < **kom-bero-*) ar mar seo a mhínítear é in *GPC* (1957, XII 759), 'confluence of two or more rivers or streams ... fig. meeting-place ...'

Cluain Comhraic
Cloncorig J 127; 5, 8; M990010; 6:24

1675	Clonecory	*Inq.(TÁ)* III 364	
1712	Cloncurry	*CGn.* 10.147.3252	
1714	Cloncorry	*CGn.* 12.366.5428	
1840	Cloncorig	*AL:BS*	
	Cluain comhraig	*AL*:dúch *(=OD)*	
1989	ˌklɑnˈkoːrik, ˌklɑnˈkoːrig	*Áit.*	

pasture of (the) confluence, encounter/fight

Suíomh:
Seo é an cur síos a rinneadh san Ainmleabhar (bl. 1840) ar an gcineál talún a bhí sa bhaile fearainn, ' ... chiefly composed of rough boggy land'. Tá oileán de thalamh tirim i lár an phortaigh (féach an grianghraf thíos agus an léarscáil ar lch. 93). De réir *CS*,

Cluain Comhraic i lár portaigh

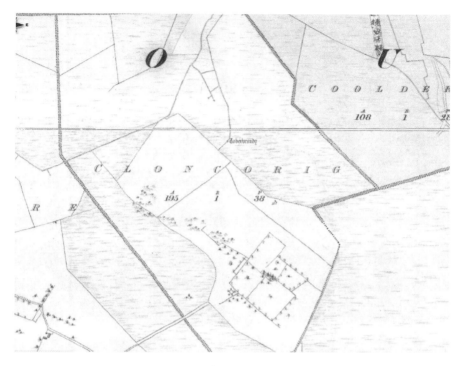

TÁ (SO) 5, 8

DS agus foinsí eile nach iad de chuid an 17ú haois, cuid d'aonad talún *Feddanmore & Feddanbegg CS* II 326 ba ea tailte an *bf* atá faoi chaibidil. Nuair a áirítear solaoidí stairiúla eile den ainm réamhráite, leithéidí *Fiddan O'Clery COD* V 188, 189 (1570), *the Feddan* in *Last Lords* 235 (1580c), is áirithe gurb é an t-ainmfhocal **feadán** an t-aicmitheoir agus gur bealach uisce is brí leis; féach **fetán**, 'a pipe for conveying water' *DIL*, 1950, F-fochraic 101; **feadán**, 'in place names a stream' *FGB (Dinneen)* 432, maille le solaoidí atá bailithe ag P. W. Joyce (1869, 458-9). Sa chur síos ar theorainneacha *Feddanmore, -begg* in *CS II* 326, tugtar le fios go raibh sruthán ar theorainn thuaidh agus sruthán ar theorainn theas an aonaid talún. Ainmneacha ar bhailte fearainn is ea *Faddan Beg* agus *Faddan More* fós agus tá an roinn mhór díobhsan ag críochantacht le *bf Cloncorig SO* sa pharóiste céanna (**Baile Locha Caoin**, J 127).

Nótaí:

(a)   Is dóigh linn gurb í **Cluain Comhraic** foirm bhunaidh an logainm. Níl an fhoirm is luaithe den ainm (*Clonecory*, bl. 1675) ag teacht leis an tuiscint gurb é

comhrac an cáilitheoir áfach. Faightear macasamhail na foirme céanna i sraith gníomhas talún de chuid an 18ú haois, ar nós *Cloncurry* (bl. 1712), *Cloncorry* (1714). Os a choinne sin tá an liosta céanna tailte luaite sna cáipéisí sin trí chéile agus ní dócha go bhfuil na cáipéisí neamhspleách ar a chéile (cf. ***Cluain Rascain*** *infra*, n. *a*).

Tá fianaise *AL* (bl. 1840) agus foirmeacha áitiúla bl. 1989 ag cur leis an ainm **Cluain Comhraic**. Is consan pléascach, glórach, /g/, foirceann an cháilitheora i bhformhór na fianaise úd. Réitíonn an consan glórach le réadú an fhocail **comrac** (Sean-Ghaeilge) sa Nua-Ghaeilge Chlasaiceach, **comrag** *IGT* II §11, III §65; féach fairis sin *DIL* (1970, C 405), s.v. **comrac**, 'With final -g in class[ical] verse ...'.

Ainm briathartha **con-ricc**, 'meets, encounters, joins' é **comrac** ó cheart (*DIL, loc. cit.*); *o*-thamhan is ea é a raibh a inscne éiginnte i ré na Sean-Ghaeilge (*GOI* 448). Is léir ó shuíomh na dtrí logainm seo a leanas gurb í an bhrí 'comar uisce' atá leis an bhfocal,

bf Ballycorick i *Cl* (*p* Chluain Dá Ghad, *bar* na nOileán) ar a dtugtar **Bel atha an comhraic** in *ARÉ* VI 1878 (1589); is ann a shruthaíonn *Ballycorick Creek SO* i mbéal an Fhorgais / *River Fergus*.

bf Bellacorick i *ME* (*p* Chill Chomáin, *bar* Iorrais) arb é an fhoirm Nua-Ghaeilge a thugtar air in *GÉ* 32 ná **Béal Átha Chomhraic**. Tá an nóta seo a leanas ag Ó Muraíle (1985, 105-6) i dtaobh na foirme Gaeilge úd, 'Perhaps more correctly **Béal Átha an Chomhraic**, but **Comhra(i)c** seems to have had an independent existence as a name for the place where three small rivers come together'.

bf Corick i *Do* (*p* Bhaile na Scríne, *bar* Loch Inse Uí Fhloinn), suite idir dhá abhainn; tá fianaise stairiúil agus suíomh an logainm curtha síos in *PNI* V 16-17.

(b)   Díomaite den logainm atá idir chamáin tá trí sholaoid eile, atá measartha cinnte, de **Cluain Comhraic** ar eolas againn,

bf Clooncorick i *Li* (*p*, *bar* Charraig Álainn), arb é an fhoirm is luaithe de ná *Clounkorrick F* 4786 (1585). De réir an tseanchais áitiúla a bailíodh sa 19ú haois (féach *ARÉ* IV 1084-5, n. eag. *n*; Joyce, 1875, 381), is é an chiall atá le **comhrac** san ainm ná cath nó troid (féach *DIL, loc. cit.*).

bf Cloncorick i *FM* (*p* Dhroim Ailí, *bar* Chlann Cheallaigh) ar a dtugtar *Cloncorricke* in *Inq. Ult.(FM)* §11 Car. I (1630).

bf Glencorick i *Mu* (*p* Ioma Fhastraí, *bar* Dhartraí) ar a dtugtar *Cloncereike DS* (1655), *Cloncoreike ASE* 193 (1669), **chomhraic** [*cluain iontuighthe roimhe] *AL:pl* (1835).

(c)   In aon bharúntacht leis an logainm faoi chaibidil, tá sráidbhaile ar a dtugtar *Carrigahorig TÁ (SO)* 4 (paróistí Lothra, Thír Dá Ghlas). Tagraítear do 'chaislén' agus do 'bhealach' a bhí i **Carraicc an Chomhraic** in *ARÉ* V 1510 (1548). Ainmníodh sruthán as an logainm céanna de réir *CS* II 314 (srl.), '... the faleing of the Brooke of Carrigechorigg ... in the River Shannon'. I dtaca leis an logainm seo de, mar sin, gheobhadh bunbhrí comar uisce nó comar bóithre a bheith le **comhrac**, nó neachtar acu, troid. Cf. cuntas Joyce (1875, 404-6) ar réimse brí an fhocail i logainmneacha.

Mar atá ráite faoi Suíomh, áiríodh *Cloncorig* faoi chaibidil mar chuid d'aonad talún '*Feddan*' in *CS*, aonad talún ar dúradh faoi (ibid. II 326), 'The sd lands are not cleerely devided betweene the sd p*roprietors*'. Is inmheasta mar sin go raibh teorainn *Cloncorig* difriúil tráth. B'fhéidir go raibh sí ag síneadh leis an sruthán a bhí ar theorainn theas **Feadán** (Suíomh thuas) agus gur comhrac uisce is brí le cáilitheoir an log. mar sin. Féach áfach bríonna eile an fhocail.

Cluain Conbhruin
Derrycloney Church A 158; 68; S022313; 6:25

1192-3	Clonconwrin	*Chart. John* 269
1218	Sanctus uero Abbanus, constructo monasterio	
	Cluain Finnglaisse, pertransiuit flumen Siur, et	
	in occidentali parte campi Femyn monasterium,	*VSH* I 18
	quod dicitur **Cluain Conbruin** edificauit	(Vita S. Abbani)
	Cluain Conbruin	*VSH (Heist)* 265
		(Vita S. Abbani)
1645	**Cluain-conbruin**	*ASH* 616
		(Vita S. Abbani)

the pasture of Conbhran

Suíomh:
Ón bhfianaise stairiúil thuas (bl. 1218), chuaigh Naomh Abán ó *Cluain Fionnghlaise* (q.v. *infra*) anonn thar An tSiúir. Timpeall ocht gciliméadar soir ó dheas ó Chluain Fionnghlaise, faoi bhun 300 méadar ó bhruach thoir na Siúire, tá láthair eaglasta léirithe ar a dtugtar *Derrycloney Church (in ruins)*, i mbaile fearainn *Derrycloney*. Déantar cur síos ar na hiarsmaí eaglasta úd in Ainmleabhar an pharóiste (Reilig Mhuire agus Áth Iseal), bl. 1840. Ní sine ná an 16ú haois fianaise stairiúil an logainm dheireanaigh, 'i ndoire chluana' (tabh.) *Sen. Búrc.* 159 (1550c), *Derriclona F* 2840 (1576) m.sh., mar aon le **Doire Chluaine** *AL*, scríofa le peann luaidhe (1840), [ˌderə'kluːniː] *Áit.* (1989). Dealraíonn sé gur **Cluain Conbhruin**, i bhfianaise a bhfuil ar eolas againn faoi shuíomh na háite, ainm iomlán an chluana atá ina cháilitheoir sa logainm **Doire Chluana / Derrycloney**. Tá an tuairim chéanna ar shuíomh *Clonconwrin* (fianaise stairiúil) tugtha ag Nicholls in *Chart. John* 270.

In iarthar **Magh Feimhin** ('campus Femyn') a bhí **Cluain Conbhruin** de réir Beatha Laidine Abáin i *VSH* agus *ASH* thuas. Tá a thuilleadh eolais faoi **Magh Feimhin / Feimhean** i *Log. na hÉ* II 106, 128 srl. I **Mag Femin** a bhí **Cnocc Graffand** cuir i gcás ('Longes Chonaill Chuirc' *LL* V 37064-5 m.sh.; *Onom. Goed.* 275), atá ar bhruach na Siúire chomh maith (*bf, p Knockgraffon* / **Cnoc Rafann**, *bar* I), díreach taobh theas de **Doire Chluana**.

Tá an suíomh atá tugtha do **Cluain Conbruin** in *Med. Rel. Ho.* 378 neamhdhóchúil, .i. 'The unclassified "Site of Monastery", Rathcoun' (= *bf Rathcoun* / **Ráth Conn**, I 164).

Nótaí:
(a) Tá samplaí ag Hughes (1993, 96-7) den ainm pearsanta **Conbran(n), Conbrand** < *kunobranos (ibid. 97) as ginealaigh *CGH* agus *CGSH*. Is sampla eile den ainm pearsanta céanna é cáilitheoir an logainm atá faoi chaibidil. Díol suime gurb í **Conbruin** foirm an ghinidigh sna samplaí den log. thuas as Beathaí Laidine Naomh Abán agus gurb í an fhoirm chéanna a fhaightear sa dá bhailiúchán Mheánaoiseacha de *Vitae* atá i dtrácht againn, *Codex Salmanticensis* agus *Codex Kilkenniensis* (Kenney, 1929, 318; Ó Riain, 1983, 161). Is eol dúinn gur athraigh *ai* > *oi* i gcás an ainm **Brain** (gin.) > **Broin** (cf. an log. **Srub Broin** m.sh. in *DIL* (1975) B 157 s.v. **1 bran**). Athrú diacrónach ba ea an t-athrú seo a bhí ag titim amach faoi chúinsí áirithe foghraíochta agus ar féidir é a rianú siar go dtí ré na Sean-Ghaeilge (*GOI* 50 §80; O'Rahilly, 1946, 151-2). Féach áfach gurb é athrú a léiríonn an litriú **Conbruin** – cf. sampla den fhoirm **bruin** in *DIL, loc. cit.* – ná *ai* > *ui*, ar nós **Maire** > **Muire** (féach *Log. na hÉ* II 177). Tá samplaí den athrú deireanach seo ó ré na Nua-Ghaeilge Moiche ag O'Rahilly (1946, 152): 'the early mod. Ir. spellings *foireann* or *fuireann*, ... *Boireann* or *Buireann* ...' agus ag McManus (1994, 345). I gcás an ainm chomhshuite **Conbhran**, de bhrí gur siolla neamhaiceanta é an dara siolla ba dhóchúlade malairt litrithe den chineál atá pléite anseo a tharlú.
(b) Maidir le próiseas giorraithe an log. a bhfuil talamh slán déanta de faoi Suíomh thuas .i. **Cluain Conbruin** > **Doire Cluana**, ní hannamh a chailltear cáilitheoir logainm bhunaidh nuair a chuirtear ainmfhocal breise – **doire** sa chás seo – le tosach an ainm.

Ní foláir nó tharla a mhacasamhail de chlaochlú i gcás an log. **Clúain Airthir** *Mart. Tall.* 74 (féach *Onom. Goed.* 254) > (*p*) *Magheracloone* i *Mu* (*bar* Fhearnaí) nó **Machaire Cluana** (*Liostaí Log. Mu* 54) ar mar seo scríobhadh a é sa bhliain 1552, *Maghyrclone F* 1134.

Cluain Craicinn
Cloncracken F 45; 12, 17; S098886; 6:26

1602	Clonecrokeyn	*F* 6583
1610	Clonecrakny	*CPR* 160
1621	Cloncrockin	*Inq. Lag.* (*Com' Regis*) §14 Jac. I
1654	Clonecrokin	*CS* I 12, 13
	Clonecrocken	*CS* I 28, 29

	Cloncrokiny	*CS* X 32
1657	Clonecrackane	*DS*
1659	Cloncreckin	*Cen.* 315
1660c	Clonecrockane	*BSD (TÁ)* 7
1665-6	Clonkrekin	*HMR (TÁ)* 20
1666-7	Clonecrackan	*HMR (TÁ)* 151
1685	Clonecacking	*Hib. Del*
1840	Cloncrecon	*AL*:I. Egan C.C.
	Cloncracken	*AL:BS*
	Cluain croiceann	*AL*:dúch (=*OD*)
1991	ˌklonˈkrakən, ˌklɑnˈkrakən	*Áit.*

pasture of (the) skin, hide

Suíomh:
(i) Seo cuid den chur síos a rinneadh san Ainmleabhar (bl. 1840) ar an gcineál talún a bhí sa bhaile fearainn, '... containing several large portions of wood, rest arable'.
(ii) Ag críochantacht laisteas le *bf Glascloon, UF (SO)* 45 (*p* Dhún Cairin, *bar* Chluain Leisc) nó **Glaschluain** *Liostaí Log. UF* 26; solaoidí stairiúla den logainm, *Glasclon RBO* 149 (1305), *Glasclone CPR* 453 (1620); *Glascluen DS* (1657). San fhoinse dheireanach tá sruthán taispeánta ar theorainn thuaidh *Glascluen,* idir é agus *Cloncracken SO* faoi chaibidil.

Nótaí:
(a) Le dúch a scríobhadh an t-aon fhoirm Ghaeilge atá san Ainmleabhar, **Cluain croiceann**. Thiontaigh Ó Donnabháin í go Béarla mar seo (*loc. cit.*), 'meadow, or lawn, of the hides or skins'. Ní móide gur chualathas an fhoirm Ghaeilge sin sa chaint. Níor scríobhadh foirmeacha Gaeilge na logainmneacha le peann luaidhe in *AL* pharóiste an Chorrbhaile trí chéile. I ndaonáireamh na bliana 1851 níor áiríodh ina nGaeilgeoirí ach 1.3% de dhaonra bharúntacht **Uí Chairín**, mar a bhfuil an logainm faoi chaibidil suite.
  An focal **croiceann / craiceann** a thagann i ndiaidh **cluain** sa logainm seo. Is dócha gur craiceann ainmhí is brí leis an gcáilitheoir, go háirithe toisc é a bheith ag cáiliú **cluain**. Dá chomhartha sin, féach sampla ón bhFéineachas ag Kelly (1997, 507) de **croiceann** caorach, mar aon le **moltchroicenn** (ibid. 72, n. 42). Féach na ceannfhocail **croiccenn**, 'hide, skin', *o*-thamhan (*DIL,* 1974, C 543) agus **craiceann** *FGB* 307.
(b) Is é an guta -*o*- is coitianta sa chéad siolla den cháilitheoir i gcás an logainm faoi chaibidil, leithéid –*crokeyn* (bl. 1602). Faightear -*e*- sa chéad siolla den cháilitheoir i gcás dhá sholaoid Bhéarlaithe den log. ón 17ú haois, *Cloncreckin*

(1659), *Clonkrekin* (1665-6), fara an fhoirm *Cloncrecon* san Ainmleabhar a fuarthas ó shéiplíneach Caitliceach áitiúil. Faightear *-a-* in ionad *-e-* nó *-o-* áfach i bhfoirmeacha eile, ar nós *Clonecrakny* (1610), *Clonecrackane* (1657), mar aon leis an bhfoirm *Cloncracken* san Ainmleabhar a cuireadh síos do 'Boundary Surveyor'. Foghar /a/ a bhí ag an nguta céanna sa chomharsanacht sa bhliain 1991 (fuaimniú áitiúil). Cuir an fhianaise úd i gcóimheas ar láimh amháin le réadú Nua-Ghaeilge **croiceann** mar /ˈkrekʹən/ i gcanúintí áirithe Muimhneacha (Breatnach, 1947, 122; Ó Cuív, 1944, 103) nó mar /ˈkrokʹən/ ('also heard with o' ibid., n. 1) agus ar an láimh eile le tuairisc O'Rahilly (1932, 193) ar dháileadh spásúil *-a-/-o-* an fhocail, 'Northern Irish and Scottish have *craiceann* ... where Southern Irish retains *croiceann*'. Ní miste a lua gur in oirthuaisceart na Mumhan atá an log. faoi chaibidil, ar theorainn *UF*.

(c)   Dealraíonn sé go gcuireann cuid den fhianaise stairiúil, ach go háirithe, foirm dheilbhíochta an ghinidigh uatha de **croiceann / craiceann** in iúl, ar nós *Clonecrokeyn* (bl. 1602), *Clonecrokin* (1654).

Sa ghinideach uatha atá solaoidí seo a leanas an fhocail i logainmneacha, 'Marbad Taidhg maic Failbe i nGlend in croccind' *ATig.* XVII 214 (= **G. an chroicind** *Onom. Goed.* 440?); aistriúchán Laidine den logainm céanna a úsáidtear san iontráil atá ag freagairt dósan in *AU* 156 (695 §2), ' ... in Ualle Pellis'; is cosúil go bhfuil bunleagan Gaeilge an logainm úd caomhnaithe i macasamhail na hiontrála in *Frag. Ann.* 42 (695 §126), 'i nGlionn Gaimhin', mar aon le 'hi nGlinn nGaimhin' *ARÉ* I 296 (*'Gleann-Gaimhin* ... near Dungiven, in the county of Londonderry' ibid. 297, n. *r*. Tugtar samplaí luatha den log. reamhráite, **Glenn Gaimin, Geimin** s.v. **G. Gaimen** in *Onom. Goed.* 443). Is inmheasta mar sin gur aistriúchán atá san fhoirm **Glenn in c[h]roccinn** thuasluaite.

bf Killycracken i *Mu* (*p* Mhucnú, *bar* Chríoch Mhúrn) arb é **Coill an Chraicinn** an fhoirm Ghaeilge a thugtar air i *Liostaí Log. Mu* 13: an tsolaoid is luaithe de ná *Killebreckin* (sic) *Inq. Ult.(Mu)* §81 (1636); foirm Ghaeilge *AL*, **coill a chraicin** (1835).

Cluain Curraigh
Cloncurry M 124; 55; S329462; 6:27

1840	Cloncurry	*AL:BS*
	Cluain curraigh	*AL:*dúch (=*OD*)
	Cl... c...	*AL:pl* (an fuílleach doléite)
1989	ˌklɑnˈkori:, ˌklonˈkori:	*Áit.*

pasture of (the) marsh?

Suíomh:
(i) Tá sruthán gan ainm ar theorainn thiar an bhaile fearainn; géag is ea é de *King's River* / **Abhainn Rí**, *CC-TÁ* (= *aqua de Righi IMED* 1, bl. 1202-11).

(ii) Teorantach lastoir le *bf Mohober* / **Maigh Thobair** in aon pharóiste leis (Lios Moling), arb iad na foirmeacha is luaithe de, *Moytobre CJR* III 45 (1308), *Mohobbyr COD* II 334 (1508), *Moholker Ir. Mon. Poss.* 327 (1541). De réir foinsí an 17ú haois, *CS, DS,* cuid d'aonad talún úd *Mohobbur* (*CS* I 124 *et al.*) ba ea líomatáiste *Cloncurry SO* faoi chaibidil.

Nótaí:
Is é an chiall a bhaintear as **currach** de ghnáth i bhfoclóirí Gaeilge ná 'marsh', nó focal éigin gaolmhar leis ó thaobh céille de. Féach, i dtaca leis sin de, **cuirrech**, 'marsh, fen' *DIL* (1974, C 601), **corrach**, 'wet bog, marsh' *FGB* 299, **currach**, 'a marsh' *FGB (Dinneen)* 298, **corrach**, 'a morass, a marsh, a bog' ibid. 250, chomh maith le **cuirreach** / **currach**, 'a racecourse, a morass' (Joyce, 1869, 463). Féach cuir i gcás gurb é *Walshbog* ainm Béarla *bf* **Currach an Bhreatnaigh**, lch. 51. Ní oireann an bhrí 'marsh' don chineál talún atá sa bhaile fearainn seo áfach. B'fhéidir gurb amhlaidh a taoscadh an talamh ar ndóigh. Scríobh Seán Ó Donnabháin, ach go háirithe, nóta faoi bhrí an fhocail seo i gceann de na litreacha a sheol sé go dtí Tomás Ó Conchúir fad a bhí seisean ag bailiú eolais faoi logainmneacha i gCo. Shligigh thar ceann na Suirbhéireachta Ordanáis: 'With us of Ossory the word to express marsh is Eanach, and I am informed that in Connaught the word is Currach, which with us means a shrubby moor, a meaning which is well borne out by the features of all the Curraghmores in Leath-Mhogha' *LSO (Sl)* 29/79 (bl. 1836). Tugtar an bhrí 'a moor' faoin cheannfhocal **cuirreach** i *FGB (Dinneen)* 289 freisin.

Solaoidí eile i *TÁ* de **currach** mar cháilitheoir i logainmneacha is ea iad seo:

bf Ballincurry (M 48), timpeall trí chiliméadar laistiar de *bf Cloncurry* faoi chaibidil: foirmeacha is luaithe de, *Ballyncurry CS* I 110, 112 (1654), *Ballycurry CS* I 129, *Ballincurry CS* I 130, 131; foirm *AL* (*p* Chruacháin), scríofa le peann luaidhe agus glanta, **Baile an churra(dh)**.

bf Barracurragh / **Barr an Churraigh** atá pléite faoi *Cluain (Beag, Mór) supra,* Suíomh.

bf Gortacurra / **Gort an Churraigh** (F 96) – féach *Log. na hÉ* II 256.

Tá tríocha seacht mbaile fearainn ar leith i *TÁ* ar a dtugtar **currach** gan aon cháilitheoir, nó neachtar acu, a thosaíonn le **currach** (gan an t-alt á áireamh). Solaoid de **currach** mar aicmitheoir i logainm de chuid *TÁ* is ea *bf Curraghtemple* / **Currach an Teampaill** (L 196) atá pléite i *Log. na hÉ* II 99.

Tá dhá bhaile fearainn i ndeisceart *TÁ* ina bhfaightear na heilimintí céanna is atá i *Cluain Curraigh* faoi chaibidil, ach iad ina mhalairt d'ord:

Curraghcloney / **Currach Cluana** (E 144) ar a dtugtar *Corraghlony F* 6521 (1601), *Curraghclony CS* I 260, 330, 331, *CS* VI 27 (1654), fara na foirmeacha

Gaeilge **currach chluana** *AL*, scríofa le peann luaidhe agus [kə͜ˌrɑxˈkluːn̪ə] (Ó Cíobháin, 1964, 34; féach Ó Cearbhaill, 2007, 181). *Curraghcloney* / **Currach Cluana** (E 188) arb é *Curragh Clonny CGn.* 21.189.11196 (1718) an fhoirm is luaithe de; seo í fianaise Ghaeilge *AL* (1840): **cluana**, scríofa le peann luaidhe [**currach** iontuigthe roimhe], **Currach Chluana** le dúch ó láimh *OD*.

Tá sampla de fhoirm iolra **currach**, **Na Curraithe Glasa**, faoi *Cluain Macáin infra*, Suíomh, n. *ii.*Tá sampla de *Curraheen* < **currach** / **cuirreach** + iarmhír *–ín* luaite faoi *Cluain Mhurchaidh infra*, Suíomh, agus tá trácht ar cheann de na bailte fearainn i *TÁ* ar a dtugtar *Curraghmore* / **An Currach Mór** faoi *Cluain Mocóg*, Suíomh.

Cluain Diarmada
Clonedarby G 40; 46, 52; S002496; 6:28

1811	Clonedarby	*CGn.* 629. 403. 433714
1840	Clonedarby	*AL:BS*
	Cluain Diarmada,	*AL:*dúch (=*OD*)
1993	ˌkluːnˈdaːrbiː	*Áit.*

*the pasture of **Diarmaid**, **Darby***

Suíomh:
(i) Sruthaíonn *Multeen River* / **An Moiltín** aneas in iarthar an bhaile fearainn, abhainn a bhfuil an tuairisc seo uirthi in *AL* (*p* Chluain Abhla), faoin *bf* áirithe seo: 'The floods caused by the river ... are considerable'.
(ii) Teorantach laisteas le *Cluain 2 supra*.

Nótaí:
Ní sine ná tosach an 19ú haois fianaise stairiúil an logainm – foirm Chlárlann na nGníomhas thuas. *Clonedarby* foirm Bhéarlaithe an logainm san Ainmleabhar agus is réadú ar an bhfoirm chéanna atá i leaganacha áitiúla bl. 1993 thuas.

An t-aon fhoirm Ghaeilge atá in *AL* ná **Cluain Diarmada**. Ba é Ó Donnabháin a scríobh le dúch. Ní léir gur foirm ón gcaint í. Ar a shon sin tá fianaise indíreach ann ag cur leis an bhfoirm úd.

Is minic *Darby* mar Bhéarla ar an ainm pearsanta Gaeilge **Diarmaid**, mar atá ráite ag Ó Corráin & Maguire (1981, 74 s.v. **Diarmait**) agus ag Cottle (1978, 110-111) i bhfoirm nóta leis an sloinne Sasanach *Darby* (< *Derby*). Cruthú ar an méid sin atá san ainm **Diarmat Ó Rian** (sic) alias *Darby Ryan* (*RIA Cat.* 1181), scríobhaí agus file ó *TÁ* a cailleadh in 1855 (de Brún, 1991, 124-5; Ní Mhurchú & Breathnach, 1999, 130-1). Sampla den fhoirm Bhéarla *Derby* < **Diarmaid** / *Dermott* ó dheireadh an 16ú

[100]

haois is ea 'Dermot Farrell of Gowran' (=*bf*, *p*, *bar* Ghabhráin i *CC*) ar a dtugtar sa ghníomhas céanna *Derby alias Dermot* agus *Derbe* (*COD* VI 67-8, bl. 1594).

I gcás an logainm seo a leanas i *TÁ*, tá fianaise ann go ndearnadh *Darby* de **Diarmaid**: *bf Lisheendarby* (A 56) ar ar tugadh *Lissindermody CS* II 54 (1654), *Rissendermott* (sic), *Lissindermott Cen.* 325 (1659), ach [liˌʃiːn'daːrbiː] go háitiúil sa bhliain 1993. Tá idir *Darby, Dermot* agus **Diairmín**, foirm dhíspeagtha de **Diarmaid**, caomhnaithe i bhfianaise stairiúil an logainm (*bf*) *Darbyshill* i *CC* (*p* na Cloiche Mantaí, *bar* Chrannaí): *Dermots Hill CGn.* 482.406.312262 (1795), *Darby's-hill AL:BS* (1838), **Cnocán Diairmín** *AL:pl.*

Mar atá mínithe faoi **Cluain 2** q.v.(Suíomh n. *ii*), cuid d'aonad talún den ainm *Clo(o)ne* ba ea roinnt den mbaile fearainn atá idir lámha de réir teorainneacha fhoinsí an 17ú haois (*CS, DS* m.sh.). Díol suime go luaitear 'Dermot mcMelaughlen I Gwire [=**Uí Dhuibhir**] of *Clone*' (.i. an log. réamhráite) in *F* 4907 (1586). Sna foinsí réamhráite ón 17ú haois bhain fuílleach thailte *bf Clondarby SO* le *Thory* (*CS* II 96 srl.). Tá an logainm déanach ag freagairt do *bf Toragh* / **Tuaraigh**, *TÁ (SO)* 46 (G 40) agus is iad seo na foirmeacha is luaithe de: *Tore F* 5875 (1594), *Torhe F* 6248 (1598), *Torhie CPR* 105 (1607) mar aon le **Tuarach** *AL:pl* (1840). De réir an tsampla sin as *CPR* (1607), ba é 'Derby O'Doire' – .i. **Ó Duibhir** – a bhí i seilbh cuid de *Torhie*. Tabhair faoi deara chomh maith go raibh cónaí ar *Derby McLoghlen* agus ar *Derby Dowling* i mbailte fearainn 'Clone & Thory' faoi chaibidil de réir *HMR (TÁ)* 36 (1665-6).

Tá dóthain fianaise ann mar sin, ó dheireadh an 16ú haois ach go háirithe, chun daoine den ainm **Diarmaid**, nó *Derby* i mBéarla, a cheangal leis an aonad talún atá idir lámha.

Cluain Dóite
Clondoty B 129; 35; S112653; 6:29

1300c	Clondothe	*RBO* 102
1541	Clondotye	*COD* IV 208
1551	Cluondotye	*COD* V 61
1558	Clonedoytye	*COD* V 75
1566	Clonedote	*F* 950
1567	Clonedot	*F* 1184
1572	Clonedotie	*F* 1976
1585	Clondoty	*F* 4695
1600	Clonedotie	*F* 6440
1601	Clondotie	*F* 6534
1602	Klondotie	*F* 6628
1654	Clonedotie	*CS* I 69, 71

| 1840 | Cluain dóithte | *AL:pl* & dúch (=*OD*) |
| 1991 | ˌklan'doːtiː, ˌklan'doːtə | *Áit.* |

burnt pasture

Suíomh:
An tSiúir atá ar an teorainn thoir. Is é tuairisc a thugtar ar an talamh feadh na habhann ar léarscáil *TÁ (SO)* ná 'liable to floods'. Teorantach laisteas le **Cill Choill Eachra**, q.v. *Log. na hÉ* II 96-7.

Nótaí:
(a)   Aidiacht bhriathartha / rangbháil chaite chéasta (*GOI* 441-3) **dóid**, 'burns', é **dóite** < **dóithe** (*DIL,* 1960, dodénta-dúus 325; *Vendr. Lex.*, 1996, D 111, s.v. **dó-**): féach samplaí luatha di ar nós, **dóthe** *TBDD* 40, **dóiti** *TBDD* 11, **dōti** *LL* III 19319. Cuir i gcóimheas le cáilitheoir *Cluain Loiscthe* a bhfuil an fheidhm chéanna ghramadaí aige agus an bhrí chéanna.
(b)   Logainm eile i *TÁ* ina bhfuil an cáilitheoir céanna caomhnaithe is ea *bf Cooldotia* / **An Chúil Dóite** (H 13) ar a dtugtar *Coledoty, Coole Doty CS* II 118 (1654), *Culedoty CS* II 117, 119 agus **Cúl Dóite** *AL*, scríofa le peann luaidhe (1840).

Cluain Each
Cloonagh F 160; 12; S131914; 6:30

1685	Clonagh	*Hib. Del.*
1711	Clonaugh	*CGn.* 5.382.2126
1840	Cloonagh	*AL:BS*
	Cluanach	*AL:*dúch (=*OD*)
1991	klə'nax	*Áit.*

pasture of (the) horses

Suíomh:
(i)   Seo cuid den chuntas a tugadh in *AL* (bl. 1840) ar an gcineál talún a bhí sa bhaile fearainn, 'There is a portion of furze in the Northern part of it, rest arable'.
(ii)   Tá sruthán ar theorainn thiar thuaidh an *bf* (féach an grianghraf agus an léarscáil i do dhiaidh ar lgh. 103-104).
(iii) Sa chur síos a rinneadh in *CS* I 28-9 (1654) ar theorainneacha pharóiste Ros Cré, mar a bhfuil an logainm faoi chaibidil suite, scríobhadh: 'thence by a brooke & Redd Bogg to ffiancrahy in ye King's County'. Is ionann an log. *ffiancrahy* agus *bf Fancroft* nó **Fionnchora**, *UF (SO)* 43 (*p* Shaighir Chiaráin, *bar* Bhaile an

Tuaisceart Chluain Each

Bhriotaigh) atá i gcoigríoch thuaidh *Cloonagh* faoi chaibidil. Ba láthair eaglasta é *Fancroft* sa Mheánaois: féach m.sh. 'chapel of Finchora' *CPL* XIII 443 (1475). Tá cur síos ar na hiarsmaí eaglasta ag Carrigan (1905, II 20) agus ag O'Brien & Sweetman (1997, 97).

Nótaí:

(a)   Tharlódh gur foirm athchumtha í foirm aonair Ghaeilge an Ainmleabhair, **Cluanach**. B'fhéidir gur bunaíodh í mar fhoirm ar an leagan Béarlaithe a cuireadh síos do 'Boundary Surveyor' in *AL*, *Cloonagh*. Is ar an dara siolla a bhí béim an ghutha i bhfuaimniú áitiúil an logainm sa bhliain 1991, rud a thaobhaíonn le bunfhoirm **Cluain Each** in ionad **Cluanach**. De réir an eolais atá againn ar chanúintí Nua-Ghaeilge na Mumhan, ní thiteann béim an ghutha ar

TÁ (SO) 12 – Tuaisceart Chluain Each

Cluain Each

–ach i bhfocal déshiollach más guta fada nó défhoghar a bhíonn sa chéad siolla, ar nós *cluanach (féach Ó Cearbhaill, 2005, 9).

Ar an siolla deireanach chomh maith a thiteann an phríomhbhéim sa logainm (bf, p) Clonagh i Lm (bar Chonallaigh Íochtaracha) m.sh., de réir na foirme foghraíochta atá i Log. na hÉ I 118, [ˌkləuˈnɑk]. Freagraíonn fianaise stairiúil an log. úd do Cluain Each – foirmeacha luatha de (ibid.), Cluonech BBL 26 (1200), Clouenath BBL 28, Clonnach BBL 22 (1252) Cloaineach BBL 150 (1418).

Solaoidí Gaeilge de Cluain Ech is ea 'Caurnán Clúana Ech' (gin.) Mart. Tall. 37 (28ú Aibreán), 'Ingena Cetain i Cluain Ech' CGSH 113 §670.24. Ní léir suíomh an log. / na logainmneacha úd – féach Onom. Goed. 261.

Mar le brí an cháilitheora de, each (ginideach iolra), féach Cluain Gabhra infra, n. b.

[104]

(b)   Tá an focal **Cluanach** (< **Cluain** + iarmhír aidiachtúil -*ach*) le fáil i logainmneacha de chuid *UF* ar nós:
      Clonagh East, West (*p* Lainn Eala, *bar* Bhaile Mhic Comhainn), ar a dtugtar *Clonagh CPR* 553 (1622).
      Clonagh (*p* Chill Chluana Fearta, *bar* an Daingin Íocht.) ar mar cháilitheoir a fheidhmíonn sé san fhoirm seo a leanas, *Skeagheneclonoghe* in *Offaly Survey* (1550).
      Is ar shiolla tosaigh na logainmneacha réamhráite a thiteann an phríomhbhéim san fhoghraocht áitiúil, ní hionann is **Cluain Each** faoi chaibidil.
      An t-aicmitheoir céanna, **Cluanach**, atá sa logainm *bf Cloonalisk* in *UF* (*p* Theampall na hAithrí, *bar* Chluain Leisc), ar theorainn *TÁ*: foirm is luaithe de, *Clonaghliske CPR* 468 (1620) < **Cluanach Leisc / Lisc** (Tá samplaí eile den mhalartú -*ei*-/-*i*- pléite i *Log. na hÉ* II 180).
      In *UF* leis atá an logainm **Cluanachán** *Liostaí Log. UF* 17 (< **Cluanach** + -*án*). Ba é seo ainm bunaidh Gaeilge *bf Dovegrove SO* (*p, bar* na hEaglaise); foirm is luaithe de, *Clonaghan Inq. Lag. (Com' Regis)* §24 Car. I (1634).

(c)   I dtaca le bailte fearainn eile de atá suite i gcontaetha éagsúla, ar nós *Clonagh / Clonagh-* (*Clonaghadoo* srl.), *Cloonagh / Cloonagh-* (*Cloonaghbaun* srl.) agus atá cláraithe in *Top. Index* 254 & 265-6 faoi seach, ní léir a mbunús Gaeilge ar a bhfoirmeacha Béarlaithe.

Cluain Eanaigh
Cloonanagh K 105; 26; R835722; 6:31

1616	Cloinaneagh	*CPR* 303
1654	Clonagh	*CS* II 245
1657	Clunena	*DS*
1659c	Clonyagh	*Cen.* 321
1660c	Clunena	*BSD (TÁ)* 232
1665-6	Coununagh	*HMR (TÁ)* 46
1666	Clonenagh	*ASE* 45
1666-7	Clonenagh	*HMR (TÁ)*
1685	Clunena	*Hib. Del.*
1720	Clonenagh	*CGn.* 28.213.17310
1840	Cloonanaugh	*AL:BS*
	Cluain na n-each	*AL: pl* (=*OK*); dúch (=*OD*)
1991	ˌkloˈnanə, ˌkluːˈnanə	*Áit.*

pasture beside (the) marsh?

Suíomh:
Tá sruthán gan ainm ar theorainn thoir thuaidh an bhaile fearainn.

Nótaí:
Is ar an siolla leathdhéanach a bhí príomhbhéim an ghutha sna leaganacha áitiúla a bailíodh sa bhliain 1991. Dá mbeadh bunús stairiúil le **Cluain na n-each**, foirm Ghaeilge an Ainmleabhair, ba dhóigh linn go dtitfeadh an príomhaiceann ar an siolla deireanach den logainm, faoi mar a thiteann i gcás *Cluain Each* ar lch. 102.
Ó thaobh **eanach** de sa chiall 'marsh', níl talamh an bhaile fearainn seo fliuch sa lá atá inniu ann. Thiar sa 17ú haois áfach, de réir na bhfoinsí *CS* agus *DS*, bhí aonad talún 'Clonagh' *et var.* níos fairsinge ná teorainneacha *TÁ (SO)*. Sa seachtú céad deág bhí an baile fearainn ag síneadh ó dheas go dtí teorainn bharúntacht Uaithne laisteas, ar bharr Shliabh an Airgid. Tharlódh go raibh an t-eanach dá dtagraítear sa logainm i measc na gcnoc úd.
Tá logainmneacha eile de chuid *TÁ* ina bhfaightear an focal **eanach** bailithe le chéile faoi **Cill Eanaigh**, *Log. na hÉ* II 124-5.
Bailte fearainn is ea **Cluain Eanaigh** / *Cloonanna* agus **Cluain Eanaigh Dhubh** / *Cloonaduff* atá teorantach le chéile i *Lm* (*p* Chromadh, *bar* Phobal Bhriain) – i dtaca le fianaise stairiúil an dá logainm de, féach *Log. na hÉ* I 118.

Cluain Éilí
Clonely G 35; 46; S017548; 6:32

1247c	Clonely	*COD* I 45
1750	Clonely	*CGn.* 143.435.97668
1770	Cluanely	*CGn.* 278.569.180835
1840	Clonely	*AL:BS*
	Cluain Eilighe	*AL:*dúch (=*OD*)
1993	klə'ne:li:, klə'ne:lə	*Áit.*

the pasture of ?

Suíomh:
(i)   Teorantach laisteas agus lastoir le *Cluain na Ros.*
(ii) Tá sruthán gan ainm ar theorainn thuaidh an bhaile fearainn – géag den *Clodiagh River* / **An Chlóideach** atá ann.

Nótaí:
Cé go bhfuil bearna aimsire cúig céad bliain idir an fhoirm stairiúil is luaithe thuas (bl. 1247c) agus an fhoirm a leanann í, níl aon difear litrithe eatarthu. I dtaca leis an gcéad fhoirm de, scríobhadh amach *Clonely*, gan dul i muinín giorrúchán, sa lámhscríbhinn ina bhfuil gníomhas úd Urumhan caomhnaithe (*LN* D150). Faightear an litriú Béarlaithe céanna san Ainmleabhar (bl. 1840). Taobhaíonn fuaimniú áitiúil an logainm, bl. 1993, le guta fada /e:/ i dtosach an dara heilimint. Má dhéanaimid talamh

slán de gur guta fada atá sa chéad siolla den cháilitheoir, tig linn na féidearthachtaí seo a leanas a áireamh agus sinn ag iarraidh teacht ar bhunfhoirm an logainm.

(a) An t-aon fhoirm amháin i nGaeilge atá in *AL* ná **Cluain Eilighe** (gan sínte fada). Mhínigh Ó Donnabháin an fhoirm úd mar seo, 'Healy's meadow, lawn or bog island' *AL*. Ní foláir nó bhí an sloinne seo a leanas ar aigne ag an Donnabhánach, **Ó hÉilide** (*AConn.* 787, Index). Seacht sampla den sloinne atá cláraithe san hannála réamhráite, ó thosach an 14ú haois go dtí an 15ú haois. D'athscríobh An Dubhaltach Mac Fhirbhisigh ginealach Uí Éilighe 'a Leabhar Dhubthaigh Ui Duibhgeannain' i Leabhar na nGenealach (= *LGen*. II 498-9; féach Ó Muraíle, 1996, 238). I dtuaisceart Chonnacht a bhí an chlann úd lonnaithe (féach Woulfe, 1923, 566 s.v. **Ó hÉilidhe, Ó hÉilighe**; MacLysaght, 1969, 119 s.v. *(O) Healy, Hely*). D'aithin Séan Ó Donnabháin in Index Nominum *ARÉ* VI 334, agus é ag tagairt do **Diarmaid Ó hElighi** a luadh i gcorp an téacs (*ARÉ* III 492, bl. 1309), go raibh an sloinne sin buanaithe san ainm *bf Ballyhealy* i *Sl* (*p* Eachanaigh, *bar* Thír Oirill). Is léir go raibh an ceart aige ón tagairt seo a leanas don áit chéanna: 'Hugh O Helie of Balli Ielly' *F* 5459 (1590). Féach ráiteas seo a leanas Woulfe (*loc. cit.*) faoi dháileadh an tsloinne i gCúige Mumhan: '*Ó hÉilidhe*, it may be remarked, is quite common in Munster'. Ba dheacair áfach an sloinne a aithint thar fhoirmeacha Béarlaithe an tsloinne **Ó hÉaluighthe** (ibid. 561). Má chuirimid i gcás gurb í *****Cluain Éilidhe** bunfhoirm an log., ní foláir dúinn *Clonely* (lár an 13ú haois) a mheas mar fhoirm ghiorraithe di. Léirigh T. F. O'Rahilly (1930, 172-3) go raibh *dh* na Gaeilge dulta ar ceal – má ba annamh féin é – i litriú Béarla de chuid logainmneacha na Gaeilge roimh dheireadh an 13ú haois.

(b) In *DIL* (1932, E 79) tugtar samplaí de **Éilech** i bhfeidhm ainmfhocail sa chiall, 'a native of Éile'. Féach **Éleach** díochlaonta ar nós **Albanach** de réir *IGT* II §18 agus féach 'an Éiligh' *Tadhg Dall* I 249 (gin. u. fir. an ailt + ainmfh.). Faightear ginideach iolra an ainmfhocail seo sa logainm (*bf*) *Cappanilly* / **Ceapach na nÉileach** i *TÁ* (H 73) de réir na bhfoirmeacha stairiúla, *Keappagheneylighe COD* V 186 (1570), *Cappapullonealogh* (sic) *DS* (1657) srl. Cuir **Éileach** i gcomparáid le feidhm **Midheach** sa log. *Ballinvee* / **Baile an Mhí** < **Mhidhigh** i *TÁ* (*Log. na hÉ* II 50) nó le **Laighneach**, cáilitheoir bunaidh pharóiste **Ráth Laighnín** (*bar* A) ar a dtugtaí *Rathleyni, Rathlayny* i dtosach an 14ú haois (*Pap. Tax.* 285, 317 faoi seach).

Is fiú a rá nach bhfuil ach timpeall trí chiliméadar slí idir baile fearainn *Clonely* faoi chaibidil agus barúntacht **Éile Uí Fhógarta** lastoir (= *Helyohokerdi COD* I 18, 1200c; *Hely Pont. Hib.* I 147, 1211; *Elyohogryth* 35 *RDK* 34, 1275-6) < **Éile Deiscirt** (féach **Cluain Uí Chionaoith** *infra*, n. *b*).

(c) Is inmheasta go bhfreagraíonn *(Clon)ely* na fianaise Béarlaithe (bl. 1247 srl.) do **Éile,** ar nós **Éile Uí Fhógarta** i n. *b*; féach go dtraslitrítear **Éile** ar an gcuma chéanna sna logainmneacha seo a leanas atá ainmnithe as an dúthaigh úd: **Móin Éile** = 'bogg of *Ely*' lch. 187; **Bearnán Éile** (*p*, F 22) = *Bernanely Pap. Tax.*

(1302c). Más ionann an dara heilimint de *Clonely* agus ainm pobail / dúthaí **Éile**, ní foláir nó bhain an logainm leis an gceantar úd anallód (cf. n. *b*). Ba é a dhála sin ag paróiste **Gleann Caoin** é, tamall lastuaidh de *Clonely*, mar ba chuid d'**Uí Luigh(dh)each Éile** é (féach *CGH* 195, 393; *Log. na hÉ* II 117). Tabhair faoi deara gur i bparóiste dlí an Chlochair atá *bf Clonely* suite. Is díol suime mar sin gur i ndéanacht eaglasta agus i ndeoise Chaisil a bhí paróiste Ghleann Caoin (= *Clankyn Pap. Tax.* 281, bl. 1306c) agus paróiste an Chlochair mar an gcéanna (féach lch. 209, n. *a* thíos).

(d) De réir na scéalaíochta dúchasaí, ba iníon le **Eochaidh Feidhleach** í **Éile** agus ba dheirfiúr í le **Meadbh Chruachan** (*TBC (LL)* 1, *LL* III 21551; Ó Corráin & Maguire, 1981, 84 s.v. **Éle**). Ainm tearc ba é áfach (féach **Éile, Éle** *CGH* 610-1 Index).

Tá Byrne (1980, 122) in amhras faoi bhailíocht an ainm phearsanta **Éle** atá caomhnaithe i gceann de liodáin na Naomh Éireannach sa Leabhar Laighneach, 'Trí choicait curach di ailithrib Roman gabsat hErinn im Éle im Notal im Neman caíd im Chorconutain' *LL* VI 52116-7; curtha in eagar ag Plummer (1925, 60-1).

Cluain Fionnáin
Clonfinane J 127; 5; N001027; 6:33

1654	Clonefenane	*CS* II 323
1675	Clonafenane	*Inq.(TÁ)* III 364
1712	Clonfinane	*CGn.* 10.147.3252
1840	Clonfinane	*AL:BS*
	Cluain fionnáin	*AL:*dúch (=*OD*)
1989	ˌklonfiˈnaːn, ˌklɑnfiˈnaːn	*Áit.*

pasture of (the) moor grass; of Fionnán

Suíomh:

(i) Ainneoin go bhfágtar an t-aonad talún seo gan ainm ar léarscáil *DS* (1657), is é an cineál talún a bhí ann ná 'T[imber]' & 'Bog'. Seo é an cuntas a tugadh in *AL* (bl. 1840) ar an gcineál talún a bhí sa bhaile fearainn, 'partially cultivated being composed of rough boggy land, some plantation furze and rocks'. Taispeántar réimsí portaigh i dtuaisceart, in iarthar agus in oirthear an *bf* ar *TÁ (SO)* 5 agus tá cuid den phortach thuaidh agus thoir le feiscint sa ghrianghraf agus sa tsliochtléarscáil i mo dhiaidh ar lch. 109.

(ii) Tá *bf Clonfinane* ag críochantacht laisteas le *bf Faddan More SO* agus mar atá mínithe faoi *Cluain Comhraic* (Suíomh), bhí sruthán i dteorainn **Feadán (Mór)** agus na tailte lastuaidh de, leithéid **Cluain Fionnáin** atá idir chamáin (féach an grianghraf thall).

Cluain Fionnáin, Cluain Rascain agus portaigh

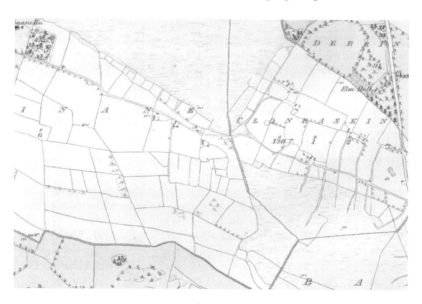

TÁ (SO) 5

(iii)　Teorantach lastuaidh le baile fearainn *Walshpark*, (J 58) ar a raibh **Doire Leathan** i nGaeilge: *Dirrelelehan Inq.(TÁ)* II 272 (1635), *Derrylahane CS* II 320 (1654), *Derrylehan CS* II 321, *Derelaghan DS* (1657), **Doire leathan** *AL*, scríofa le peann luaidhe (1840). Sa bhaile fearainn úd bhí coill ar a dtugtaí *Lumcloon Wood SO* < **Lomchluain**; féach lch. 212 thíos.

(iv)　I gcoigríoch thoir le **Cluain Rascain** *infra*.

Nótaí:
(a)　Níl aon mhíniú tugtha ar an bhfoirm Ghaeilge atá san Ainmleabhar, **Cluain fionnáin**. Is é míniú a thugtar ar an ainmfhocal **fionnán** i *FGB (Dinneen)* 457 ná, 'a kind of long coarse white grass which grows on marshy land ...', agus ina dhiaidh sin i *FGB* 547, 'coarse mountain grass, purple moor grass'. Dá gcuirfí i gcás gurbh ainmfhocal é cáilitheoir **Cluain Fionnáin**, ní hionann is ainm pearsanta, is sa chineál talún a bhfuil cur síos uirthi faoi Suíomh thuas a d'fhásfadh féar dá leithéid.

(b)　Seo i mo dhiaidh dhá shampla den logainm simplí **Fionnán**:
bf Finnan i *CC* (*p* Dhomhnach Mór, *bar* Fhásach an Deighnín) arb é an fhoirm stairiúil is luaithe de ná *Fennane F* 953 (1552).
bf Finnaun i *Ga* (*p* Chill Aithnín, *bar* Mhaigh Cuilinn) ar a dtugtar *Feanane* i *BSD (Ga)* 73 (1660c).
Tá an dá logainm úd cláraithe ag Joyce (1913, 354) agus 'whitish land' mar mhíniú aige orthu (ibid.), míniú atá bunaithe ar aistriúchán a rinneadh ar na logainmneacha céanna san Ainmleabhar.
Fionnán nó **Feannán** + **Mór** (aidiacht) struchtúr bunaidh *bf Fenane* i *TÁ* (M 117): *Fennanemore, Fennanmore CS* I 135 (1654). Foirmeacha den mbunfhocal céanna is ea **fionnán** agus **feannán** (féach *FGB (Dinneen)* 434, *FGB* 525).
Tá *bf Ballynennan* (I 59) i dteorainn le *Fenane* i *TÁ*. Réadú atá sna foirmeacha is luaithe den logainm sin, *Ballynenan F* 2308 (1573), *Ballynennan F* 2310, ar **Baile an Fhionnáin / Fheannáin**. Feidhmíonn **(an) fionnán** mar cháilitheoir sa log. áirithe sin.
Sna samplaí réamhluaite ainmfhocal is ea **fionnán**, ní hionann is ainm pearsanta (cf. n. c).

(c)　Ainm pearsanta is ea **Fionnán** freisin; féach Ó Corráin & Maguire (1981, 10), mar a luaitear 'St Finnán' (='Finnani (gin.) episcopi Maighe Bile' *Mart. Tall.* 16, 11ú Feabhra). Mheasctaí an t-ainm le **Fínán** (> **Fíonán**) sna ginealaigh mheánaoiseacha fiú: féach **Finnán**, *var. lec.* **Fīnān** *CGH* (Index) 646; Mac Giolla Easpaig (1995, 167-8). Ó thaobh **Fíonán** de, féach *Log. na hÉ* II 50-1, 143-4. Díol suime mar sin go bhfaightear an t-ainm **Fīnān** i nginealach **Múscraige Tíre** *CGH* 367 (=LL 323 f 57), pobal a bhí lonnaithe in Urumhain an lae inniu, mar a bhfuil an logainm faoi chaibidil suite (*bar* J; féach *Log. na hÉ* II 260-1).

I dtaca le *bf Rahinane* de (J 9, 194), atá suite in aon bharúntacht le **Cluain Fionnáin** faoi chaibidil, dealraíonn sé gur réadú ar **Ráth Fhionnáin** – murab ionann is **Fíonán** – atá san fhianaise stairiúil, pé acu ainm pearsanta nó ainmfhocal é **Fionnán**: *Rattenan LN* 16 I 17, 14a (1637), *Rathynane CS* II 279 (1654) *et al.* I *Log.* na hÉ I 100 glactar leis gur **Fionnán** (ainm pearsanta) is cáilitheoir do *bf Killinane* i *Lm* (*p* an Ghallbhaile, *bar* Cois Sléibhe); **Cill Fhionnáin** an fhoirm Ghaeilge atá molta sa saothar úd. An fhoirm is luaithe den logainm ná *Killinane Inq.(Cl)* II 195 (1627).

(d) Taobh amuigh de *TÁ*, tá an t-ainm Gaeilge **Cluain Fionnáin** socraithe ag an mBrainse Logainmneacha do bhaile fearainn *Clonfinnan* i *Mí*, do *bf Cloonfinnan* i *Li* agus do *bf Cloonfinnaun* i *ME* (féach an suíomh idirlín www.logainm.ie).

Cluain Fionnghlaise
Cloonfinglass A 94; 67; R946338; 6:34

1091	hi **Cluain Findglaissi** hi	
	Muscrugu Breogain	*AIF* 242 §4
1192-3	Clonfinglassi	*Chart. John* 269
1218	in eadem regione [.i. Muscraighi]	
	monasterium, quod uocatur	
	Cluain Findghlaise, edifacauit	*VSH* I 17 (Vita S. Abbani)
	Cluain Finnglaisse	*VSH* I 18 [féach *Cluain Conbhruin supra*, bl. 1218]
	Cluain Finglasse	*VSH (Heist)* 264-5 (Vita S. Abbani)
1302c	Clonfyneglas	*Pap. Tax.* 317
1306c	Clonfynglasse	*Pap. Tax.* 285
1437	Clonfinglass	*Proc. CE* 330
1482	**Cluain Findg*h*laise**	*Marcher Lords* 12
1615	Clonfinglass	*RVis.(CE)* 286
1645	**Cluain-findglaisse**	*ASH* 616 (Vita S. Abbani)
1840	Cluain finn ghluis	*AL:pl* (*=OK?*)
	Cluain Fionn-ghlais,	
	'pron[ounced]' Cl- fionna ghluis	*AL:dúch* (*=OK?*)
	Cluain Fionghlaise	*AL:dúch* (*=OD*)
1989	klu:n, ˌklu:nˈfiŋləs	*Áit.*

pasture of (the) white stream

Suíomh: *Church (in ruins), bf Cloonfinglass.*
(i) *River Ara* / **An Ára** atá ar theorainn thoir, thuaidh agus thiar thuaidh an bhaile fearainn (féach an grianghraf ar lch. 112 agus an léarscáil ina dhiaidh ar lch.

Cluain Fionnghlaise, An Ára

113). Tá baile Thiobraid Árann suite le hais *River Ara* agus meastar gur as an abhainn a ainmníodh idir thobar, bhaile agus chontae (féach m.sh. *Onom. Goed.* 634 s.v. **Tipra Árann**). Ag seo roinnt samplaí den ainm úd: *Typerar' Pont. Hib.* I 151 (1212), *Tibrari Alen's Reg.* 38 (1215), 'in comitatu Tipperarie' *RBK* 67 (1293), *Tibruydharand Ann. Im.* 38 (1494), 'cundae **Tiobrad Árand**' *Sen. Búrc.* 150 srl. (1550c). Faightear samplaí Béarlaithe d'abhainn Árann i bhfoinsí ó lár an 17ú haois, 'the river *Arra*' *CS* II 17, 19 srl., 'the river *Ara*' *CS* II 18, 19 srl., chomh maith le **An Ára, Abhan Ára** *AL:pl* (1840, *p Tipperary*).

(ii)   I **Múscraí Breoghain** de réir *AIF* (bl. 1091 thuas) – sa dúthaigh chéanna a bhí *Cluain Aird (Mobhéacóg) supra*. Tá **Múscraí** mar ainm ar an déanacht ina raibh an eaglais suite (féach *Cluain an Mhuilinn supra*, n. *b*).

Nótaí:

(a)   Ón uair gur ar bhruach *River Ara* atá baile fearainn Chluain Fionnghlaise suite (Suíomh thuas), ainm nó cur síos ar chuid den bhealach céanna uisce ba ea **Fionnghla(i)s(e)**, 'white stream' (cf. **finn** *DIL*, 1950, F-fochraic 141-3; **glais, glaise, glas** *DIL*, 1966, G 90-1).

Tá bealaí uisce éagsúla den ainm **Finnglas** (ceannfhocail) in *Onom. Goed.* 421. Féach cuir i gcás míniú seo an dinnseanchais ar cheann díobh:

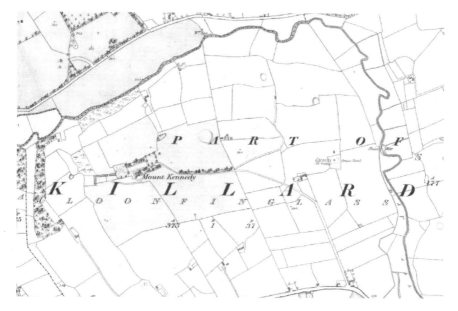

TÁ (SO) 67

Findglas i lLuachair Dedad. Unde nominatur. Ni handsa. Blathnat ingen
Mind ríg Fer Falga ben Chon Rui. 7 ba lennanside do Choin Culaind. 7 is
sí ro dál Coin Culaind co nUltaib immalle fris for a cendsi ... Ra dóirt dī
blegon na trí n-erc nIuchna lasin nglassi sis on chathraig co Traig Lí comba
find in glassi. 7 combad and sin no thistais Ulaid 7 no gabtais in cathraig 7
no marbtais Coin Ruí. (LL III 22490-501; in eagar in Sil. Gad. II 482, 530).

Tiontó Nua-Ghaeilge:
Fionnghlas i Luachair Deadhadh. Conas a tugadh an t-ainm air? Ní hannsa.
Bláthnaid iníon Minn rí Fhear bhFalgha, bean Chú Raoi agus ba leannán
ise do Chú Chulainn. Is í a rinne coinne le Cú Chulainn in éineacht leis na
hUltaigh [teacht] faoina déin ... Dhoirt sí bleán na dtrí n-earc nIuchna leis an
nglaise síos ón chathair go Trá Lí go mba fhionn an ghlaise ionas go dtiocfadh
na hUltaigh ansin agus go ngabhfaidis an chathair agus go marbhoidis Cú
Raoi.

Is ionann an abhainn sin agus Finglas River SO i Ci (p Chill Gobáin, bar
Chorca Dhuibhne) nó **Fionnghlaise** sa Nua-Ghaeilge (TCC Dhuibhne 299-300).

(b)   Comhfhocal eile den déanamh aidiacht + ainmfhocal **gla(i)s** is ea cáilitheoir
Cill Chromghlaise atá pléite i Log. na hÉ II 264-5.

Taispeántar baile fearainn *Springhouse* (A 112) faoi bhun ciliméadair taobh thoir de *Cloonfinglass* ar léarscáil *TÁ (SO)* 67. An t-ainm a bhí ar an áit sin tráth ná **Tobar Conghlais(e)**, de réir na fianaise stairiúla: *Toburcanglisse HMR (TÁ)* 65 (1665-6), *Tubber Coan-Glasse HMR (TÁ)* 127 (1666-7), *Springhouse* alias *Tubbercongliss CGn.* 26.11.14483 (1719). Ainm, nó logainm, comhshuite atá sa cháilitheoir – cf. an t-ainm pearsanta **Conglass** *CGH* (Index) 562; an log. **Conghlais**, 'dog stream', in Albain (Watson, 1926, 458).

(c) Logainm bréagach de réir dealraimh is ea **Cluain Finnlocha** atá cláraithe in *Onom. Goed.* 263. Ar an bhfoinse dhéanach *Parliamentary Gazetteer of Ireland* is ea a bunaíodh an iontráil úd: 'Clonfinloch chapelry 3¾ m[iles] SE. of t[own] of Tipp[erary]' (*PGI* I 44). Is cosúil ón gcur síos sin ar shuíomh na háite gurb ionann í agus **Cluain Fionnghlaise** faoi chaibidil. Bhí an logainm céanna – *Clonfinlogh* – cláraithe roimhe sin ag Seward in *Topographia Hibernica* (*Sew. Top.Hib.*, níl lgh. an leabhair uimhrithe).

(d) Cuir **Cluain Fionnghlaise** faoi chaibidil i gcóimheas le **Cluain Findglais** *Pat. Texts* 170 ('Additamenta', 800c), logainm atá suite 'in … Elphin' (ibid. 255).

Cluain Fraoigh
Clonfree J 127; 8; S038997; 6:35

1791	Clonfree	*CGn.* 434.77.280397
1797	Clonfree	*CGn.* 510.529.333150
1840	Clonfree	*AL:BS*
	Cluain fraoigh	*AL*:dúch (=*OD*)
1989	ˌklon'fri:, klən'fri:	*Áit.*

pasture of (the) heather, of (the) moor

Suíomh:
(i) Seo cuid den chur síos a rinneadh in *AL* (bl. 1840) ar an gcineál talún a bhí sa bhaile fearainn, '… mostly composed of rough boggy land, rocks and furze …'. Tá talamh portaigh in iarthar an *bf* agus tá portaigh laisteas, lastoir agus lastuaidh de chomh maith (féach an grianghraf ar lch. 115).

(ii) *Little Brosna River* / **An Bhrosnach Bheag** atá ar theorainn thoir an bhaile fearainn agus léirítear 'line of inundation' laistiar den abhainn ar léarscáil *SO*.

(iii) Teorantach laisteas le *bf Cloonaheen* / **Cluain Eichín** in *UF* (*p* Chill Mhuire Éile, *bar* Chluain Leisc) atá pléite i *Log. na hÉ* II 126.

Nótaí:
(a) Mar le cáilitheoir an logainm de, féach samplaí luatha de **fráech** (**fróech**) in *DIL* (1957, fochratae-futhu, 398-9) ag feidhmiú mar ainmfhocal agus mar ainm

Cluain Fraoigh, An Bhrosnach Bheag ar dheis

pearsanta. Féach samplaí de **fraoch** i logainmneacha ag Williams (1993, 83, s.v. **fraoch mór**) agus ag Joyce (1869, 520).

Tig linn a rá gur feidhm ainmfhocail – murab ionann is ainm pearsanta – atá ag an bhfocal seo nuair is logainm simplí ('simplex') nó aicmitheoir é, ar chuma **Fionnán** s.v. *Cluain Fionnáin supra*, n. *b*; cf. **Fraecha, Fraech Slemna** srl. *Onom. Goed.* 431. I bhfianaise air sin tarraingimis anuas dhá sholaoid i *TÁ*:

bf Freaghduff (I 164) arb é an fhoirm is luaithe de ná *ffreaghduff Inq.(TÁ)* II 8 (1629).

bf Freagh (L 109): foirm is luaithe de *Freagh CGn.* 85.304. 60225 (1736).

I gcás an dá logainm réamhráite is é is dóichí gurb é an bhrí 'a heath, a moor' (*DIL, loc. cit.*) atá le **Fraoch** (< **fróech**) in ionad 'heather'.

[115]

Díol suime réimse brí seo **fraoch** a chur i gcóimheas leis an eilimint *hæð* (Sean-Bhéarla) i logainmneacha Shasana a chiallaíonn, 'a tract of open uncultivated ground' chomh maith le 'heather' (Smith, 1956, 219-220). Réadú Nua-Bhéarla ar an bhfocal céanna is ea *heath* agus faightear *Heath* mar logainm in *UF* (*p* Achadh Cinn Chon, *bar* Chluain Leisc), timpeall deich gciliméadar soir ó dheas ó *Clonfree* faoi chaibidil – ní sine fianaise stairiúil an log. ná foirm Bhéarla an Ainmleabhair, *Heath* (bl. 1837). Tabhair faoi deara chomh maith go gciallaíonn *grug*, focal Breatnaise atá gaolmhar le **fraoch**, idir 'heather agus 'heath' *GPC* (1972, XXIV 1536).

Mar ainmfhocail a fheidhmíonn **(an) Fhraoich** (gin.) agus *he(a)th* sa logainm seo a leanas, *bf Ballinree* i *TÁ* (I 20): *Hethton CJR* II 39 (1305), *Heathstowne* alias *Ballynrie Inq.(TÁ)* II 173 (1634).

(b) B'fhéidir a áiteamh gurbh ainm pearsanta ó cheart é **Fraoch** sa logainm faoi chaibidil (féach *CGH* (Index) 356 agus *CGSH* (Index) 246, 291 s.v. **Fróech** – triúr den ainm ar fad atá sna hinnéacsanna úd). Tá réamhtheachtaí an ainm **Fraoch** caomhnaithe ar inscríbhinn oghaim, MEDVVI MAQI VRAICCI (Macalister, 1945, 16).

Mar ainm pearsanta a mhínítear **Fraoch** i gcás **Cluain Fraoich** eile (*Onom. Goed.* 264), *bf Cloonfree* i *RC* (*p* Chluain Fionnlocha, *bar* Ros Comáin). Dealraíonn sé gurb é an logainm áirithe sin atá luaite in aiste filíochta de chuid an 14ú haois dár tús 'Osnadh carad i gCluain Fraoich', aiste atá caomhnaithe sa lámhscríbhinn *The Book of the Dean of Lismore* (Ross, 1939, 198 ff.). As duine den ainm **Fraoch mac Fithich** a ainmníodh an áit úd de réir an dáin.

Ba é an duine céanna a thug a ainm do **Carn Fraoich** / *Carnfree* i *RC* (*p* Óigeala, *bar* Ros Comáin), achar gairid ó **Cluain Fraoich** réamhráite (féach *Onom. Goed.* 161, Carney, 1955, 33 n.1), de réir mar atá an logainm mínithe sa dinnseanchas (*Rennes Dind.* XVI 137 m.sh.). Ar an gcuma chéanna is ea a mhínítear cáilitheoir an logainm **Dublind Fráech** sa scéal Táin Bó Fraích (*TBF* 9; = **D. Fhroích** Meid, 1970, 37) – scéal a cumadh sa chéad leath den ochtú haois de réir an eagarthóra, Meid (*TBF* xxv; Carney, *op. cit.* 24) – mar aon le **Áth Fraích** a fhaightear in *TBC (Rec. 1)* 27.

Pléadh an gaol atá idir na tagairtí litear
tha seo ar fad i réamhrá *TBF*, in Meid (1970, 13-18) agus in aiste Carney thuasluaite. Ba é tuairim Meid (*TBF* xii), gur 'local Connacht tradition which may have originated in place-name speculation' ba bhun le scéalaíocht seo Fhraoich agus gur **Dublinn Fróich** 'the heathery pool' agus **Carn Fróich** 'the heathery cairn' bunbhrí na logainmneacha úd. Ó thaobh **Fraoch** mar ainm pearsanta de, scríobh Meid (ibid.): 'This does not necessarily imply that the name **Fróech** itself is artificial ... but it is noteworthy that **Fróech** is not a common name'. Ar a shon sin is uile, is díol suime gur i *Rathcroghan* / **Ráth Cruachan** i *RC* (*p* Ail Finn, *bar* Ros Comáin) atá an inscríbhinn thuasluaite leis an ainm treabhchais MAQI

VRAICCI nuair a chuimhnítear go raibh baint lárnach ag **Crúachu > Ráth Cruachan** (*Onom. Goed.* 570) le scéalaíocht Fhraoich atá díreach pléite. Ar an iomlán de bhrí gurbh ainm neamhchoitianta é **Fraoch**, taobh amuigh d'fhianaise n. *b*, agus fós de bhrí go n-oireann an cineál talún atá sa bhaile fearainn (Suíomh thuas) don bhrí 'heather, moor' (n. *a*), is é is dóichí gurb ainmfhocal é **fraoch** sa logainm atá faoi chaibidil.

Tá samplaí eile de **Fraoich** (ginideach) i logainmneacha ar an suíomh idirlín www.logainm.ie

Cluain Gabhra
Clongower B 185; 41; S128572; 6:36

1633	Clonegowrie	*Inq.(TÁ)* II 41
	Clonogoury	*Inq.(TÁ)* II 123
1740	Clongoure	*CGn.* 98. 406. 68932
1765	Clongour	*CGn.* 240.521.156651
1840	Cloongower	*AL:BS*
	Clu... gabhair	*AL:pl* (=*OC*; cuid de doléite)
	Cluain gabhar	*AL*:dúch (=*OC*)
1991	ˌklɑnˈgəur, ˌklanˈgəur, ˌklɑnˈgəu.ər	*Áit.*

pasture of (the) (white) horse

Suíomh:
An tSiúir atá ar an teorainn thoir. Féach an cur síos a thugtar ar thalamh an bhaile fearainn feadh na habhann in *AL*: 'it is bounded on the E[ast] by the river Suir along whose W[est] bank lie pieces of osiery ...'.

Nótaí:
(a)   Freagraíonn na solaoidí stairiúla is luaithe den logainm seo do **Cluain Gabhra**. Tá foirm ghinidigh an cháilitheora ag teacht le solaoidí de ghinideach uatha an fhocail **gabor (2),** baininscneach, in *DIL* (1955, G 6), solaoidí ar nós **gabra** *LU* l. 9684 (*Cath Cairnd Chonaill*). Samplaí luatha den fhoirm **Gabra** (gin. ainmfhocail) i logainmneacha is ea, **Cell Gabra, Mag da Gabra, Mag Gabra, Tír na Gabra** (*Onom. Goed.* 193, 517, 521, 638 faoi seach). Féach chomh maith sráidbhaile agus baile fearainn *Clontygora* in *AM* (*p Chill Shléibhe, bar na nOirthear Uacht.*) / **Cluainte Gabhra** *GÉ* 67; foirm stairiúil den logainm sin ná *Clontegora* in *Esch. Co. Map* 5.26 (1609).

Faoin 18ú haois áfach – foirm na bliana 1765 ach go háirithe, *Clongour* – bhí siolla deireanach an logainm faoi chaibidil ar lár. Tá na foirmeacha a fhaightear in Ainmleabhar an 19ú haois agus fuaimniú áitiúil na bliana 1991 thuas ag cur leis an méid sin.

B'fhéidir gur faoi thionchar dhíochlaonadh an fhocail **gabhar**, 'goat' < **gabor** (1) *o*-thamhan, firinscneach (*DIL*, 1955, G 6) a rinneadh **Cluain Gabha(i)r** de **Cluain Gabhra**. Tabhair faoi deara go ndíochlaontar na focail **gobhar, gabhar** ar nós **Albanach**, gin. **Albanaigh**, de réir *IGT* II 71 §17 'acht indscne bainindsci innta' (ibid.): 'i.e. it is declined as *o*-stem, but takes feminine pronoun' (*DIL*, s.v. **gabor 2**).

Cuireann fianaise an logainm seo a leanas i *TÁ* an t-athrú **Gabhra** (gin.) > **Gabhar** in iúl: *bf Ballinagore* (L 196) ar a dtugtar san fhianaise is luaithe, *Bellagowry CS* II 137, 140 (1654), *Bauagoury* (sic) *DS* (1657), *Ballagowrie DS (P)*. Réadú atá ansin ar **Béal Átha Gabhra**. Cuir i gcóimheas le foirm seo an 18ú haois, *Bealagour CGn.* 2.439.553 (1709) agus le foirm Ghaeilge *AL* (1840), **Beúl ath gabhar** scríofa le peann luaidhe.

I dtaca le *bf, p Magowry* / **Maigh Gabhra** de i *TÁ* (*bar* an Treana Mheánaigh), tá a lán de sholaoidí an logainm i dtéacsanna Laidine nó Béarla ag teacht leis an bhfoirm Ghaeilge **Ma(i)gh Gabhra**, leithéid *Muiggabra Reg. St. Jn. B* 315 (1220c), *Magheayrtha Ann. Cas.* 21 (1492), *Mogawrye F* 2282 (1573), *Mogowra* alias *Mougaure F* 5408 (1590), *Mogawrie F* 6583 (1603), *Moygawrae, Moygowre, Moigawrae CPR* 11 (1603) srl. Cuir leis an méid sin foirmeacha Gaeilge an logainm a scríobhadh le peann luaidhe san Ainmleabhar, **Mádh ghoradh, Mogorthadh** mar aon leis an leagan a scríobhadh le dúch in *AL*, **Magh góra**. Dealraíonn sé, os a choinne sin, go bhfuil guta deiridh neamhaiceanta na Gaeilge fágtha ar lár i gcuid de na foirmeacha traslitrithe atá againn (cf. *Log. na hÉ* II 11), foirmeacha ar nós *Moygauer, Macgauer Reg. St. Jn. B* 311 (1200c), *Maggauer Reg. St. Jn. B* 312, *Moigauer Reg. St. Jn.* 283 (1210c), *Mogawyr COD* III 62, 63 (1428), *Macgawr Ann. Lis.* 30 (1484).

(b)   Ar bhruach thoir na Siúire, os comhair *Clongower* faoi chaibidil agus in aon pharóiste leis, tá baile fearainn den ainm *Monakeeba* / **Móin na Cíbe** a chiallaíonn, 'bog-land of the sedge'. Ar theorainn theas **Móin na Cíbe** tá bealach uisce den ainm *Poulaneigh (Manor) River* léirithe ar *TÁ* (*SO*) 41, ar géag é den tSiúir. Ní sine fianaise stairiúil ainm na habhann ná iontrálacha Ainmleabhair (*p Galbooly*), bliain 1840, viz. **Poll an ĕigh** scríofa le peann luiadhe, 'pron[ounce]d *Poulanĕh*' scríofa le dúch, **Poll an ĕich** foirm Ghaeilge an dúigh i láimh *OD*. Tá dealramh le moladh úd an Donnabháinaigh, gur **[Abhainn] P[h]oll an Eich** (gin. u. **each**), ceartainm na habhann.

I mbarúntacht Éile Uí Fhógarta atá **Poll an Eich** agus **Cluain Gabhra** araon. I seanchríoch **Éile** (*bar* Ó Cairín) a bhí *Cluain Each supra* chomh maith. Sa dúthaigh chéanna mar sin faightear idir **each** agus **gabhar**, sa chiall choiteann capall, mar cháilitheoirí i logainmneacha. Ní dáileadh canúnach más ea is cúis le **each** agus **gabhar** a bheith i logainmneacha difriúla, ach difríocht bhrí de réir dealraimh. Bhí brí **gabhar** < **gabor** (n. *a*, bain.) beachtaithe chomh fada siar le *Sanas Cormaic* m.sh., sa naoú haois, tráth ar maíodh gur 'ech gel' (.i. bán) a bhí ann (Meyer, 1912,

55 §675), nó neachtar acu, 'cid cia dath aile bess forsind euch, dia mbē bec do ghil and, is goor a nomen' (ibid.); féach leis iontráil **gabor 2** (*DIL*, G 6) agus Kelly (1997, 92). Tá fianaise luath bailithe ag Kelly sa saothar deireanach a thaispeánann gurbh ionann **ech** agus 'a horse for riding' – **ech immrimme** m.sh. i *Críth Gabl.* 6 (8ú haois) – chomh maith le, '**ech** is also used as a generic term to include all kinds of horses, ... in legal glosses *ech* is taken to refer to the male ...' (Kelly, 1997, 90, n. 184; féach chomh maith **ech**, *DIL*, 1932, E 27-9).

Cluain Gainiú
Clonganhue A 169; 50, 51; R870458; 6:37

1619	Cluoynganhybe	*CPR* 454
1654	Clonegannow	*CS* II 75
	Clonganon	*CS* II 79
	Clonganow	*CS* II 82
	Cloneganhue	*CS* II 83
1830	Clonganniffe	*CGn.* 862.294.574794
1840	Clonganhue	*AL:BS*
	Cluain gainthíu	*AL:pl* (glanta)
	Cluain gainthiú	*AL*:dúch (=*OD*)
1989	ˌklaŋgəˈnjuː, ˌklongəˈnu:	*Áit.*

sandy pasture

Suíomh:
(i) Suite cois srutháin; foghéag den abhainn *Dead River* / **An Abhainn Mharbh**.
(ii) Is éard atá scríofa faoi thalamh an bhaile fearainn in *AL* 'the land is flat an dry'.

Nótaí:
(a) Cé go bhfuil an fhoirm Ghaeilge a scríobhadh le peann luaidhe san Ainmleabhar glanta, is féidir a lorg a dhéanamh amach, **Cluain gainthíu** (sic). Is ar an gcaoi seo a d'aistrigh Ó Donnabháin an fhoirm a scríobh seisean le dúch ar an leathanach céanna den *AL*, **Cluain gainthiú**, 'sandy lawn or meadow'. Sílimid gur bhain an Donnabhánach an bhrí cheart as an logainm. Tá an chuma ar fhoirm na bliana 1830 thuas, *Clonganniffe*, gur tuigeadh an uair úd fiú go raibh baint ag an gcáilitheoir leis an bhfocal **gaineamh**.
(b) B'fhéidir foirm chanúnach an cháilitheora, foirm a bhí seanbhunaithe faoi lár an 17ú haois – féach fianaise stairiúil thuas idir 1654 agus 1840 chomh maith le fuaimniú áitiúil na bliana 1989 – a rianú siar go dtí an fréamhaí aidiachtúil seo a leanas, **gainemdae**, gan meánchoimriú déanta ar an mbunfhocal ar chuma **domund(a)e** srl. (*GOI* 220 §347; cf. **gainmide** *DIL*, 1955, G 26). Tá m.sh. foirm

[119]

níos nua-aimseartha den aidiacht chéanna le fáil in insint phróis Leabhar Buí Leacáin (*YBL*) de *Immram curaig Máele Dúin*, **ganemdha** (Oskamp, 1970, 3; *DIL*, G 25 s.v. **gainemda**). Ba iarmhír aidiachtúil, bhisiúil í -*de* i ré na Sean-Ghaeilge (*GOI* 220-2; < *-aðyo/ā-* McCone, 1994, 121 & 127) agus fós sa Nua-Ghaeilge Chlasaiceach (-*tha, -dha IGT* I 32-6; McManus, 1994, 382). Má chuirtear san áireamh go bhfuil an fhoirm **gainmhedha** le fáil i Leabhar Bhaile an Mhóta (*BB*) 488 a 25 sa scéal *Beatha Alaxandair* (féach faoi **Amain Gainmhedha** *Onom. Goed.* 30, **Abha(nn) Ghainmheadha** *FSÁG* I 4), is inmheasta gur chlaochlaigh foirm bhunaidh an cháilitheora mar a leanas, **gainemda(e)** > **gainmhe(a)dha** (de bharr meititéise) > **Gain(th)iú** (foirm *AL*). Cuir i gcóimheas m.sh. le foirceann -*m(h)ad(h)* orduimhreacha > -*ú* (Ó Cuív, 1944, 114).

Tá an fhoirm **gainiú** le fail freisin san ainm '**An Tráig Leathan** nú **Trá Ghainiú**' a bailíodh ó Sheán Ó hAo (1861-1916) i gceantar Chuan Dor, *bar* Chaibreach Thoir (An Roinn Thiar) in iardheisceart *Co* (*Sean. ó Chairbre* 26). Dealraíonn sé go raibh an cainteoir ag trácht ar *Red Strand SO* atá idir Ceann Dhún dTéide agus Ceann Dhún Eoghain. Sampla de leagan ginidigh an fhocail **gaineamh** ó bhéal an fhir chéanna is ea an t-ainm seo a leanas, 'tá tráigh bhreá ghainí ann go nglaoid said *Sandy Cove* air **Tráig Gainí**' (ibid. 29).

Cuir (**Cluain**) **Gainiú** i gcomparáid leis an bhforbairt fhoghraíochta a d'imigh ar ghinideach uatha an ainmfhocail **gaineamh** i logainmneacha de chuid *TÁ*, mar *Cill Ghainimhe* > [ˌkˈailˈɣɑˈnˈiː] atá cíortha i *Log. na hÉ* II 144-5.

Cluain Gamhna
Clongowna J 58; 2; M992090; 6:38

1616	Clonigawne	*CPR* 356
1654	Clounegowna	*CS* II 280
	Cloungowna	*CS* II 320
	Clongowna	*CS* II 321
	Clonnegowna	*CS* II 322
1657	Clonegowna	*DS*
1840	Clon gamhna	*AL:pl* (=*OC*)
	Cluain gamhna	*AL:*dúch (=*OC*)
1989	klənˈgəunə	*Áit.*

pasture of (the) (yearling) calf, calves

Suíomh:
(i)   Tá sruthán ar theorainn thoir an bhaile fearainn ar a dtugtar *Pallas River* ar eagrán athbhreithnithe (1901) de *TÁ (SO)* 2. Lastoir den nglaise úd tá *bf Annagh* (J 58); is í *Anagh* in *Cen.* 298 (1659c) an fhoirm is luaithe den logainm .i.

TÁ (SO) 2

réadú ar **Eanach / Anach** a chiallaíonn 'marsh, bog' (féach cáilitheoir *Cluain Eanaigh supra*).

(ii) I dteorainn thuaidh le *Little Brosna River* / **An Bhrosnach Bheag**. Seo é an cur síos a rinneadh in *AL* (bl. 1840) ar an gcuid thuaidh den mbaile fearainn, 'the North end consists of much bog' (féach an léarscáil thuas agus an grianghraf ar lch. 122). Tá an t-aicmiú a rinneadh ar thuaisceart an bhaile fearainn ar léarscáil *DS* ag teacht leis an méid sin, 'Bog and wood unprofitable'. Ba é an cuntas áitiúil a tugadh dúinne ar an áit sa bhliain 1989, 'it floods every year'.

Nótaí:
I dtaca le cáilitheoir an logainm de, is í **gamna** foirm dheilbhíochta ginidigh uatha agus ginidigh iolra an ainmfhocail **gamuin,** *i*-thamhan firinscneach, de réir solaoidí *DIL* (1966, G 41-2); féach **gamhain**, 'calf' *FGB* 609.

[121]

Tuaisceart Chluain Gamhna gona phortach; An Bhrosnach Bheag in uachtar ar dheis

(a) Tá ginideach iolra an ainmfhocail caomhnaithe sa dá logainm seo a leanas i *TÁ*:
bf Gortnagowna (K 174) arb é an fhoirm is luaithe de ná *Gortnagowna CS* II
227-9, 231 srl. (1654);
bf Gortnagowna (F 95) ar a dtugtar *Gortnagowny CS* I 7-9 (1654).
Réadú ar **Gort na nGamhna** atá sa dá sholaoid sin. Ní léirítear go hiondúil
g- uraithe na Gaeilge i dtraslitriú Béarlaithe logainmneacha (féach Réamhrá,
lch. 8).

(b) Samplaí eile de **Cluain Gamhna** iad na logainmneacha seo a leanas in áiteanna
seachas *TÁ*:
bf Cloongownagh i *Lm* (*p* Áth Dara, *bar* Chaonraí) nó *Clonegowne Inq.(Lm)*
I 252 (1595) roimhe sin – féach *Log. na hÉ* I 118.
bf Clongawny in iarthuaisceart *UF* (*p* Chluain Mhic Nóis, *bar* Gharraí an
Chaisleáin): foirm is luaithe de, *Clonnegawney F* 2666 (1575).

bf Clongawny Beg, More in *UF* (*p* Chill Ríonaí, *bar* Gharraí an Chaisleáin): foirm is luaithe de, *Clongawnagh CPR* 528 (1622).

bf Cloongouna i *Cl* (*p* Chill na Móna, *bar* Inse Uí Chuinn) ar a dtugtar *Cloongownagh BSD (Cl)* 580 (1660c), **Cluain Ghúna** *AL*, scríofa le peann luaidhe (1839).

bf Clongawna i *Ga* (*p* Bhaile Mhic an Bhaird, *bar* Thigh Dachoinne) ar a dtugtar *Clonegawnye Inq.(Ga)* I 98 (1593).

Cluain Gamna *CGSH* 109 §663.8 agus ibid. 209, n. 8 mar a dtugtar fianaise gurb ionann an logainm sin agus 'Cill Clúana Gamna' *BColmáin maic L* 8 > *bf Clongawny SO* in *IM* (*p* an Mhuilinn Chearr, *bar* Mhaigh Asail). Tá suíomh na cille úd as Beatha Colmáin mhic Luacháin tugtha chomh maith in *PN Westmeath* 220.

Cluain Guas
Clonagoose M 117; 63; S350398; 6:39

1577	Clonegoise	*F* 3094
1584	Clonegoes	*COD* VI 13
1601	Clonegoeste	*F* 6564
1635	Clonegoust	*Inq.(TÁ)* II 205
1654	Clonegouse	*CS* I 124,126, 137 srl.
	Clongouse	*CS* I 136
1657	Clongonra	*DS*
	Clonagouse	*DS (P)*
1659	Cloongoe	*Cen.* 296
1660c	Clonagouse	*BSD (TÁ)* 166
1665-6	Clonguose	*HMR (TÁ)* 35
1666-7	Honegoose	*HMR (TÁ)* 131
	Clonegouse	*HMR (TÁ)* 132
1667	Clonagouse	*ASE* 102
1685	Clongoma	*Hib. Del.*
1758	Clounaglouse	*Vis. Bk.* I 3
	Cloonaglouse	*Vis. Bk.* I 4
1840	Clonagoose	*AL:BS*
	'In Irish it is Clonagloose'	*AL*:dúch (=*OD*)
	'Cluain na g-cluas, "plain or lawn of the ears", is the present Irish name'	*AL*: dúch (=*OD*)
	Cluain na g-cluas	*AL:pl* (=*OD*)
	Cluain na gcuas	*AL*:dúch (=*OD*)
1989	ˌklɑnəˈguːs, ˌklonəˈguːs	*Áit.*

pasture of ?

Suíomh:
(i) Tá sruthán gan ainm ar theorainn thiar theas an bhaile fearainn agus is é an tuairisc a thugtar ar an talamh feadh an tsrutháin ar *TÁ (SO)*, eagrán athbhreithnithe 1905, ná 'liable to floods'.
(ii) Seo cuid den chur síos a rinneadh in *AL* (bl. 1840) ar an gcineál talún a bhí sa bhaile fearainn, ' ... a small portion of bog at the N[orthern] boundary ... the remainder is tillage and pasture'. De réir *CS* I 136 (1654), 'shrubby bogg' agus 'redd bogg' a bhí sa cheathrú cuid nach mór d'achar *Clongouse* an tráth úd. 'Woody pasture' ba ea an talamh úd de réir *DS* (1657).
(iii) De réir foinsí an 17ú haois (*CS, DS* m.sh.) bhí an t-aonad talún atá idir lámha i dteorainn le **Cill Achaidh** – féach *Log. na hÉ* II 41.

Nótaí:
(a) *Clonagoose* an fhoirm Bhéarlaithe atá curtha síos do 'Boundary Surveyor' san Ainmleabhar. Réitíonn fuaimniú áitiúil an logainm, bliain 1989, leis an bhfoirm sin. Ní foláir nó bhunaigh Ó Donnabháin an fhoirm athchumtha Ghaeilge, agus an t-aistriúchán dá réir, atá againn uaidh in *AL* ar fhianaise den chineál sin, **Cluain na gcuas** 'plain, lawn or bog island of the caves'. Sin í an fhoirm Ghaeilge atá molta ag P. W. Joyce (1913, 209) chomh maith. Is léir áfach ón bhfianaise Ghaeilge eile atá ar taifead in *AL* go raibh athrú foghraíochta tar éis titim amach a bhí ag teacht le hathmhíniú ar an logainm, mar atá **Cluain na g-cluas** 'plain or lawn of the ears'. Is léir fairis sin ón nóta, '... is the present Irish name' a chuir *OD* leis an bhfoirm dheireanach gur ó chainteoirí Gaeilge áitiúla a fuarthas í. Is áirithe ó fhoirmeacha stairiúla na bliana 1758, *Clounaglouse, Cloonaglouse*, go raibh an *-l-* sáiteach tagtha i dtreis sa siolla déanach um an dtaca sin.
Tá *-l-* sáiteach le feiceáil sa suíomh céanna i bhfianaise *bf Bleannagloos / **Bléan na gCuas** in oirthuaisceart *Ga* (*p, bar* Chill Liatháin): *Bleneguosse BSD (Ga)* 161 (1660c), *Bleneglass CGn.* 9.124.3356 (1712), **Blean na Gluas** *AL*, scríofa le peann luaidhe (1838).
(b) Guta cúnta ó bhunús dar linne atá sa siolla breise a fheictear i gcuid d'fhianaise stairiúil an logainm, idir an chéad eilimint **Cluain** agus *-gouse*, **g-cluas** srl.: *Clonagouse* (blianta 1657, 1660), **Cluain na g-cl.** *AL*. Cuir i gcóimheas le **Cluain Lao** *infra*, n. *a*.
(c) Is díol comparáide é cáilitheoir an logainm lena shamhail d'fhocal i logainmneacha eile atá ar eolas againn. Téann fianaise stairiúil *Clonagoose* i gcosúlacht le fianaise stairiúil *bf, p Clonygoose* i *Ce* (*bar* Ó Dróna Thoir). Seans gur foirm measartha luath den logainm deireanach atá san iontráil amhrasach seo, '*Balycoys* or *Calencoys* (?)' *Pap. Tax.* xii ('corrigenda'), 249 (1302-6c). Tá foirmeacha cinnte den log. úd ar fáil chomh maith, *Clonegoes F* 1060 (1567), *Clongoes F* 2935 (1576), *Clonegose F* 5404 (1590), *Clongosh*

Irl. Reg. (1595), *Cloncurgwoase Inq. Lag. (Ce)* §10 Car. I (1626), *Clonegouse Inq. Lag. (Ce)* §59 Car. I (1636). Tabhair faoi deara go bhfuil foirmeacha Gaeilge an Ainmleabhair den logainm faoi chaibidil i *TÁ* agus iontrálacha *AL* logainm sin *Ce*, mar atá **Cluain na gcuas, na gcluas**, go bhfuilid mar an gcéanna.

Tá trí logainm ar leith i *Mu* arb é **Droim Guaise** an fhoirm Ghaeilge atá molta dóibh uile i *Liostaí Log. Mu* 28:

bf Drumgoask (*p* Tigh Damhnata, *bar* Mhuineacháin), ar a dtugtar *Dromgowise Inq. Ult.(Mu)* §7 Car. I (1625), *Dromgnose* (sic, leg. *-guose* ?) *Inq. Ult. (Mu)* §44 Car. I (1630), *Drumgoase Cen.* 149 (1659).

bf Drumgoose (*p* Dhomhnach Maighean, *bar* Fhearnaí), foirmeacha stairiúla is luaithe de: *Dromgnaise* (sic) *Farney Lands* 7 (1630), *Dromgoes* in *Essex Lands* (1634-5), *Drumgoase Cen.* 157 (1659).

bf Drumgoast (*p* Chluain Eois, *bar* Mhuineacháin), logainm ar díol amhrais a bunfhoirm: *Drumqua DS* (1657) an fhoirm Bhéarlaithe is luaithe de.

Is inmheasta gurb ionann cáilitheoir an chéad dá logainm sin i *Mu*, ach go háirithe, agus ginideach uatha an ainmfhocail **gúas**, 'danger, peril', *ā*-thamhan, bain. (*DIL*, 1955, G 170) > **guais** *FGB* 677. (An t-aon solaoid amháin atá ar eolas againne de **Guas** mar ainm pearsanta ná **Guas ingen Maine m[eic] Nēill [Noígiallaig]** *CGSH* 174 §722.37.)

Is díol suime i gceann an mhéid sin an logainm eile seo atá i *Mu*: *bf Drumgoosat* (*p* Mhachaire Cluana, *bar* Fhearnaí) arb iad na foirmeacha stairiúla is luaithe de ná *Dromguassagh* in *Farney Lands* 11 (1630), *Dromgosatt Essex Lands* (1634-5), *Drumgossatt Cen.* 157 (1659). Leagan Gaeilge an logainm ná **Droim Guasachta** i *Liostaí Log. Mu* 28. Ainmfhocal teibí is ea **gúasacht**, 'danger, peril, difficulty' (*DIL*, 1955, G 170) agus fréamhaí is ea é ón ainmfhocal **gúas** thuasluaite. Ainm pearsanta, fireann is ea **Gúasacht** chomh maith: féach m.sh. **Gúasacht macc Milcon** *Bethu Phát.* 55 arb ionann é agus **Gosactus filius Milcon Maccu-Booin, Gosacht** i *Collectanea* Thírecháin (*Pat. Texts* 136, 162 faoi seach). Cf. GOSSUCTIAS, *ā*-thamhan (Macalister, 1945, 183 *et var.*; O'Brien, 1973, 224) .i. réamhtheachtaí an ainm úd ar inscríbhinn Oghaim ó ré na Gaeilge Cianaí.

(d) Ar an láimh eile, b'fhéidir gur ****Droim gCuais** (< **cúas**, 'hollow, cavity' srl., *DIL*) ó cheart a bhí sa chéad dá logainm de chuid *Mu* a phléadh i n. *c* thuas, toisc gurbh ainmfhocal neodrach é **Druim(m)** sa tSean-Ghaeilge.

In *Top Index* 256, 257, 269, 270 faoi seach, tá bailte fearainn éagsúla cláraithe faoi na foirmeacha oifigiúla Béarlaithe *Cloncose, Cloncouse, Clooncoose, Clooncose, Clooncous* agus de réir an taighde atá déanta againne ar a lán díobh, is é an bunús **Cluain Cuas / Cuais** atá leo. Níor mhiste trí eiseamláir a chur síos anseo:

Clooncoose i *Cl* (*p* an Chairn, *bar* Bhoirne) ar a dtugtar *Clouncouse* in *Inchiquin* 305 (1607), **Cluan cuas** *AL*, scríofa le peann luaidhe (bl. 1839);
Cloncouse i *Co* (*p* Bhaile na Daibhche, *bar* Chairbreach Thoir) ar a dtugtar *Clonecuose CPR* 51 (1604).

I dtaca le *bf Clooncous* de i *ME* (*p* Chill Bheitheach, *bar* Choistealach), is fiú a lua go bhfaightear an litir -*g*- áit a mbeifí ag dréim le -*c*- in dhá shampla Bhéarlaithe den logainm ón 17ú haois, *Cluongnose* (sic) *Straff. Inq.* 5 (1635), *Cloonecuosse* alias *Cloonegoose BSD (ME)* 84 (1660c). Foirmeacha eisceachtúla is ea iad sin áfach – **Clun cúas** a scríobhadh le peann luaidhe in *AL* (1838) cuir i gcás.

Dá bhrí sin, cé go bhfaighfí an logainm atá idir chamáin a rianú siar go dtí **Cluain Guas**, (nó **Guaise**), b'ait linn go mbeadh **guas/guaise**, sa chiall 'danger(s)' (n. *c*), ag cáiliú **cluain**. Réiteach eile fós ná *Cluain gCuas, 'pasture of (the) hollows', .i. foirm dheilbhíochta shioctha áinsíoch uatha **Cluain** + ginideach iolra **Cuas**.

An Cluainín (1)
Cloneen I, M 39; 71; S274361; 6:40

1278	Clonyns	*CDI* II 298?
1302c	Clonyns	*Pap. Tax.* 317
1306c	Clonynger	*Pap. Tax.* 284
1333	Clonynis	*COD* I 283
1335	Clonyns	*COD* I 283
1370-90	Clonynys	*IMED* 230
1398	Clonynes	*COD* II 232
1437	Clonyne	*Proc. CE* 330
1491	Clomnis	*Ann. Cas.* 20
1508	Clonyn	*COD* III 333
1525	Clonyn	*COD* IV 101
1536	Clonynge	*IMED* 251
1539-40	Clonynge	*Inq.(TÁ)* I 39
	Clonyng	*Inq.(TÁ)* I 40, 41, 43
1541	Clonyngs	*Ir. Mon. Poss.* 64
	Clonyng	*Ir. Mon. Poss.* 64, 65, 68
1543	Clonyngs	*F* 374
1544	Clonynges	*COD* IV 265
	Twoheclonyn	*COD* IV 275
1560	Clonyne	*COD* V 116
1561	Clonynge	*F* 347

	Clanyngs	*F* 322
1576	Clonyn	*COD* V 274
1590	Cloning	*COD* VI 44
	Clonings	*F* 5408
1591	Clonings	*F* 5695
	Clonyn	*DSPMcGrath* 149
1603	Cloninges	*CPR* 11
1607	Twothclonyne	*CPR* 112
1607-8	Clonynd	*RVis.(CE)* 300
	Clonyn	*RVis.(CE)* 307
1615	Clonings	*CPR* 286
	Clonyn	*RVis.(CE)* 287
1621	Cloning alias Clonnings	*CPR* 509
1654	Clonyne	*CS* I 158, 160, 166 *et var.*
	Monyclonyne	*CS* I 148
1817	poroiste **an Chluainín**	*RIA* 23 A 44
1840	Cluainin	*AL:pl* (=*OD*)
	Cluainín	*AL*:dúch (=*OD*)
1989	klu:'ni:n	*Áit.*

the little pasture

Suíomh: *Cloneen Church (in ruins), bf Ballyhomuck, p Cloneen.*
(i) Rinne Ó Donnabháin cur síos ar na hiarsmaí eaglasta réamhluaite i *LSO (TÁ)* I 69/184-5: 'The old church of this parish is of no antiquity ..., it being not more than three centuries old and built in a very rude style'.
(ii) In aice leis an láthair eaglasta ar an taobh thiar léirítear sruthán gan ainm ar *SO* ag rith ó dheas go dtí *Anner River* / **An Annúir**, abhainn atá faoi bhun ciliméadair laisteas de na hiarsmaí eaglasta.
(iii) Sa chur síos a rinneadh i *CS* I 148 ar an gcuid de pharóiste an Chluainín a bhí i ndúthaigh na Coimseanach (féach n. *b* thíos), bhí 'Monyclonyne' idir é agus tailte eile de chuid an pharóiste i mbarúntacht an Treana Mheánaigh lastoir. Más amhlaidh go gcuireann an logainm aonair sin ***Móin an Chluainín** in iúl, ní foláir nó bhí móin nó portach ansin tráth.
(iv) Teorantach laisteas le *bf Kilburry (West)* / **Cill Bhearaigh** – féach *Log. na hÉ* II 59.

Nótaí:
(a) Ar fhoirm cháin phápach na bliana 1306c thuas, *Clonynger*, is ea a bunaíodh an fhoirm Ghaeilge athchruthaithe **Cluainin Gerr** in *Onom. Goed.* 265. Ní

thagann an chuid eile de an leaganacha stairiúla leis an bhfoirm sin. I bhfianaise samplaí eile den logainm i dtéacsanna Laidine nó Béarla, leithéidí *Clonynge* (1536), *Clonynges* (1544), *Cloninges* (1603) *et al.* thuas, ba chóir foirm *Pap. Tax.* a leasú mar a leanas dar linn, *Clonynges*.

(b) Foirceann -*s* atá ag a lán d'fhoirmeacha stairiúla an logainm anuas go dtí an 17ú haois (féach n. *a*). Uimhir iolra an Bhéarla a chuireann an foirceann sin in iúl. San uimhir uatha atá an logainm san fhianaise Ghaeilge. Féach cuir i gcás gurbh é ainm a tugadh ar an áit i lámhscríbhinn ón mbliain 1817, **poroiste an Chluainín** (féach *RIA Cat.* 970).

Cuir foirceann iolra an Bhéarla, -*s*, atá léirithe thuas i gcontrárthacht le cuid de leaganacha stairiúla *Cluainín 3*, leithéid *Clonyny* (bl. 1654), ar traslitriú iad de réir dealraimh ar **Cluainíní** na Gaeilge.

Tá paróiste *Cloneen SO* roinnte idir barúntacht Shliabh Ardach (= M) agus barúntacht an Treana Mheánaigh (= I). Bhí na 'townshipps' éagsúla (.i. na bailte fearainn) scartha ó chéile cheana féin sa dá leath den pharóiste in *CS* I 148-9, 166-9. B'fhéidir gurbh í an deighilt sin – a bhí bunaithe ar theorainneacha an dá 'cantred' mhéanaoiseacha, *Cumsy CDI* I 44 (1206), *le Comsy IMED* 313, *Compsy CS* I 101 (1654), **na Cuimse(a)nach** (gin.) *LM* 222-3, **na Coimsionach** (gin.) *LGen.* III 816.3 srl. (ionann is deisceart *bar* M, féach 'territory of Compsy' *CS* I 101) agus *Moctalyn* (oirthear *bar* I; féach Empey, 1970, 26) – is cúis le foirm an iolra *Clonyns* (*et var.*) san fhianaise stairiúil.

(c) Cuireann dhá leagan Bhéarlaithe den logainm seo **Tuath C(h)luainín** in iúl, *Twoheclonyn* (bliain 1544) agus *Twothclonyne* (bl. 1607). Sa dá shampla sonraítear áit ar leith laistigh den tuath: 'a field called Banevickshane' i ngníomhas na bliana 1544 > *bf Bawnmacshane SO* / **Bán Mhic Sheáin**, *p* an Chluainín; *Balliknockane* i ndeontas na bliana 1607, logainm nach bhfuil ann a thuilleadh ach a bhí suite tráth ar theorainn thiar pharóiste an Chluainín, mar atá léirithe i dtagairtí dó ar nós *Bally Knockan* in 'parish of Coolemundry' *CS* I 183 (= *p Coolmundry SO*, laistiar de *p Clooneen*).

An Cluainín (2)
Cloneen F 45; 17; S136869; 6:41

1633	Clonyne	*Inq.(TÁ)* II 62
1654	Clonyne	*CS* I 4, 30
	Clonyny	*CS* I 7, 12, 13
	Cloneene	*CS* I 9
1657	Cloneny	*DS*
1659	Clonyne	*Cen.* 315

| 1840 | Cluainín, 'little meadow, lawn or boggy pasturaage' | *AL:* dúch (=*OD*) |
| 1991 | 'klo:nən | *Áit.* |

the little pasture

Suíomh:
An cur síos a rinneadh san Ainmleabhar ar chineál na talún sa bhaile fearainn ná, 'contains some portions of bog, rest arable'. Teorantach lastoir le 'notorious red bog', de réir léarscáil *DS* (1657).

An Cluainín (Íochtarach, Láir, Uachtarach) (3)
Clooneen (Lower, Middle, Upper) J, K 111; 15; R928861; 6:42

1633	Clonyng	*Inq.(TÁ)* II 139
	Clonine	*Inq.(TÁ)* II 161
1654	Clonyny	*CS* II 278, 285, 286
	Clonyne	*CS* II 254, 292
	Clonnyny	*CS* II 252
1657	Clonyne	*DS*
1660c	Clonyne	*BSD (TÁ)* 223
1665-6	Cloniny	*HMR (TÁ)* 48
1666-7	Clonyny	*HMR (TÁ)* 178
1840	Cluneen Lower, Upper	*AL:* W. C. Crawford Esq.
	Cl...inín	*AL:pl* (glanta)
	Cluainín	*AL:*dúch (=*OD*)
1989	klu:'ni:n	*Áit.*

the little pasture

Suíomh:
(i) Portach, 'bog(g)', a bhí i gcuid den aonad talún seo de réir *DS* agus *CS* II 254. Seo cuid den chur síos a rinneadh in *AL* ar chineál na talún in *Clooneen Lower*, '... partially cultivated; it contains several pieces of furze, underwood and rocks; the West end is under bog', agus in *Clooneen Upper* ansin, 'the greater part is under rocks, underwood and furze with a large piece of bog in the North West end ... the remaining part is chiefly under cultivation'. Tá an réimse portaigh céanna i gcuid den Chluainín Láir agus i mbailte fearann eile lastuaidh de na Cluaininí faoi chaibidil, leithéid

Portach an Chluainín Íochtaraigh, Láir, Uachtaraigh

Kyle (n. *ii* thíos); féach an grianghraf thuas agus an léarscáil ar lch. 131 i do dhiaidh.

(ii) I dteorainn le *bf Kyle* taobh thiar thuaidh (J 5), ar samplaí stairiúla de iad seo, *Kildownquirck Inq.(TÁ)* II 139 (1633), *Kiltoncurcke Inq.(TÁ)* II 158, *Dune Cuirke Inq.(TÁ)* III 88 (1637), *Killdunequirke CS* II 281 (1654) *et var.*, *Kildonquirke CGn.* 69.395.48901 (1732), *Kyle AL:BS* (1840) .i. ***Coill Dúin Choirc**. Ní dócha go bhfuil foirm Ghaeilge an Ainmleabhair, (*p* Ard Cróine), iontaofa sa chás seo, **Cill Clon Circ** scríofa le peann luaidhe i bpeannaireacht Uí Chonchúir agus le dúch i bpeannaireacht Uí Dhónaill.

TÁ (SO) 15

Nóta:
An uimhir iolra, **Cluainíní**, a chuireann roinnt de leaganacha stairiúla an 17ú haois thuas in iúl is cosúil (féach *Cluainín 1 supra*, n. *b*). Bhí an bunaonad talún roinnte in dhá bhaile fearainn faoin 19ú haois – *Cluneen Lower, Upper, AL* (1840c) m.sh. Scríobhadh foroinn breise isteach san Ainmleabhar le dúch dearg (i bhfoirm ceartúcháin), *Clooneen Middle*.

Cluain Ineasclainn
Cloneska J 4; 4, 5, 7, 8; M970005; 6:43

1615	Cloneonesklane	*CPR* 298
1654	Cloneskane	*CS* II 280
1654	Cloneskon	*CS* II 347, 349
	Cloneskan	*CS* II 349

1657	Cloneskan	*DS*
	Clonesken	*DS (P)*
1660c	Cloneskea	*BSD (TÁ)* 245
1675	Cloneskine	*Inq.(TÁ)* III 363
1685	Cloneskvi	*Hib. Del.*
1755	Cloghneska	*CGn.* 176.437.119459
1840	Cloneskah	*AL:BS*
	Clonesce	*AL:pl* (=*OC*)
	Cluain Esce	*AL:*dúch (=*OD*)
1989	ˌklɑˈneskə, ˌkluːˈneskə, ˌklɑˈniskə	*Áit.*

pasture of (the) bogland, wet-land?

Suíomh:
Is é tuairisc a tugadh in *AL* ar an gcineál talún a bhí sa bhaile fearainn ná, '... being composed of rough, boggy land, furze etc.'. Ar an gcuma chéanna, 'bog' ba ea cuid den mbaile fearainn de réir *DS* (1657). Is portach atá in oirthear agus i dtuaisceart

Oirdheisceart Chluain Ineasclainn gona phortach

an *bf* mar atá le feiscint sa ghrianghraf ar an lch. thall den chúinne thoir theas. I lár an 17ú haois bhí an t-aonad talún seo teorantach lastuaidh le 'the Reddbogg called Loscalorgan' *CS* II 349 (logainm atá caillte ó shin) agus lastoir le 'Monglosky' (ibid., ionann is *bf Munlusk SO*) nó **Mong Loiscthe** a chiallaíonn 'burnt swamp'.

Nótaí:

(a) **Clon esce** an fhoirm Ghaeilge a scríobhadh le peann luaidhe san Ainmleabhar. Ní mór amhras a chaitheamh ar bharántúlacht na foirme sin áfach, de bhrí nach raibh ach 0.7%. de dhaonra iomlán bharúntacht Urumhan Íocht. ina nGaeilgeoirí de réir daonáireamh na bliana 1851. Tá an dealramh ar chuid d'fhoirmeacha stairiúla an log. ón 17ú haois gur **eascann** a bhí ina dheireadh thiar; féach **escand**, 'a vessel for bailing or dispensing water' *DIL* (1967, E 123), arbh fhocal iasachta ón mBreatnais é de réir Shanas Chormaic (Russell, 1995, 177-8). Tá tuairim eile ar bhunús an log. tugtha i n. *b* ina dhiaidh seo.

(b) Más féidir iontaoibh a thabhairt leis an bhfoirm stairiúil is sine den logainm, *Cloneonesklane*, is é is dóichí gur réadú atá san fhocal deireanach ar **inescland** (*DIL*, 1966, 250). Is í an eilimint chéanna atá mar cháilitheoir sa logainm *bf*, *p Dromiskin* i *Lú* (*bar* Lú) / **Droim Ineasclainn** (*Liostaí Log. Lú* 2). Tá raidhse tagairtí don logainm áirithe sin i bhfoinsí Gaeilge (*Onom. Goed.* 363 s.v. **D. Enesclaind**), ní hionann is *Cloneska* faoi chaibidil. Is í **Druim Inasclaind**, **Inasclainn** litriú rialta an log. in *Annála Uladh* cuir i gcás – sa tréimhse 828-970 faightear naoi gcinn de shamplaí in *AU*. Rinneadh mionscagadh ar an logainm úd san irisleabhar *Dinnseanchas*, iml. V (1972-3, 57 ff., s.v. 'As cartlann na logainmneacha') agus ar cheithre log. eile nach é ón mbunús céanna a bhfuil **Droim** mar chéad mhír iontu agus **Ineasclann** mar cháilitheoir iontu. Tagann a lán d'fhianaise stairiúil Bhéarlaithe *Dromiskin* i *Lú*, de réir mar atá sí curtha inár láthair san alt réamhráite (*op. cit.* 57-9), leis an bhforbairt a d'imigh ar an log. atá faoi chaibidil i *TÁ*; cailleadh idir shiolla tosaigh agus *-l-* **Ineasclann** sa dá chás, *Cloneskane* bl. 1654 *et seq.* thuas agus *Drummeskin* bl. 1218-20 (*op. cit.* 57).

Tá samplaí cláraithe ag P. W. Joyce (1875, 406-7) d'úsáid an fhocail i logainmneacha, idir logainmeacha neamhspleácha i reachtaibh Béarlaithe (*Finisclin, Finisklin, Finnisglin, Inisclan, Inisclin* in *Top. Index* 458, 545) agus cháilitheoir *bf Clooninisclin* nó **Cluain Ineasclainn** i *RC* (*p* Chill Tulach, *bar* an Chaisleáin Riabhaigh). Seo a leanas cuid d'fhianaise an logainm dheireanaigh: *Clowneemiasklane CPR* 351 (1618), *Clooninesglin Cen.* 577 (1659c), *Cloonisklan BSD (RC)* 17 (1660c); is cosúil áfach ó fhianaise an Ainmleabhair go raibh foirceann an dara focal athraithe faoin tráth úd (bl. 1837): *Clooniniscla* curtha síos do *BS* in *AL*, **ineasclach** foirm Ghaeilge scríofa le peann luaidhe, **Cluain ineasclach, ineascluinn** foirmeacha le dúch ó láimh *OD*. Taispeánann cuid d'fhoirmeacha *Clooneska* i *TÁ* gur cailleadh foirceann bunaidh consanta an log., *Cloneskea* (1660c), *Cloghneska* (1755), *Cloneskah* (1840) m.sh.

Is é is brí don fhocal **inescland** de réir *DIL* (*loc. cit.*), 'a torrent, a swift, turbulent stream'. Mar a tugadh faoi deara in *Dinnseanchas* (*op. cit.* 60), is cosúil go bhfuil an chiall sin bunaithe ar Shanas Chormaic áit a bhfaightear an tsanasaíocht seo a leanas, '*in-esc-lond* .i. srib lond .i. srib lūath nō trēn' (Meyer, 1912, 66). Níl an bhrí sin ag teacht áfach le suíomh na logainmneacha dar mhír shonrach **ineasclann** a scrúdaíodh in *Dinnseanchas*:

Rinneamar scrúdú ar na háiteanna sin ar fad agus dá thoradh tá an-amhras orainn faoin mbrí atá curtha síos don fhocal ... Níl, agus ní mheasaimid go mbeadh ag aon am, sruth luath ná tréan in aon cheann acu. ... Tá, nó bhí, roinnt bogaigh nó portaigh i ngach ceann acu agus, má tá cúrsaí uisce i gceist leis an bhfocal, b'fhéidir gur rud den sórt sin a chiallaíos sé (ibid. 61).

Tá nádúr fisiceach an logainm atá idir chamáin ar aon dul leis an gcur síos sin. Bogach is ea formhór an bhaile fearainn de réir *SO*, de réir cuntais *AL* agus foinsí eile nach é (Suíomh).

Is í an tsanasaíocht atá ag **ineasclann** dar le Mac Giolla Easpaig (1981, 156) ná **Eni-Sesko-Landa* 'land in the sedges'.

Cluain Inithe
Clooninihy J 184; 6, 7; R867966; 6:44

1654	Clonynyhy	*CS* II 280, 311, 312 srl.
	Clonenynyhy	*CS* II 310
1657	Cloninihy	*DS*
1660c	Cloninihy	*BSD (TÁ)* 246
	Cloniny	*BSD (TÁ)* 249
1666-7	Cloneeny	*HMR (TÁ)* 188
1667	Cloneiny	*ASE* 162
1669	Cloninihy	*ASE* 202
1685	Cloninihy	*Hib. Del.*
1736	Cloninihy	*CGn.* 86.342.60679
1840	Clooninnaha	*AL:BS*
	Cluain inithe	*AL:*dúch (=*OD*)
1989	ˌkluːˈninəhə, ˌklɑˈninəhə	*Áit.*

pasture of?

Suíomh:

(i)　Seo é an cuntas a tugadh in *AL* (bl. 1840) ar an gcineál talún a bhí sa bhaile fearainn, '... partially cultivated, being greatly composed of bog, underwood and furze'. Is é aicmiú a rinneadh i *DS* (1657) ar an talamh i dtuaisceart an bhaile fearainn ná 'B[og]'. Ag críochantacht lastuaidh le *bf Turavoggaun* in aon pharóiste leis (Tír Dhá Ghlas) arb é *Torrovogane CS* II 344 (1654) an fhoirm is luaithe de agus ar réadú é ar **Tor an Bhogáin**, ón gcáilitheoir **bogán**, 'soft, boggy place' (*DIL*, 1975, B 130 s.v. **bocán**). Tá portach den ainm *Moanavoggaun*, nó **Móin a' bhogáin** mar a thugtar air i nGaeilge san Ainmleabhar (*p Terryglass*), léiríthe ar lsc. *TÁ (SO)* in oirthear agus in oirthuaisceart *bf Clooninihy* agus i mbailte fearainn eile nach é, leithéid *Muckooonmoderee* (n. *ii* thíos); féach an grianghraf thíos de oirthear **Cluain Inithe** agus de **Móin an Bhogáin**.

(ii)   Ar theorainn thoir thuaidh *Clooninihy* tá *bf Muckloonmoderee* – féach *Muc-chluain 2, infra*, lch. 214.

(iii) I gcoigríoch theas le *Ballyfinboy River SO* a ainmníodh as *bf Ballyfinboy* (J 68) atá cois na habhann. Na foirmeacha is luaithe den logainm sin ná *Byalafynweye F* 625 (1550), *Beala fynvoye Last Lords* 234 (1580c) .i. réadú ar **Béal Átha Fionnmhaighe**, 'fordmouth of (the) white plain'. Tá foirm an ainmnigh den tríú heilimint caomhnaithe in ainm an pharóiste ina bhfuil an baile fearainn úd suite, *p* **Fionnú** / *Finnoe* ar a dtugtar *Fynvach* in *Pap. Tax.* 302 (1306c), *Findmach CPL* VII 76 (1418), *Fenoghe COD* VI 50 (1592) < **Fionnmhagh**.

Oirthear Chluain Inithe agus Móin an Bhogáin

A mhalairt d'ainm atá ar an abhainn san fhoinse *Civil Survey*: *River of Inihy CS* II 305 (1654), *River of Inhy CS* II 279, *River of Inyhy CS* II 305, 310-312 srl. Níl aon sampla eile den ainm úd ar fáil – *Ballyfinboy River* an t-aon ainm atá curtha síos san Ainmleabhar (*p Finnoe*). Ar bhonn comparáide, is áirithe gurb ionann cáilitheoir *Clooninihy* (fianaise stairiúil thuas) agus an abhainn ar a dtugtar *Inihy* (*et var.*) i *CS*.

Nótaí:

Níor léir do Ó Donnabháin brí cháilitheoir *Clooninihy* de réir dealraimh, nuair nár fhéach sé leis an bhfoirm Ghaeilge atá caomhnaithe óna láimh san Ainmleabhar, **Cluain inithe**, a mhíniú. B'fhéidir fianaise stairiúil 'River of Inihy' (Suíomh, n. *iii*) agus cáilitheoir *Clooninihy* dá réir a mhíniú mar a leanas (n. *a-c*).

(a) **Abhainn Innithe, Cluain Innithe**: Foirm ghinidigh den ainm briathartha **indechad**, 'vengeance, retribution' srl. *DIL* (1966, I 219): gin. **indechta, indighthe** (*loc. cit.*) > **innighthe**, 'variant g[enitive] s[ingular] of **inneachadh**' *FGB* 712. Tá solaoidí den fhoirm ghinidigh **innighthe** (nó **innighthi**) ó ré na Nua-Ghaeilge le fáil in *Corpas na G* ag dul siar go dtí an 17ú haois.

Is inmheasta go bhfuil an focal céanna i ndeireadh logainm eile i *TÁ* a raibh trácht air i lár an 17ú haois, log. atá athraithe nó ligthe ar ceal ó shin: *Glanbuollynyhenihy CS* I 259 (1654), *Glaunbuollyneheneihy CS* I 362, 363, *Glanbuollyneheneihy CS* I 362, 364. Measaimidne, ón gcomhthéacs ina luaitear an gleann úd – *Gleann B(h)uaile na hInni(gh)the* – go raibh sé suite i *bf Boolakennedy SO* / **Buaile Uí Chinnéide** (E 165, 188). Ní sine ná tosach an 19ú haois an chéad sampla den cháilitheoir -*kennedy* sa logainm úd, *Boulykennedy CGn.* 690.418.474329 (1815). Seans gur cuireadh **Buaile Uí Chinnéide** in ionad **Buaile na hInni(gh)the > na hEinnithe**, le -*ei*- in áit -*i*- (féach *Log. na hÉ* II 180).

(b) **Abhainn Fhinnithe, Cluain Fhinnithe**: Tá abhainn den ainm *Finnihy River* i *Ci* (*p* Theampall Nua, Chinn Mara). *The river of Finihye, … of Fanihye* atá ar an abhainn in *CS* X 84 (1654c). Tugtar **Abhainn Finnithe** uirthi in *Top. Hib.* IV 78. Níl brí an ainm soiléir (ibid.).

Ní lú ná tá brí an logainm seo a leanas i *TÁ* soiléir. Ar a shon sin tá sé cosúil le hainm na habhann réamhráite, *bf Finnahy* (H 193): foirmeacha stairiúla de, *Finnihy CPR* 294 (1615), *Finnehy Inq.(TÁ)* III 85 (1637), *Fynnighy CS* I 87, II 124 *et var.*

(c) **Abhainn Eithne, Cluain Eithne > Inithe**: Níor mhór a chur i gcás anseo go ndearnadh *i*- de *ei*- (féach n. *a*) agus gur meititéis is cúis le **In(i)the** in ionad **Eithne**. Sruthaíonn an abhainn atá idir chamáin go Loch Deirgeirt ar an tSionainn. Díol suime, más ea, go ritheann *Inny River* (*Ca, IM, Mí, Lo*), nó **An Eithne** go Loch Rí ar an tSionainn chomh maith. Tá fianaise luath d'ainm abhann **Eithne** tugtha in *PN Westmeath* 310-315, leithéid 'per flumen Ethne in duas Tethbias' i *Collectanea* Thírecháin (680c, *Pat. Texts* 135). Tabhair faoi deara chomh maith gurb é ainm Gaeilge a thug an file Micheál Ó Braonáin ó Co. Ros Comáin ar an abhainn úd sa bhliain 1794, **an Inthe** (*Éigse* VI 214).

Faightear an t-ainm pearsanta **Eithne** mar cháilitheoir i gcás dhá logainm i *TÁ*. Sa dá ainm tháinig guta cúnta chun cinn sa charn consan -*thn*-: *Diserthetheny Pap. Tax.* 302 (1306c), *Disertethuy* alias *Balegybun CPL* XIII 96 (1480-1), *Disserthethyny* alias *Balygybun CPL* XIV 177 (1484/5); ionann is *p Ballygibbon* / **Baile Ghiobúin** (*bar* K). Níl aon tagairt do **Díseart Eithne** i ndiaidh na bliana 1530, *Disirttheine* alias *Ballygibuyn Ann. Laon.* 98.

p Temple-etney / **Teampall Eithne** (*bar* D) arb é *Tahcheyny Pont. Hib.* II 299 (1260) an fhoirm is luaithe de .i. **Teach Eithne**. Cuireadh **Teampall** in ionad **Teach** níos déanaí, *Tampilethene COD* III 16 (1417), *Tample Hehynne COD* IV 268 (1544), *Tample ehenna F* 6564 (1601), **Teampall Eithene** *AL:pl* (= *OC*) (1840).

Os a choinne sin, ní móide go dtiocfadh guta cúnta chun cinn sa charn consan -*nth*- .i. go ndéanfaí *Clonynyhy*, **Cluain Inithe** srl. (féach fianaise stairiúil) de *Cluain Inthe* (< **Eithne**). Tá forbairt an ghuta cúnta i gcairn chonsan éagsúla dar tús -*n*- pléite ag O'Rahilly (1932, 199), ag Ó Cuív (1944, 105-6) agus ag Breatnach (1947, 126) cuir i gcás. Go deimhin léiriú is ea an logainm *Modreeny* i *TÁ* den fhorbairt -*thn*- > -*nth*-, gan teimheal de ghuta cúnta sa charn consan: *Moydrifny CJR* I 304 (1300), **Magh Dreithne** *Marcher Lords* 60 (1470c), *Madrihne Ann. Laon.* 76 (1488), *Modrinthy F* 4694 (1585), *Modrenhy COD* VI 52 (1592), **Magh nDrithne** *LGen.* II 669.1 (1650c), *Modrenhy CS* II 211, 288, 309 (1654).

Cluain Lacha
Clonlahy M 117; 71; S311359; 6:45

1543-53	Clonelaghy	*COD* V 17
1551	Clonelac	*COD* V 61
1566	Clonnelaghy	*F* 900
1576	Clonlaghy	*F* 2840
1615	Clonclagha	*CPR* 300
1616	Clonelagha	*CPR* 287
1635	Clonelaghty	*Inq.(TÁ)* II 207
1639	Clonelagha	*Inq.(TÁ)* III 259
1654	Clonelaghy	*CS* I 136, 138, 149
	Clonilaghy	*CS* I 139
1657	Clonlaghy	*DS*
	Clonelaghy	*DS (P)*
1660c	Cloneloghy	*BSD (TÁ)* 167
1665-6	Clonlahy	*HMR (TÁ)* 35
1666-7	Clonelahy	*HMR (TÁ)* 131

1840	Clonlahy	AL:BS
	Cluain lachan	AL:pl, dúch (=OD)
1989	ˌklɑnˈlahiː, ˌkluːnˈlahiː, ˌkləunˈlahiː	Áit.

pasture of the pond, lake

Suíomh:

Anner River / **An Annúir** atá ar theorainn theas an bhaile fearainn. Is éard atá curtha síos ar léascáil *TÁ (SO)* 71 faoin talamh feadh na habhann ná 'Liable to floods'. Tamall gairid lastuaidh den Annúir sa bhaile fearainn faoi chaibidil, tá lochán gan ainm taispeánta ar lsc. *TÁ (SO)*; 'a portion of water' an cur síos a tugadh ar an réimse uisce úd san Ainmleabhar.

Nótaí:

(a) **Cluain lachan** an fhoirm Ghaeilge a scríobh Ó Donnabháin san Ainmleabhar le peann luaidhe agus le dúch. Níl foirceann *-n* ag cáilitheoir an logainm in aon cheann de na solaoidí stairiúla Béarlaithe áfach, ón bhfianaise is luaithe go dtí fianaise chomhaimseartha *AL* (1840), *Clonlahy*. Is áirithe ó fhianaise Ghaeilge *Cluain Guas* q.v., n. *a* go raibh teacht ag *OD* ar chainteoirí Gaeilge i bparóiste seo **Cill Mheanmnáin**. Dála **Cluain Guas* > **Cluain na gCluas** *AL* (*loc. cit.*), ní dóichí rud de ná gur athmhíniú cuíosach déanach ar an logainm bunaidh **Cluain Lacha** atá i bhfoirm *AL* anseo, **Cluain lachan** .i. ginideach an ainmfhocail **lacha**, 'duck' (*DIL*, 1966, L 16 s.v. **lachu:** 'later lacha', tamhan srónach).

Mar le fianaise stairiúil an logainm de, ní miste a lua go dtagann an dara foirm is sine thuas, *Clonelac* (bliain 1551), díreach i ndiaidh na foirme *Ceppacmore* sa cháipéis chéanna (liosta de ghiúiréithe in *COD* V 61). Tá an logainm deiridh ag freagairt do *bf Cappaghmore* / **An Cheapach Mhór** i *TÁ* (M 39), ar theorainn thiar *Clonlahy SO* faoi chaibidil. Tabhair faoi deara gur *-c* an foirceann atá ag *Clonlac* agus ag aicmitheoir *Cappacmore* araon sa téacs.

Tá *bf Killaghy* / **Cill Achaidh** in aon pharóiste le *Clonlahy* faoi chaibidil. Is inmheasta go ndeachaigh foirmeacha scríofa an dá logainm i gcion ar a chéile, mar atá pléite i *Log. na hÉ* II 42.

(b) Is é is dóichí gur réadú ar **Cluain Lacha** atá san fhianaise stairiúil. Ginideach uatha **lach**, seachfhoirm de **loch**, atá mar cháilitheoir. Féach *DIL* (1966, L 177-8) s.v. **1 loch**, *u*-thamhan: 'The form *lach* not uncommon ...'. I bhfianaise air sin, tugtar m.sh. solaoid den tabharthach iolra **lachaib** (*loc. cit.*) as dán a chum Cúán ua Lothcháin (†1024) agus atá in eagar ag Joynt (1910, 100). Tá solaoidí eile cnuasaithe ag Breatnach (1994, 232) ag léiriú 'malartú idir *o* agus *a* roimh chonsan leathan i siollaí aiceanta' sa Mhéan-Ghaeilge. Cf. *Cluain an Locha supra*.

Seo a leanas samplaí eile den fhoirm ghinidigh **Lacha** i logainmneacha,

Paróiste *Molough* / **Maigh Locha** i *TÁ* (*bar* E): Tá foirm Ghaeilge seo an logainm, 'mainistir ... dar ab ainm **Madlaca**' a fhaightear in *Betha Dēclāin*

[138]

(Power, 1914, 62) ag freagairt do *campus stagni* i *Vita* Laidine an Naoimh (*VSH* II 56); '... the Irish version [of the Life] seems to be a translation of the Latin ...' (Kenney, 1929, 313). Foirm luath eile den logainm céanna i gcáipéis Laidine eaglasta is ea *Molacha* in *Pont. Hib.* II 300 (1260).

I leagan Leabhar Leacáin den liosta *Comainmniugad noem Érenn* faightear an logainm '(Molasse) Cluana Lacha' (*Lec.* 48 Rd 19). Foirm mhalartach den log. úd atá roghnaithe in eagrán Uí Riain (*CGSH* 149, §707.620), **Cluana Locha** – féach ibid. 217, nótaí 707-8, mar le soláthar lámhscribhinní an téacs de.

Taobhaíonn fianaise Bhéarlaithe an logainm seo inár ndiaidh le **lacha**, *bf Cloonalough* i *RC* (*p* Chill Tulach, *bar* an Chaisleáin Riabhaigh): foirmeacha stairiúla de, *Clounelagha CPR* 351 (1618), *Clunilagha Inq.(RC)* IV 79 (1628), *Cloonalagh Cen.* 577 (1659), *Cloneylough AL:BS* (1837), *Cloonalough AL:pl.*

Cluain a' Locháin an fhoirm Ghaeilge a thugtar in Ainmleabhar Pharóiste Theampall na hAithrí, in *UF* ar *bf Cloonaloughan* sa chontae sin. Tá sé suite i mbarúntacht Chluain Leisc i gcuid de sheanchríoch **Éile**. Foirm dhíspeagtha de **loch** is ea **lochán** (*DIL*, 1966, L 179). Is é ainm a bhí ar an log. úd sa bhliain 1620 ná *Clonelagha CPR* 467 .i. réadú ar (?) **Cluain Lacha**.

(c)   An t-ainm Gaeilge a thug P. W. Joyce (1913, 216) ar an log. *Clonlahy* faoi chaibidil i *TÁ* agus ar *bf Clonlahy Corporation-land* i *La* (*p* Scadhairce, *bar* Chlann Donnchadha) freisin ná **Cluain lathaigh** a chiallaigh dar leis, 'meadow of the *lahagh* or slough' (ibid.). Ní mór dul ar iontaoibh an Ainmleabhair i gcás an logainm dheiridh i gCo. Laoise: *Clonlahy* an fhoirm a scríobhadh le peann luaidhe in *AL* (1838c) agus **Cluain lathaigh** a scríobhadh le dúch san ionad céanna. Ainmfhocal baininscneach is ea **lathach**, mar atá léirithe i *Log. na hÉ* II 43 faoi *Cill Achaidh*, n. *d* agus ní foirm shásúil dheilbhíochta den ghinideach uatha í **lathaigh* mar sin.

Cluain Lao
Clonalea K 17; 21, 22; R959776; 6:46

1605	Clonelea	*CPR* 87
1607	Cloyneala	*CPR* 111
1635	Cloynelee	*Inq.(TÁ)* II 199
1654	Cloneleagh	*CS* II 218
	Cloneliegh, Clonelieagh, Clonlieagh, Cloneliagh	*CS* II 220
1657	Cloneleagh	*DS*
1660c	Clonleagh	*BSD (TÁ)* 217
1665-6	Clonulla	*HMR (TÁ)* 47
1666	Clonlea	*ASE* 49
	Clonleagh	*ASE* 75
1666-7	Clueenlea	*HMR (TÁ)* 175

Cluain Lao

1685	Clondeagh	*Hib. Del.*
1760	Clunallee, Clunalee	*LN* 2043 1, 6
1840c	Clonalay	*AL:BS*
1840	Cluain na la(é)gh,	*AL:pl* (glanta)
	Cluain na laegh	*AL:*dúch (=*OD*)
1991	ˌklanə'li:, ˌklonə'le:, ˌklon'le:, ˌklanə'le:	*Áit.*

pasture of (the) calf, calves

Suíomh:
(i)   I gcoigríoch theas le *Ballintotty River* atá ainmnithe as *bf Ballintotty* / **Baile an Totaigh**, *TÁ (SO)* 21 (K 123).
(ii) Scríobhadh an cuntas seo in *AL* (bl. 1840) ar an gcineál talún a bhí i ndeisceart an bhaile fearainn: 'The S[outhern] end abounds with furze and several small pieces of bog'.
(iii) Teorantach ar an taobh thoir theas le *Cluain 4* q.v.

Nótaí:
(a)   Guta cúnta ó bhunús dar linn atá sa dara siolla de na foirmeacha *Clunallee, Clunalee* a fhaightear ar mhapaí eastáit de chuid na Leabharlainne Náisiúnta (bliain 1760) agus i bhfianaise an Ainmleabhair chomh maith, **Cluain na laegh** srl. (bl. 1840), ar chuma *Cluain Guas supra*, n. *b*.
(b)   Thiocfadh fianaise an cháilitheora le ginideach uatha nó le ginideach iolra an ainmfhocail **lao** < **lóeg**, 'calf' (*o*-thamhan, *DIL*, 1966, L 181-2). Tá an ginideach uatha caomhnaithe m.sh. in ainm an inbhir **Loch Lao** / *Belfast Lough* (*GÉ* 129) ar a dtugtar **Loch Laíg** sa sága *Togail Bruidne Da Derga* (féach *TBDD* 44). D'aistrigh Adhamhnán an t-ainm mar a leanas ina *Vita Columbae*, 'stagnum vituli' (*Adomnan* 490).
      Solaoidí eile de **Cluain Lao** is ea iad seo,
      p Clonleigh i *DG* (*bar* Ráth Bhoth): foirmeacha luatha Gaeilge de, ó **Chlúain Laeg** (tabh.) *Mart. Tall.* 26 (24ú Márta), **Cluana Loeg** (gin.) *CGSH* 13 §83, **Cluana Laíg** (gin.) *CGSH* 145 §707.389 (Tá samplaí eile den logainm seo in *Onom. Goed.* 265 s.v. **Cluain Láig**);
      bf, p Clonlea in oirthear *Cl* (*bar* na Tulaí Íocht.): foirmeacha luatha de i gcáipéisí Laidine, *Clomleg Pap. Tax.* 299 (1306c), *Cluoynlaed Ann. Laon.* 36 (1462), *Cloynlaegh Ann. Laon.* 42 (1465), *Cluonleid Ann. Laon.* 62 (1480);
      bf Clonlee in oirdheisceart *UF* (*p* Chionn Eitigh, *bar* Bhaile an Bhriotaigh) ar a dtugtar *Clonleighe CPR* 453 (1620), *Clonly* alias *Cloneloe DS* (1657c);
      bf Cloonlee in oirdheisceart Ga (*p* Dhún Doighre, *bar* Liatroma): *Clownlyeh Inq.(Ga)* III 32 (1608), *Clunlua BSD (Ga)* 74 (1660c).

(c) Ní gnách sa chóras litrithe Béarla inar scríobhadh fianaise stairiúil an logainm faoi chaibidil, an chontráracht fhóinéimeach Ghaeilge /l~l´/ a léiriú – féach leithéid *Clonelea* (1605), *Cloynelee* (1635), *Cloneliegh* (1654) thuas. Ní féidir dá dhroim sin neamhshuim a dhéanamh den aidiacht **liath**, (**léith**, claontuiseal) mar cháilitheoir; féach a bhfuil scríofa faoi réadú **liath** i logainmneacha de chuid *TÁ* s.v. ***Cluain Cliath*** *supra*, n. *a* agus i *Log. na hÉ* II 152 i leith ***Cill Liath***.

Cluain Leathan

1411   hi **Cluain Lethan** a Muscraige Thíre   *LB* 42*i* (féach *RIA Cat.* 3386)
          Cluain Lethan, ardchathair fhenechais
          Erenn ica hinnrud   *LB* 206 (féach *RIA Cat.* 3392)

broad pasture

Suíomh:
Ní hann don logainm seo a thuilleadh a bhí suite i Múscraí Tíre de réir ceann de nótaí scríobhaí an Leabhair Bhric. Toisc gur tugadh 'ardchathair fhenechais' ar **Cluain Leathan** sa nóta eile thuas a breacadh sa lámhscríbhinn, agus toisc go raibh dlúthbhaint ag muintir Aodhagáin le stair na LS (*RIA Cat.* 3380-1, Ó Concheanainn, 1973, 65), is é

Caisleán Choillte Rua

[141]

an cur síos is fearr ar shuíomh an logainm an cur síos a thugtar i réamhrá mhacasamhail *LB* xvii-xviii (cf. Ó Concheanainn 1973, 65 n. 10): gur cuid de *bf Redwood* / 'Coill in Ruaid' *LB* 184*i* a bhí ann (paróistí Dhura & Lothra, *bar* J, *TÁ (SO)* 1, 4; féach *Cluain Abhla*, n. *b*), 'where a Mac Egan had a castle in 1602' (*LB* xviii, réamhrá – cf. *Hist. Cath. Ib.* 248), nó neachtar acu gur i *bf Ballymacegan* a bhí sé (*p* Lothra) atá teorantach le *bf Redwood* agus atá ainmnithe as duine de shliocht Aodhagáin. Ní fearr léiriú ar an mbunús sin ná an tsolaoid 'Flann mac Cairpre mic Aedhaccáin ó bhaile mhecAedhaccáin' (*FNÉ* l) a d'fhianaigh Féilire na Naomh nÉireannach sa bhliain 1636.

Nótaí:
(a) Is cosúil ar fhoirm an tabharthaigh den logainm, 'hi Cluain Lethan', gur tuigeadh go raibh sé firinscneach – cf. an aidiacht **lethan**, *o/ā*-thamhan (*DIL*, 1966, L 13); féach áfach go bhfuil samplaí ón 15ú haois tugtha ag McManus (1994, 383), tráth a scríobhadh An Leabhar Breac, 'de neamhinfhilleadh na haidiachta baininscní'. Sa tsolaoid eile den log. a scríobhadh i *LB*, 'Cluain Lethan, ardchathair ... ica hinnrud', dealraíonn sé gur ag tagairt do **cathair** (baininscneach) atá an forainm sealbhach 3ú uatha bain. (le *h*- roimh ghuta, *GOI* 278 §441) tar éis an réamhfhocail **ic** (*DIL*, 1940, N-O-P-82, s.v. **oc**).
(b) Faightear an aidiacht cháilitheach chéanna sa logainm **Doire Leathan** i *TÁ* (J 58) atá pléite sa leabhar seo faoi *Cluain Fionnáin*, Suíomh, n. *iii*. Tá sí in úsáid in dhá bhaile fearainn eile sa chontae chomh maith:
Derrylahan / **Doire Leathan** (F 26) arb é eiseamláir is luaithe de, *Derrylahan CGn.* 141.304.95520 (1750);
Loughlahan / (**An**) **Loch Leathan** (B 185) ar ar tugadh 'the redd bogg called Moneleolaghin' *CS* I 39 (1654) .i. *****Móin Locha Leathain**.
Timpeall cúig chiliméadar déag taobh thiar thuaidh den tSionainn atá i dteorainn thiar Bhaile Mhic Aogáin réamhluaite (Suíomh thuas), tá **Cluain Leathan** eile: *bf Cloonlahan* i *Ga* (*p* Chill Odhráin, *bar* an Longfoirt) ar a dtugtar *Clonlahin CBC* 72 (1585).

Cluain Lis Bó
Clonaspoe G 147; 52; R993450; 6:47

	ingen Emoinn m. Philib í Dubuidhir ó	
	Chluain na Spíog i gCoill na Manach	*Sen. Síl Bhr.* 186
	ó **Chluain na Spíog**[a] i gCoill na	*LM* 365 (*var. lec.* [a]**spríog** *TCD*
	Manach	H. 1. 7 < *LM* 365, n.345)
1578	Gilledufe Fitz Edmonde of Clonnespeo	*F* 3364
1584	Gilleduff alias Philip O Dwyer of	
	Clonelysboy	*F* 4371

1601	Philip Fitz Edm. Dwyer of Clonesboe,	
	Clonesbeo	*F* 6531
1607	Clonespoe, Lisseclonespoe	*CPR* 105
1608	Clonespoe	*CPR* 120
1783	Clonnaspeave	*CGn.* 351.279.236261
1784	Clonespoee	*CGn.* 362.242.244342
1785	Clonespoe	*CGn.* 367.71.245901
1840	Clonespoe	*AL:BS*
	Cluain a spéo	*AL:pl* (glanta)
	Cluain a' speo	*AL:*dúch (=*OD*)
1993	ˌklonəˈspoː, ˌkluːnəˈspoː	*Áit.*

pasture of (the) enclosure of (the) cow(s)

Suíomh:
  (i)   *Multeen River* / **An Moiltín** atá ar theorainn thiar an bhaile fearainn.
  (ii) Teorantach lastuaidh agus lastoir le *Cluain Ceallaigh.*
  (iii) Portach atá sa chuid thoir den bhaile fearainn agus is amhlaidh a bhí sa 17ú
        haois, tráth a léiríodh 'Bog common to the Adjacent Townes' ar léarscáil *DS.* Ar
        na bailte fearainn ('townes'), a raibh an portach úd mar choimín eatarthu, bhí
        'Clonakelly & Lisnamoe' (*loc. cit.*), .i. **Cluain Ceallaigh** thuasluaite mar aon le
        líomatáiste *Clonaspoe SO* faoi chaibidil (féach n. *a* thíos).
  (iv) Sa *bf* seo tá láthair eaglasta agus reilig taispeánta ar *SO* den ainm, *Site of
        Oughterleague Church, Templemurry Grave Yard* < **Teampall Bhearaigh**;
        féach *Log. na hÉ* II 60-1.

Nótaí:
  (a)   I gcraobh choibhneasa na mBrianach is ea a fhaightear foirm Nua-Ghaeilge
        an logainm atá i *Senchas Síl Bhriain* agus sa *Leabhar Muimhneach* (*LM*)
        thuas. I lámhscríbhinn *TCD* H. 1. 7 atá an mhalairt leagain **Cluain na Spríog**
        a thugtar i *LM* agus in *Onom. Goed.* 269 chomh maith (s.v. **C. na Spiog**).
        Mhol Tadhg Ó Donnchadha, eagarthóir *LM* 365 n.345, **Speódh** a léamh in
        ionad **Spríog, Spíog** na lámhscríbhinní. Ní foláir nó bhí seisean ag iarraidh
        na foirmeacha Gaeilge úd a thabhairt chun réitigh leis an logainm *Clonaspoe
        SO,* lenar ionannaigh sé - go ceisteach - **Cluain na Spíog (Spríog)** in innéacs
        logainmneacha an tsaothair úd (*LM* 441). Táimidne ar aon tuairim leis faoi
        Spríog a bheith earráideach agus faoin ionannú le *Clonaspoe.* Is beag idir a
        lán de leaganacha stairiúla an logainm, ó fhoirm na bliana 1578, *Clonnespeo,*
        anuas go dtí fianaise an Ainmleabhair (bl. 1840), **Cluain a spéo, speo.** Tá
        cuma éagsúil ar fhoirm na bliana 1584, *Clonelysboy.* Ní miste a lua gur de
        mhuintir Dhuibhir na daoine éagsula a bhí luaite leis an áit seo in gach tagairt

anuas go dtí an bhliain 1608. Go deimhin is inmheasta gur tagairtí don duine céanna atá sna trí *fiant* ina luaitear an log. (blianta 1578, 1584, 1601 thuas). Is é ***Cluain Lis Bó** leagan bunaidh an log. dar linne agus is í foirm na bliana 1584 is cóngaraí don leagan scríofa sin. Measaimid gur próiseas *sandhi* thar teorainneacha focal ('external') is cúis le consan tosaigh caol an tríú focal i leagan Gaeilge na bliana 1840 agus i leaganacha Béarlaithe den logainm, ar nós *Clonesbeo* (bliain 1601). Cuireann formhór na fianaise in iúl chomh maith, de réir ár dtuairime, go ndeachaigh *l- **Lis** ar ceal tar éis an chonsain ghaoil ('homorganic') –*n*; féach n. *b*.

I dtaca leis an tsanasaíocht de atá curtha i gcás sa pharagraf roimhe seo, is fiú a thabhairt faoi deara ar an gcéad dul síos, go dtaispeántar dhá láthair ar *TÁ(SO)* 52 (eagrán athbhreithnithe 1905) taobh istigh de *bf Clonaspoe* ar cosúil le hiarsmaí ráthanna / leasanna iad. Is é téarma tuairisciúil a úsáidtear in *Rec. Monum. SR* 052-3 chun cur síos a thabhairt ar na séadchomharthaí úd ná 'enclosure'; cf. *Lisseclonespoe*, ceann d'fhoirmeacha na bliana 1607 thuas.

Ar an dara dul síos ba ann don ainm ***Lios na mBó** sa 17ú agus san 18ú haois, pé scéal é, ón bhfianaise atá bailithe againn: *Lis(s)namoe CS* II 92 (1654), *DS* (Suíomh n. *iii* thuas), *Lisnamore, Lisnamoe BSD (TÁ)* 177 (1660c). Cé nach bhfuil an logainm sin ar marthain, is léir ach an fhianaise stairiúil a iniúchadh gur chuid d'aonad talún *Clonaspoe* an lae inniu é. Ba é 'Edmond m[a]c Phillipp Dwyer', ina theannta sin, a bhí ina úinéir ar *Lissnamoe* tráth déanta an *Civil Survey* (*CS* II 92).

(b) Cuirimis cailliúint *l- **Lis**, tar éis consain ghaoil, -*n*, i gcóimheas leis na heiseamláirí seo a leanas den fhorbairt chéanna:

fianaise stairiúil *Cluain Lis Mhuilinn infra*, n. *a*.

bf Clonisboyle i *Mu* (*p* Aireagail, *bar* an Triúcha) nó **Cluain Lios Baoill** *Liostaí Log. Mu* 11. Fianaise stairiúil cuíosach déanach atá ar fáil i gcomhair an logainm: *Clenisboile CGn.* 141.130.94684 (1750), **cluan ios buighill** *AL*, scríofa le peann luaidhe (1835).

Cluain Ruis Iuchāin *AConn.* 558 (1471 §36) > *Clooneshughan BSD (RC)* 146? .i. *bf Cloonshaghan SO* (*p* Dhíseart Nuan, *bar* Mhainistir na Búille, *RC*) – tá nóta ag Ó Murchadha (1994-5, 14) faoi shuíomh an logainm agus faoi chailliúint an chonsain *r*. Consain ghaoil is ea *n* agus *r*.

Cailliúint bhunbhrí *bf Coollisteige* i *Cl* (*p* Chill tSeanáin Léith, *bar* na Tulaí Íocht.), .i. **Cúil Li(o)s Taidhg** (= **Cúillios taidhg** *BM Cat.* I 70, 18ú haois), *Cwllysteig F* 5075 (1587) > 'Its ancient name of Cuil Lis-Taídhg ... is now barbarously corrupted to Cool-a-styke !' *OD*, *LSO (Cl)* II 128/368 (1839).

(c) Logainm eile den déanamh **Cluain Lis + X** is ea **Cluain Lis Béice** atá luaite sé huaire in *Annála Connacht* sa tréimhse 1282-1471 (Ó Murchadha, 1994-5, 13; *Onom. Goed.* 266 s.v. *C. Lis Beci*). Cé go bhfuil an log. as úsáid, is ionann é agus suíomh bhaile an Longfoirt, i *Lo*, de réir Uí Mhurchadha (*loc. cit.*).

I dtaobh **lis**, foirm ghinidigh **lios**, féach faoi *Cluain Lis Mhuilinn*, n. *a*.

[144]

Cluain Lis Mhuilinn
Clonismullen B 60; 34; S054682; 6:48

1508	Clonneswolin	*COD* III 335
1572	Cloinelismoline	*F* 2080
1584	Clonlesmolin	*F* 4531
1602	Cloneniswe[lli]ne, Clonswillin	*F* 6706
1619	Clonysmollyn	*CPR* 453
1623	Clomsmollyn	*CPR* 570
	Clonismollyn	*Inq.(TÁ)* II 200
1654	Clone Ismulline, Cleynesmulline, Clone Ismullyn	*CS* I 58
	Clone Ismullyne	*CS* I 59
	Cloneosmullyn	*CS* I 60, 73, 74
	Cloneo Smullyne	*CS* I 60
	Cloneosmullin	*CS* I 73
1657	Clonismullin	*DS*
1840	Cluain a Smuilleann	*AL:pl* (=*OD*)
	Cluain eas muilleann	*AL:*dúch (=*OD*)
1991	ˌklanəˈsmolən, ˌklanˌleˈsmolən	*Áit.*

pasture of (the) enclosure of (the) mill

Suíomh:
(i) Ar theorainn thoir agus theas an bhaile fearainn tá *Fishmoyne River SO* (féach *Log. na hÉ* II 140). Ón mbaile fearainn taobh theas den abhainn – *Fishmoyne SO* / **Fia Múin** < **Fiadh Mughain** (féach *Cluain Breasail*, n. *d*) – is ea a fuair sí a hainm. Ar an mbealach uisce sin is cosúil a bhí an muileann atá buanaithe sa logainm. Ar bhruach theas na habhann, ar thalamh **Fia Múin**, tá 'corne mill' léirithe ar *DS* (1657) agus tá cur síos i *CS* I 73 ar dhá mhuileann a bhí sa *bf* céanna, 'Fithmone'. Dealraíonn sé go raibh muileann ann i dtosach an 14ú haois, ón tagairt do 'Philippus molendinarius de *ffethmowan*' in *RBO* 53 (1303).
(ii) 'Liable to floods' an cur síos atá déanta ar léarscáil *TÁ (SO)* ar an talamh feadh na habhann i ndeisceart an bhaile fearainn.
(iii) I gcoigríoch thiar le *bf Kilfithmone* / **Cill Fhia Múin** (B 90) a bhfuil cur síos air i *Log. na hÉ* II 139 ff.

Nótaí:
(a) Tá logainmneacha eile den déanamh **Cluain + Lis + X** pléite faoi *Cluain Lis Bó supra*, nótaí *b, c* mar a léirítear cailliúint thúslitir **Lis** i logainmneacha áirithe den déanamh seo, tar éis an chonsain ghaoil -*n*. Scríobhadh litir -*l*- an dara heilimint in dhá fhoirm stairiúla den logainm atá idir chamáin, *Cloinelismoline*

(1572) agus *Clonlesmolin* (1584). Díol suime leis gur fhuaimnigh faisnéiseoir amháin ón gcomharsanacht sa bhliain 1991 foghar [l] sa dara siolla den logainm.

Foirm ghinidigh uatha an ainmfhocail **lios** < **leas** is ea **lis**, *o*-thamhan, firinscneach ('later also as *u*[-stem], m[asculine]' *DIL*, 1966, L 115 s.v. **2 les**; cf. Flanagan, 1980-1, 24 n. 57). Ainneoin gurb é gnáthbhrí an fhocail sa tSean-Ghaeilge, 'the space about a dwelling-house or houses enclosed by a bank or rampart' (*DIL, loc. cit.*; Kelly, 1997, 364: 'farmyard', 'courtyard'), is ionann é i logainmneacha agus an t-aonad cónaithe ina iomláine (Flanagan, 1980-1, 21).

I dtaobh an tríú hainmfhocal den logainm, **muileann**, féach *Cluain an Mhuilinn supra*, n. *b*.

(b)   Struchtúr an logainm ná, ainmfhocal tosaigh + ainmfhocal sa ghinideach + ainmfhocal sa ghinideach agus léiríonn solaoidí stairiúla áirithe de, *Clonneswolin* (1508) chomh maith le foirmeacha na bliana 1602 thuas, go raibh séimhiú i ndiaidh an ghinidigh uatha (**lis**).

Cluain Loiscthe
Clonlusk A 154; 59; R945394; 6:49

1607	Clonelosky	*CPR* 108
1660c	Clonluske	*BSD (TÁ)* 91
1665-6	Clonsoske	*HMR (TÁ)* 66
1666-7	Cluntoske	*HMR (TÁ)* 126
1840	Clu[ain] luisc	*AL:pl* (glanta)
	Cluain loisgthe	*AL:*dúch
1989	klən'losk, ˌklɑn'losk	*Áit.*

burnt pasture

Suíomh:
Géag de *Athfeakle River* < **Áth Fíacla** an choigríoch idir an baile fearainn seo agus *bf Kilfeakle* / **Cill Fhiacal** laisteas – féach *Log. na hÉ* II 136 ff. & n. *c* thíos.

Nótaí:
(a)   Cé go bhfuil an fhoirm Ghaeilge a scríobhadh le peann luaidhe san Ainmleabhar glanta, tá a lorg fós le feiscint: **Clu[ain] luisc**. Is í **Cluain loisgthe** an fhoirm údarásach Ghaeilge a scríobhadh le dúch ar an leathanach céanna den *AL*. Tá an fhoirm stairiúil is luaithe thuas, *Clonelosky* (1607), ag teacht le foirm sin an dúigh.

B'fhéidir **loiscthe** (*DIL*, 1966, L 190), aidiacht bhriathartha **loiscid, loscaid** (*op. cit.* 189-90), a chur i gcóimheas le cáilitheoir *Cluain Dóite* q.v., n. *a*, a bhfuil an fheidhm chéanna ghramadaí aige agus an bhrí chéanna.

[146]

Is áirithe gur samplaí eile de **Cluain Loiscthe** iad na logainmneacha seo a leanas,

bf Cloonlusk i *Lm* (*p* Dhúin, *bar* Ó Cuanach), timpeall ciliméadar go leith ó theorainn *TÁ*. Is iad na foirmeacha is luaithe den logainm úd atá tugtha i *Log. na hÉ* I 119 (s.v. **Cluain Loiscthe**) ná *Cluonloskehy CS* IV 31 (1655), *Cluonluske CS* IV 37.

bf Cloonlusk i *Ga* (*p* Chill Fhir Iarainn, *bar* Bhaile Chláir) – is iad seo na foirmeacha is luaithe de, *Clownlosky Inq.(Ga)* III 127, *Clowneloske Inq.(Ga)* III 129 (1617).

Cluain Loiscthe a bhain le cultas Naomh Fionnbharr: '*Findbarr Cluana Loscthi*' (*CGSH* 145 §707.380). D'ionannaigh Pádraig Ó Riain (1977, 78; *CGSH* 319, Index) an áit úd le *(bf) Clonlisk SO* in *UF*. Rinne an Rianach (1977, 78) crostagairt idir **Cluain Loiscthe** agus 'Barrfhind Rois Drochit' atá luaite sa liosta céanna naomh, 'Comainmnigud noem hErenn' (*CGSH* 140, §707.56) agus mhaígh gurbh ionann an log. deiridh agus *bf Rosdrehid* in *UF* (*p* Chúil Ó nDubháin, *bar* Chluain Leisc / *Clonlisk*). B'fhéidir áfach gurb ionann **Ros Drochit** agus *p Rossdroit SO* i *LG* (*bar* Bheanntraí) mar atá curtha san áireamh in *Onom. Goed.* 586, go háirithe ón uair gur bhain cultas Fhionnbhairr le deisceart *LG* / *PL*, le **Inis Doimhle** cuir i gcás ('Finnbairr … Insi Domle' *Mart. Tall.* 53, 4ú Iúil) a bhí suite de réir Féilire Uí Ghormáin, 'etir Ua Ceinnselaigh 7 na Dése' (*FGorm.* 130), agus le **Inis Bairri** (*VSH (Heist)* 205) > *Insula Barry RPat. Cl.* 158 (1400) arb ionann é agus (*p*) *Lady's Island SO* i *LG* (*bar* Fhothart).

(b)   Faightear **Loiscthe** mar cháilitheoir i logainmneacha eile i *TÁ* ar nós,

bf Ballylusky / **Baile Loiscthe** (I 131), ar a dtugtar *Balloske COD* II 62 (1428), *Ballylosky F* 215 (1548), *Ballylosky F* 749, *COD* V 11, 12 (1551) *Ballylosk F* 2310 (1573), *Ballyloskie Inq.(TÁ)* III 153 (1637);

bf Munlusk / **Mong Loiscthe** (féach *Cluain Ineasclainn supra*, Suíomh);

bf Burnchurch (M 161) ar a dtugtar *Teampoll Losky COD* III 335 (1508), *.i.* réadú ar **Teampall Loiscthe**, chomh maith le *Burnechurch Inq.(TÁ)* III 218 (1635);

'Freaghlosgy … parcel of the estate of Hoare-abbey' *CPR* 365 (1619). Ní foláir nó cuireann litriú Béarlaithe an logainm úd – atá imithe i léig – **Fraoch Loiscthe** in iúl (cf. *Cluain Fraoigh*, n. *a*). Bhí an fearann i seilbh na Mainistreach Léithe / *Hoare Abbey SO, bf, p Hoareabbey* (*bar* I).

(c)   Tá *Clonlusk* faoi chaibidil teorantach le **Cill Fhiacal** (Suíomh thuas) < *Cell Fhíacla* (*Bethu Phát.* 119) inar fhág Naomh Pádraig ceathrar dá mhuintir de réir *Bethu Phátraic* 119 (900c). Bhí **Loscán** ar dhuine díobhsan (ibid.). Is ainm pearsanta é **Losc** sna ginealaigh luatha. Féach m.sh. **Losc** *CGH* 393(=LL 327 f 23) a ndeirtear faoi (ibid.): 'Is de ata Lethet Luisc [log.] i crích na Dēsi Tuaiscirt'. Dá mba é an t-ainm **Losc** (**Loscán**, foirm dhíspeagtha de) cáilitheoir bunaidh an logainm seo, níor dhóichí rud de ach go rachadh an log. coitianta **Cluain Loiscthe** (n. *a*) i gcion air.

(d)   Is díol comparáide é fianaise an logainm seo a leanas le foirmeacha stairiúla an log. atá faoi chaibidil: 'Clonearde ... que vocatur modo *Cloynlusk*' a baineadh as 'the ancient rental roll drawn up by Archbishop Richard O Hedian in the reign of Henry IV' [1407-13] (*Chart. John* 268, 272), *Cloneluyske* a baineadh as 'the Chancery decree of 1541, ... [*CN*], Lodge MSS, Records of the Rolls, I 168-9' (*Chart. John* 271), *Cloynlwysk F* 3076 (1577), *Clonelesk CS* II 15, 17 (1654), *Cloneleske CS* II 19, *Cloneloske CS* II 365, *Cluoneluske CS* I 349, 353, *Cloneluiske BSD (TÁ)* 92, *Clonlusk Forf. Est.* 395 (1703). Cé go bhfuil an log. úd imithe i léig, is cosúil ón gcomhthéacs gurbh ainm eile é ar **Cluain Aird (Mobhéacóg)** *supra*. Ní léir cé acu **loiscthe** nó **loisc** (n. *c*) ó bhunús a tháinig i ndiaidh **cluain** anseo.

Cluain Macáin
Clonmacaun J 126; 4; M921043; 6:50

1840	Clonmacaun	*AL:*Corporal Gilmour
	Cluain macán	*AL:*dúch (=*OD*)
1989	ˌklonməˈkaːn	*Áit.*

the pasture of **Macán**

Suíomh: *bf Lorrha*.
(i)   Timpeall 700 méadar ó shean-láthair eaglasta **Lothra** (Gleeson & Gwynn, 1962, 48-9, 211). An-seans gur talamh eaglasta a bhí sa chluain seo atá laistigh de bhaile fearainn Lothra. Fo-roinn eile de *bf* Lothra is ea *Rath Abbeylands SO* ar ar tugadh i bhfoinsí an 16ú agus an 17ú haois, *Chanon's Rathe F* 1017 (1552), *Rathenekenanaghe F* 5472 (1590), (*Lorhoe* &) *Rathnagananagh CS* II 316 (1654) m.sh. Is do chanánaigh Phrióireacht na nAgaistíneach, a chuaigh i mbun mhainistir leasaithe Lothra i dtosach an 12ú haois (Gleeson & Gwynn, 210-3) a thagraítear san ainm sin **Ráth na gCanánach**.
(ii)   Tá talamh portaigh idir *Clonmacaun* agus *bf Curraghglass* (J 126) lastoir (féach an léarscáil agus an grianghraf i do dhíaidh ar lgh. 149-50). Foirm iolra de **currach**, **Curraithe** (Glasa), atá sa log. deiridh ó bhunús mar a léirítear sna samplaí stairiúla seo: *Corryhagh Inq.(TÁ)* II 271, *Corohagh CS* II 314, 315 (1654), **Currach glas** *AL*, scríofa le dúch amháin i bpeannaireacht *OD* (1840c), [ˌkorəhəˈglas] *Áit.* (1989). Tá paiste eile portaigh laisteas de *Clonmacaun*.

Nótaí:
(a)   Ní sine fianaise stairiúil an logainm seo ná iontrálacha an Ainmleabhair (1840c). Ní léir gur foirm ón gcaint í foirm aonair Ghaeilge *AL*, **Cluain macán**. Ní mór céatadán íseal na gcainteoirí Gaeilge i mbarúntacht Urumhan Íocht. (= J) de réir

TÁ (SO) 4

daonáireamh 1851 a chur san áireamh anseo – féach faoi *Cluain Ineasclainn*, n. *a*. Ar a shon sin, táimidne ar aon aigne leis an Donnabhánach (*OD*) gur **Macán** an cáilitheoir, ach é a bheith sa ghinideach uatha.

(b) Tá fianaise ann, neamhspleách ar an logainm faoi chaibidil, a cheanglaíonn ainm / sloinne (**Ó) Macá(i)n** le Lothra.

Ar an gcéad dul síos, bhí cónaí ar dhuine den ainm 'Grany (= **Gráinne**?) Mackane' i (*bf*) *Lurha* (= **Lothra**), de réir *HMR (TÁ)* 188 (1666-7).

Ar an dara dul síos, ba iad an bheirt seo a leanas a chuir ceann de dhá phríomhaghaidh cumhdach Leabhar Aifrinn Stowe á dhéanamh – atá i dtaisce in Ard-Mhúsaem na hÉireann (Ryan, 1985, 163-5) – de réir inscríbhinne atá ar an scrín, 'Pilib Rig (tabh.) Uru(mand)' agus 'Gilla Rudan U Macan' (ibid. 165). Is é an rí dá dtagraítear, **Pilib Ua Ceinnéidigh** a d'éag sa bhliain 1381 (*ARÉ* IV 682) agus a bhí ina rí ar Urumhain ón mbliain 1371 meastar (Kenny, 1929, 694). Maidir le **Gilla Ruadáin Ua Macáin** ar a dtugtar 'comarba' ar an inscríbhinn chéanna, bhí an méid seo le rá ag O'Rahilly (1926-8, 97) faoi sa chuntas a thug

Cluain Macáin idir dhá phortach. Lothra in íochtar ar chlé

seisean ar stair an Leabhair Aifrinn, 'The "coarb" can only mean the coarb of St. Ruadhán, founder of Lorrha, which in the fourteenth century was the only abbey in Ormond that could claim continuous existence from pre-Norman times. (The coarb's christian-name, *Gilla Ruadháin*, is also significant in this connection)'; féach chomh maith Kenney (1929, 694).

Is é an colafón seo a leanas, atá scríofa ar bhileog 44 V den LS *Rawl*. B 486 – i gcló in Gleeson & Gwynn, 1962, 212 – a dhéanann deimhin de dhóigh O'Rahilly (agus Kenny) réamhráite: 'Mac Raith Mac a Gabhand na scél do scríbh in leabhar so do Giolla Ruadháin Ua Macain ... i.e. do Comharba Lothra agus Ruadháin'. Táimid ag déanamh talamh slán de gurb é an Macánach céanna atá sa dá sholaoid. Cuir 'sloinne' scríobhaí an cholafóin dheireanaigh i gcóimheas le **Faelan Mac a' Gabann na Scél**, duine de scríobhaithe 'Leabhar Ua Maine' (*UM*), a bhí i mbun pinn timpeall na bliana 1394 (*RIA Cat.* 3315).

Luaitear duine den ainm **Macán** i gcraobh choibhneasa **Munter Flandchada** ar de **Uí Daigri Múscraige** iad (*CGH* 370 = LL 323 g 56). Sa dúthaigh den ainm céanna, **Uí Dhaighre**, a bhí mainistir **Leatracha** / *Latteragh* i *TÁ*, de réir *CGSH* 34 §200: 'Odrán magister, i lLettrachaib, i nUib Daigri' (féach chomh maith Ó Corráin, 1981, 337).

(c)   Logainm eile de chuid *TÁ* ina bhfuil an t-ainm pearsanta **Macán** caomhnaithe ná *bf Lismakin* / **Lios Macáin** (F 45): foirmeacha stairiúla is luaithe de, *Lismackane CPR* 28 (1603), *Lismakane CPR* 160 (1610), *Lismakane HMR (TÁ)* 21 (1665-6); fuaimniú áitiúil na bliana 1991, [ˌlisˈmakən]. Bhí dul amú ar Ó Donnabháin nuair a scríobh sé san Ainmleabhar (*p Corbally*) gur **lios mic Fhinn** ba bhunfhoirm don log. áirithe sin.

Cluain Manach
Cloonmanagh A 49; 58; R813395; 6:51

1742	Clownmanagh	*CGn.* 110. 14. 75182
1840	C...i. m..anach	*AL:pl* (glanta agus cuid de doléite)
	Cluain manach	*AL:*dúch (=*OD*)
1989	ˌkluːnˈmanə	*Áit.*

pasture of (the) monks, monastic tenants

Suíomh:
Tá baile fearainn *Cloonmanagh* i bparóiste *Cullen* / **Cuilleann** agus i dteorainn le *bf* **Cuilleann** laistiar (féach n. *a*).

Nótaí:
(a)   Ní foláir nó bhí ionad eaglasta i gCuilleann (Suíomh thuas) i bhfad siar. Féach na tagairtí seo a leanas don áit, **Cuillen** *Pat. Texts* 182 ('Notulae', 809c) atá ag freagairt do 'i nÓchtur Cuillend la Úu Cúanach' *Bethu Phát.* 119 (900c), fara a lán samplaí eile Gaeilge den logainm atá tiomsaithe ag Ó Máille (1960, 57). Áiríodh an paróiste i gcáin phápach thosach an 14ú haois, *Cullen* (*Pap. Tax.* 279). Thug Seán Ó Donnabháin cuntas ar shuíomh na seanláithreach eaglasta i *LSO (TÁ)* I 9/21-2: 'No part of the original church now remains, its site being occupied by a modern Protestant Church which stands in the north side of the original graveyard' – tá an teampall sin suite i *bf Monearmore* / **An Móinéar Mór**, taobh le *bf Cullen SO*. Baineann sé le dealramh gur as 'manaigh' (n. *b*) a raibh baint acu le **Cuilleann** a ainmníodh **Cluain Manach**.

(b)   Mar le hinfhilleadh **manach** de, féach *DIL* (1939, M 54). Ní mór amhras a chur i ndeilbhíocht cháilitheoir an logainm seo, pé acu **Manach** (ginideach iolra) nó **Manaigh** (ginideach uatha) a bhí ann, toisc a scáinte atá an fhianaise; féach Ó Cearbhaill (2005, 17; 2007, 183).

Faightear an focal **manach** i logainmneacha eile de chuid *TÁ* ar nós, *bf Buffanagh* (I 86), ón bhfoirm Ghaeilge **Both Mhanach** – féach *Cluain Brógáin supra,* n. *a*;

bar Kilnamanagh / **Coill na Manach**: Caill na Manach *ARÉ* II 850 (1046), **Coill na Manach** *Marcher Lords* 34 (1460c), **Coill na Manach** *Marcher Lords* 62 (1470c), *Silva Monacorum COD* IV 224 (1542);

bf Rathmanna (B 150, 192): foirmeacha is luaithe de, *Rathmanath RBO* 73 (1303), *Rathmanagh IMED* 230 (1370-90), mar aon le **rath feana** a scríobh Tomás Ó Conchúir ar a láimh san Ainmleabhar (*p Rahelty*; bl. 1840), ag cur **Ráth Manach > Ráth Mhanach / Mhanaigh** (?) in iúl.

bf Farranamanagh (I 77): Ní sine an fhianaise stairiúil ná an tAinmleabhar (1840), **Fearann na manach** scríofa le dúch i bpeannaireacht Uí Dhonnabháin, **Fe..r.. na m…ach** *AL:pl* (glanta agus fuílleach doléite).

Cluain Meáin
Clonmaine A 154; 59; R953398; 6:52

1633	Clomaine	*Inq.(TÁ)* II 138
1840	Clonmeen	*AL:BS*
	Cluain main	*AL:pl* (glanta) (=OD?)
	Cluain máin, Cluain min, Cluain maighin	*AL:*dúch (=OD)
1989	ˌklonˈmeːn, ˌklɑnˈmeːn	*Áit.*

middle pasture

Suíomh:
(i) I dteorainn le *bf Kilfeakle* / **Cill Fhiacal** laisteas, fearacht *Cluain Loiscthe supra.*
(ii) Ritheann *Athfeakle River* tríd an mbaile fearainn seo (féach s.v. *Cluain Loiscthe*, Suíomh).

Nótaí:
(a) Is í foirm na bliana 1633 thuas an t-aon fhoirm amháin atá ar eolas againne roimh iontrálacha an Ainmleabhair. Tá ceithre foirmeacha difriúla Gaeilge tugtha in *AL*, mar atá, **Cluain min** (*recte* **mín**) a tiontaíodh go Béarla mar a leanas, 'smooth lawn'; **Cluain main** a scríobhadh le peann luaidhe; **Cluain máin** a scríobhadh le dúch agus **cluain maighin** a aistríodh mar seo, 'meadow of the little plain'. Ní áirithe go bhfuil na foirmeacha úd ar fad i gcomhaimsir le chéile. Ní léir ach chomh beag gur foirm Ghaeilge ón gcaint aon cheann díobh.
(b) Is dóigh linn gurb í **Cluain Meáin** an bhunfhoirm. D'fhonn cur leis an tuairim sin, cuirimis *Clonmaine* i gcóimheas le *bf, p Tullamain* i *TÁ*, logainm nach

bhfuil aon amhras faoi ná gurb é **Tulaigh Mheáin** < **Tulach Meadhóin** atá ann. Leaganacha eiseamláracha den log. úd is ea iad seo (féach O'Rahilly, 1930, 176 n. 46 chomh maith), *Toullathmathan Pap. Tax.* 316 (1302c), *Tillaghmean RBO* 146 (1308-9), *Tylaghmethan PR* 47 *RDK* 27 (1340), *Tulloghwyan Inq.(TÁ)* I 73 (1547-53), *Tullaghmaine CS* I 158 (1654), **Teile meádhain, mheádhan** *AL*, scríofa le peann luaidhe (1840). Cuir, go háirithe, *Tullaghmaine* (bliain 1654) i gcóimheas leis an bhfoirm stairiúil *Clomaine* thuas (1633) atá comhaimseartha leis. Cuir, ina theannta sin, fuaimniú áitiúil *Clonmaine* [—'me:n] (bl. 1989) i gcóimheas le fuaimniú comhaimseartha **Tulaigh Mheáin**, [ˌtoləˈme:n]. Cuireann foghar an ghuta sa siolla a bhfuil príomhbhéim an ghutha air an t-athrú fuaime /a:/ > /e:/ in iúl. Claochlú foghraíochta ba ea ardú an ghuta fhada seo a bhain don Bhéarla (féach *Log. na hÉ* II 250).

Tá sampla de **Cluain Medóin** mar logainm i *CGSH* 111 §669.2: 'Crumthir Lappain i Cluain Medoin' (féach **Cluain Medón** *Onom. Goed.* 267). Déanann eagarthóir *CGSH* (ibid. 319) ionannú idir an logainm úd agus *bf, p Clonmethan* i *BÁC* (*bar* Bhaile an Ridire Thiar). **Gleann Meadhóin** a chuireann foirmeacha luatha Béarlaithe an log. réamhráite in iúl, de réir na solaoidí atá bailithe ag O'Rahilly (1930, 177), mar aon le foirmeacha de ar nós *Glenmethane Ir. Mon. Poss.* 14 (1185c).

Áiteanna eile den ainm **Cluain Meáin** is ea iad seo,

bf Cloonmain i *Ga* (*p* Chill Odhráin, *bar* Liatroma) ar a dtugtar *Clonmean Inq.(Ga)* I 77 (1596);

bf Cloonmaan i *ME* (*p* Bhaile Easa Caoire, *bar* Thír Amhlaidh): *Cloonmaan* ar léarscáil *Bald* (1830).

Cluain Meala
Clonmel C, D 163 (+PL); 83;S193224; 6:53

1215	Crumell	*CDI* I 84
1221	Clunmel	*CDI* I 155
1222	Clunmell	*CDI* I 162
1225	Clunmel	*CDI* I 198
1237	Clunmel'	*CDI* I 362
1242	Clonmele	*CDI* I 383
1243	Clomele	*CDI* I 388
1260	Clonmelle	*Pont. Hib.* II 299
1278	Clonmele	*CDI* II 298
1281	Clonmele	*RPat. Cl.* 1
1288-90	Clonmel	*CDI* III 217, 266
1295	Clonmele	*CJR* I 7, 8

1303	Clomele	*RPat. Cl.* 4
	Clonmell	*RPat. Cl.* 5
1305	Clonmele	*CJR* II 15
1306c	Clonymull'	*Pap. Tax.* 306
1320	Clonmel, Clonmell	*COD* I 228
1346	Clonmell	*RPat. Cl.* 51
1415-6	Clomell	*RBO* 124
1460c	i cenn **Cluana M*h*ela**	*Marcher Lords* 36
1462	Clomell	*Ann. Lis.* 20
1487	Cleomelleye	*Ann. Lis.* 32
1516	co **Cluain-meala**	*AU* III 522
1524	Clownmelia	*COD* IV 93
1559	tigherna **Cluana Meala**	*ARÉ* V 1570
1566	tighearna trena **Cluana Meala**	*ARÉ* V 1608
1618	the field of Clonmel otherwise Gortchlonmally	*CPR* 411
1840	Cluain Meala	*AL:*dúch anuas ar *pl*
1989	ˌklɑnˈmel	*Áit.*

pasture of honey

Suíomh: *Clonmel Town, p St. Mary's, Clonmel.*
'The medieval town was located at a fording point on the north bank of the river Suir where the river broadens to incorporate a small island' (Bradley, 1985, 45).

Nótaí:
(a) Thuairimigh Burke (1907, 5 n. *l*) agus Lyons (1939, 221-2) gur ó bhean den ainm **Mell** a ainmníodh *Clonmel* faoi chaibidil. Cé gur tuairimíocht gan bhun fianaise í seo – 'there is an indefinite tradition in Clonmel about a Lady Mell' (Lyons, 1939, 222) – ní miste foirm an cháilitheora a fhéachaint. Tugtar samplaí den ainm / de na hainmneacha pearsanta **Mell**, **Mella** (féach Ó Corráin & Maguire, 1981, 136) i *CGH* m.sh.: '**Meld** ... ingen Ernbraind dena Désib' *CGH* 345 (=LL 316 c 36; tá leagan den iontráil sin ag Burke *loc. cit.*), **Melda** (gin.) ibid. (=LL 316 c 39), **Sīl Meldae** *CGH* 24 (*Rawl.* B 502 118 b 27). Tá an fhoirm **Mella** caomhnaithe sa logainm seo a leanas cuir i gcás, 'Mella Daire Mella' *Mart. Tall.* 28 (800/830c), naomh a chomórtaí ar 31ú Márta; féach 'Mell i nDaire Melle' *CGSH* 155 §708.115. Is é is dóichíde gurb ionann an log. úd agus *bf Derryvella* (M 87), *TÁ(SO)* 48, mar a scríobh Ó Donnabháin, *LSO (TÁ)* I 159/444, Byrne (1980, 120-1) agus Ó Riain (1990, 28).

Is -*l*- teann (nó neamhshéimhithe) a chuireann an litriú **Mella** srl. le consan dúbailte in iúl. Maidir le fianaise stairiúil Laidine nó Béarla **Cluain Meala** thuas, ní móide go ndéanfaí idirdhealú fóinéimeach i gcáipéisí riaracháin den chineál seo idir *l* teann agus *l* éadrom (nó séimhithe). Is -*l*- singil a fhaightear i bhfianaise stairiúil Gaeilge an logainm ar aon nós. Ó thaobh na foirme Gaeilge is sine de, **Cluain Mela** *(Marcher Lords)*, tá comhardadh slán (cuibheas inmheánach) idir **Mela** agus **cena** (ibid. 36).

Ní mór géilleadh don tuairim a bhí ag Seán Ó Donnabháin faoi bhunús an logainm más ea: 'Clonmel is called in Irish Cluain Meala, which sounds (sic) the *Clon* or meadow of the honey and this, though it may appear fanciful, is, in all probability, the true explanation of the name' *LSO (TÁ)* III 69 /208; féach *PN Decies* 284 chomh maith.

(b) Taispeánann an tráchtas dlí *Bechbretha* a cumadh timpeall lár an tseachtú haois meastar (Charles-Edwards & Kelly, 1983, 13), an tábhacht a bhí le beacha agus le táirgeadh na meala dá réir sin in eacnmaíocht luath na hÉireann. Tá an focal **saithe**, 'swarm' (ibid. 211) caomhnaithe i logainm de chuid *TÁ* freisin, *bf Carrigataha /* **Carraig an tSaithe** (E 188) ar mar seo a scríobhadh é in Ainmleabhar pharóiste Thiobraide (1840), **Carraig a' tatha, tsatha, a tsaithe, tata** (sic). Tá an áit úd le hais na Siúire, timpeall trí chiliméadar déag taobh thiar theas de **Cluain Meala**.

Cineál eile bia atá buanaithe i logainm is ea **leamhnacht**, 'new milk' (féach *DIL*, 1966, L 96 s.v. **lemnacht**; Kelly, 1997, 324 **lemlacht**). Is é cáilitheoir **Inis Leamhnachta** *(FFÉ* II 316) é, .i. *p Inishlounaght* i *TÁ, PL* (barúntachtaí C, D), paróiste atá i dteorainn lastoir le **Paróiste Mhuire** ina bhfuil **Cluain Meala** suite (Suíomh thuas).

(c) Tá trí logainm eile cláraithe in *Top. Index* 261, 928 ar a dtugtar *Clonmel* i mBéarla:

bf Clonmel i *BÁC* (*p* Ghlas Naíon, *bar* na Cúlóige) – foirmeacha stairiúla de, *Clonmell Alen's Reg.* 256 (1504), *Clonmell CPR* 169 (1609);

bf Clonmel in *UF* (*p* Chluain Sosta, *bar* Bhaile an Chúlaígh) – foirmeacha stairiúla de, *Clonmell F* 765 (1551), *Clonmeale F* 6341 (1599), *Clonemello ASE* 67 (1666);

p Clonmel i *Co* (*bar* Bharrach Mór) – foirmeacha stairiúla de, *Comell Ann. Cloyn.* 5 (1465), *Clonmel* otherwise *Clonmult CPR* 368 (1618).

In éagmais fianaise Gaeilge, ní léir cé acu **Cl. Mealla, Meala**, nó **Meil** fiú amháin (gin. an ainm **Me(a)l**) bunfhoirm na logainmneacha sin; ainm pearsanta, *o*-thamhan ba ea **Mel**: 'quies sancti Meil episcopi' *AU* 54 (sub anno 487), 'Meli episcopi' *Mart. Tall.* 15 (6ú Feabhra).

Cluain Mhic Giolla Dhuibh
Clonmakilladuff J 81; 9; R838932; 6:54

1637	Cloonkilleduff	*LN* 16 I 17, 15
1654	Cloune mcgullyduffe	*CS* II 306
	Clonemcgulladuffe	*CS* II 308, 309

	Clone mc Gullyduffe	CS II 308, 310, 343
	Cluan mcGully Duffe	CS II 280
1657	Clonnagulladuffe	DS
	Clonnagulladuff	DS (P)
1659	Clun Mc Gillyduff	Cen. 298
1660c	Clonagulladuffe	BSD (TÁ) 252
1666	Clonemc gilliduffe	ASE 119
1840	Clonmakillyduff	AL:BS
	Cluain na cille dubh	AL:pl (glanta)
	Cluain na cille duibhe	AL:dúch (=OD) (scriosta)
	Cluain 'ic Gilla duibh	AL:dúch (=OD)
1989	ˌklonəməˌkiləˈdof, ˌklonməˌkiləˈdof	Áit.

the pasture of the son of **Giolla Dubh***; of* **Mac Giolla Dhuibh**

Cluain Mhic Giolla Dhuibh, Loch an Scarbhaigh agus portach ar an teorainn thoir thuaidh

[156]

Suíomh:

(i) Seo é an cur síos a rinneadh in *AL* ar chineál na talún sa bhaile fearainn, ' ... chiefly consists of rough rocky land and underwood'. Is é aicmiú atá déanta in *DS* ar an talamh ar theorainn thoir thuaidh agus thiar thuaidh an bhaile fearainn ná 'Bog' (féach an grianghraf ar an lch. thall).

(ii) Ag críochantacht lastuaidh le *bf Scarragh* (J 81) arb é *Scarvogh CGn*. 549.405.364306 (1795) an fhoirm is luaithe de, .i. réadú ar **Scarbhach** < **scairbh** a chiallaíonn áth (tanaí) (*DIL*, 1953, S 71 s.v. **scairb (1)**; Joyce, 1869, 360). Ina cheann sin tá loch ar a dtugtar *Scarragh Lough TÁ (SO)* 9 idir baile fearainn seo *Scarragh* agus *Clonmakilladuff* faoi chaibidil (féach an grianghraf). I gcoigríoch thoir thuaidh le *bf Ballinagross*, sa pharóiste céanna (Cill Bharráin), ar léir óna ainm go raibh bealach uisce ann: féach m.sh. foirm seo an logainm, *Beallanagross CS* II (1654) ag cur **Béal Átha na gCros** in iúl.

Nótaí:

(a) Tá fianaise ar marthain, neamhspleách ar an logainm faoi chaibidil, gurbh ann don ainm **Mac Giolla D(h)uibh** – pé acu sloinne nó ainm athartha é – i bparóiste Chill Bharráin (J 81) sa 17ú haois: luaitear m.sh. *Hugh Mc Gilliduff* agus *Daniell Mc Gilliduff* le 'parochia de Kilbaran' in *HMR (TÁ)* 54 (1665-6). Solaoidí den ainm céanna ón 16ú haois is ea, *Philip Mac Thomas Mac Gilleduf COD* V 73 (1552) agus *David McGilleduffe COD* VI 93 (1598) – in ionchoisne a tógadh i gCluain Meala a luadh an chéad duine díobh agus is é áit a raibh cónaí ar an dara duine ná 'Comynstown' (*COD, loc. cit.*) nó *bf Millbrook TÁ (SO)* 27 (K 108) mar a thugtar air sa lá atá inniu ann; féach m.sh. *Cumminstown* otherwise *Millbrooke CGn*. 703.158.481893 (1816).

Faightear na samplaí seo a leanas de **(An) Giolla Dubh / mac Giolla D(h)uibh** sa téacs 'Panel of the freeholders of Ormond' (*Last Lords*, App. I, 234), timpeall na bliana 1580, 'Gilleduff O'Kennedy of Castleton' (*bf Castletown* / **Baile an Chaisleáin**, J 81), 'Gilladuffe O'Hogan of Koylladaingin' (*bf Killadangan* / **Coill an Daingin**, J 99), 'Shean Mac Gilladuff O'Kennedy of Balyngarry' (*bf, p Ballingarry* / **Baile an Gharraí**, *bar* J). In Urumhain Íochtarach (*bar* J) atá na logainmneacha sin ar fad, ar chuma **Cluain Mhic Giolla Dhuibh** faoi chaibidil. Tá cruthúnas ann gurb é **An Giolla Dubh**, leis an alt chun tosaigh, an t-ainm Gaeilge a bhí ar dhuine de na saorshealbhóirí sin, mar is ionann 'Sean mac an ghiolla duibh mic Semuis Uí Chinnéittigh ó Bhaile an Gharrdha Chnuic Síthe Úna i nUrumhain' (*ARÉ* VI 2094 sub. anno 1599) agus 'Shean Mac Gilladuff O'Kennedy of Balyngarry' réamhráite. Féach chomh maith an t-ainm **An Giolla Dubh mac Diarmada ... Uí Ceinneidigh** in *ARÉ* V 1874 (1588). Tá samplaí eile de **An Giolla Dubh** cláraithe ag Ó Muraíle in *LGen*. V 400 ('Index of personal names'). Solaoid eile fós de **(An) Giolla Dubh** ó bharúntacht Urumhan Íocht. is ea 'Gilliduffe O Kennedy of Garranmore' *F* 6706 (bl. 1602) (> *bf Prospect East*, J 36).

Is fiú a rá, gur de mhuintir Ógáin duine díobhsan atá luaite sa pharagraf roimhe seo ('Gilladuffe O'Hogan') agus gur fear den sloinne céanna a bhí ina úinéir ar *Clonmakilladuff* faoi chaibidil sa bhliain 1640, de réir *CS* II 308: 'Donagh Hogan of Clonemcgulladuffe'. Is fiú a lua, ar an dara dul síos, gurbh ainm coitianta i measc mhuintir Chinnéide Urumhan é *Gilladuff* (*et var.*) sa 16ú agus sa 17ú haois, agus tá samplaí eile fós den ainm ar fáil in *COD*, imleabhair V agus VI (innéacsanna, s.v. *O'Kennedy*). Is inmheasta mar sin gur de mhuintir Chinnéide nó Ógáin é **mac Giolla D(h)uibh** (sa chás gurb ainm athartha é) a bhfuil a ainm caomhnaithe sa logainm faoi chaibidil. B'fhéidir go raibh feidhm sloinne ag **Mac Giolla D(h)uibh** áfach in Urumhain faoin 17ú haois ach go háirithe (féach siar ar na solaoidí sa chéad pharagraf den nóta seo).

(b) Tá **Mac Giolla Dhuibh** caomhnaithe sa logainm **Ráth Mhic Giolla Dhuibh** chomh maith, i ndeisceart *UF* (*p* Dhroim Cuilinn, *bar* na hEaglaise). B'in é ainm bunaidh *bf Rathmount SO*: *Rathvicileduffe* F 6496 (1601), *Ramackilduffe* in *Inq. Lag. (Com' Regis)* §7 (Jac. I) (1612), *Rathmacgilliduffe Inq. Lag. (Com' Regis)* §26 (Car. I) (1634).

(c) Comhshuíomh scaoilte ('loose compound' – féach Ó Cuív, 1986, 167 agus Baumgarten (ed.) O'Brien, 1973, 212) den déanamh **Giolla** + aidiacht cháilitheach is ea **Giolla Dubh**. Cheap O'Brien (1973, 229) an *terminus post quem* seo a leanas i gcomhair ainmneacha den déanamh **Gillae** + X, 'Names with **Gillae** are first found about A.D. 900'. D'aicmigh an t-údar céanna (ibid.) na hainmneacha mar a leanas, 'unlike **Máel, Gillae** is only found followed by the name of a saint in the gen[ealogies]'. Thug sé samplaí den chineál sin ainm (*op. cit.* 229-30). D'áitigh Ó Cuív áfach (1986, 167-8), i dtaca leis na hainmneacha **Gilla-buidi** agus **Gilla-duilig** de, a fhaightear in *CGH* 63 gur ainmneacha iad den déanamh **Gilla** + aidiacht sna ginealaigh chéanna agus go bhfuil siad inchomórtais mar ainmneacha le **Maél-dub** agus a leithéid. Eisceachtaí is ea samplaí den chineál sin áfach i *corpus* na nginealach luath. Ní dócha gur cheart aois rómhór a chur ar an ainm atá idir chamáin mar sin.

Cluain Míolchon
Cloonmalonga A 106; 59; R900418; 6:55

1637	Clonemolenton, Clonemolinton	*Inq.(TÁ)* III 80
	Clonymellenton	*Inq.(TÁ)* III 134
1654	Clon Imlonton, Clone Imlonton,	
	Clonymlonton, Cloneomlonton, Clone Imlenton	*CS* II 51
1657	Clonimleat (sic)	*DS*
1660c	Clonmelonton, Clonemelston	*BSD (TÁ)* 107
1668	Clonmelouton	*ASE* 157

1792	Clonymollonton	*CGn.* 460.407.294777
1840	Clonmullandy	*AL:Co. Pres. Bk.* (1827)
	Cloonmalonga	*AL:BS*
	Cluain Moluangar	*AL:pl* (glanta agus doiléir)
	Cluain Molúngar	*AL:*dúch
1989	klu:n	*Áit.*

pasture of ?

Suíomh:
(i) Tá sruthán den ainm *Cauteen River SO* (< *bf Cauteen* / **An Coitín**, A 169) ar theorainn thuaidh agus thoir an *bf* (féach an grianghraf thíos agus an léarscáil ar lch. 160 i do dhiaidh).

Cluain Míolchon i lár slí agus Móin Doicheartaigh taobh thiar de

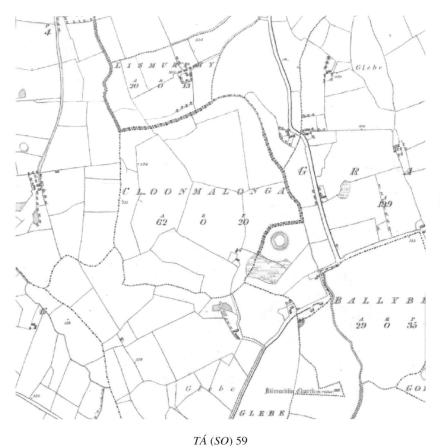

TÁ (SO) 59

(ii) Teorantach laisteas le *bf Glebe* / **An Ghléib** (A 106) – féach n. *a.*

(iii) I dteorainn thiar le *bf Moandoherdagh* (A 56). Ní sine fianaise stairiúil an logainm úd ná tosach an 19ú haois, *Monedogheredegh CGn.* 557.256.370231 (1803), chomh maith le **Móin doithirdeach** *AL*, scríofa le peann luaidhe agus le dúch i bpeannaireacht *OD* (1840); D'fhuaimnigh faisnéiseoirí éagsula an log. mar seo sa cheantar, [ˌmoːnˈdohərti], [ˌmoːnəˈdorə], [ˌmoːnˈdoːrdə] (1989). Measaimid gurb é an t-ainm pearsanta **Doicheartach** a thagann i ndiaidh **Móin** anseo – i dtaca leis sin de, féach a bhfuil scríofa faoin sloinne **Ó Doicheartaigh** ag Woulfe (1923, 498): 'an attenuated form of Ó Dochartaigh … found here and there in Munster'. Ba é míniú Sheáin Uí Dhonnabhain ar an fhoirm sin aigsean san Ainmleabhar ná 'gloomy bog'. Cé gurb ann don aidiacht **doithir**, 'dark, gloomy, ugly' (*DIL* (1960,

[160]

dodénta-dúus 326; *Vendr. Lex.*, 1996, D 160), ní heol dúinn samplaí ar bith den fhréamhaí **doithirdeach**. Tá an portach a thug a ainm do **Móin Doicheartaigh** i ndeisceart an bhaile fearainn, i dteorainn le *Cluain Míolchon* faoi chaibidil (féach an grianghraf agus an léarscáil ar lgh. 159-60). Tugadh 'bog' ar an líomatáiste céanna ar léarscáil *DS* (1657).

Nótaí:

Is deacair foirmeacha Gaeilge an logainm san Ainmleabhar, **Cluain Moluangar** agus **Cluain Molúngar**, a thabhairt chun réitigh le haon cheann de na foirmeacha stairiúla roimhe sin ón 17ú haois agus ón 18ú haois. Faightear foirmeacha Béarlaithe in *AL* chomh maith atá a bheag nó a mhór comhaimseartha leis an bhfianaise Ghaeilge, foirmeacha ar nós *Clonmullandy* a baineadh as 'County Presentment Book' (bliain 1827) agus *Cloonmalonga* a cuireadh síos do 'Boundary Surveyor' cuir i gcás. Réadú ar **Cluain**, gan aon cháilitheoir, a chualathas sa cheantar sa bhliain 1989.

B'fhéidir aon cheann de na hainmneacha (nó an t-ainmfhocal) seo a leanas a áireamh mar fhoirm bhunaidh an cháilitheora.

(a)   **Míolchú, Míliuc** (ainm pearsanta / ainmfhocal) – féach *Log. na hÉ* II 168 ff., s.v. *Cill Mhíolchon*. Cé gur mór idir na foirmeacha stairiúla is luaithe thuas den logainm agus bunfhoirm ar nós *Cluain Míolchon*, ábhar suntais is ea a shuíomh. I bparóiste **Cill Mhíolchon** atá *bf Cloonmalonga SO* suite. Is i mbaile fearainn *Glebe* atá iarsmaí sheaneaglais an pharóiste úd, *bf* atá teorantach le *Cloonmalonga* faoi chaibidil (féach *Log. na hÉ.* II 169). Tugtar 'the Gleabeland of Kilmilton' ar ghléib an pharóiste in *CS* II 52 (1654). Díol suime go bhfaightear *-t-* neamhstairiúil – atá eisceachtúil áfach – i bhfoirm Bhéarlaithe sin **Cill Mhíolchon**, á cur i gcóimheas le foirmeacha ar nós *Clonymellenton* thuas.

Nuair a chuimhnítear gur minic a bhíonn **cluain** taobh le **cill**, nó le láthair luath eaglasta, is ea is dóchúla gurb é an buncháilitheoir céanna atá i **Cill Mhíolchon** is atá i **Cluain** + X > *Clonymellenton* > *Cloonmalonga SO*, taobh leis. Is éard atá á mhaíomh againn go mb'fhéidir gur foirmeacha truaillithe iad foirmeacha Béarlaithe an logainm a tháinig chun cinn de dheasca traslitrithe, faoi mar a tharla i gcás *Coolmundry* / **Cill Mhaí Claí** (*Log. na hÉ* II 157 ff.). Cf. *Clonymolyntyn* faoi **Cluain Ó Miolchon** *infra*, n. *c*.

(b)   **Maoilfhiontain** < *Máel Fintain*: Cé nach eol dúinn aon sampla dá leithéid d'ainm pearsanta, bhí **Fintan** ar cheann de na hainmneacha ba chomónta de réir taighde O'Brien (1973) ar ainmneacha abhus anuas go dtí 1000 circa ('Frequency List: Commonest names' ibid. 232). Ainm coitianta ar naoimh dhúchasacha ba ea é chomh maith (féach 'Index of Saints' Names', *CGSH* 245-6).

(c)   Ainm Angla-Normannach: Faightear an sloinne seo a leanas in Cottle (1978, 256), *Millington*, 'mill farm', agus tugann údar an fhoclóra le fios gur logainm a bhí ann ó cheart. Tá áit den ainm seo i Cheshire Shasana agus is léir ón bhfianaise stairiúil atá curtha síos in *PN Cheshire* II 54-5, cosúlacht litrithe idir é agus cáilitheoir an logainm atá idir chamáin, m.sh. *Mellynton* (bl. 1487, ibid.), *Molynton* (bl. 1353, ibid.). In Cheshire chomh maith atá an log. *Mollington* (*Little, Great* srl.) suite a chiallaíonn 'Moll's farm' (*PN Cheshire* IV 178) agus téann cuid den fhianaise stairiúil arís i gcosúlacht an log. atá faoi chaibidil, ar nós *Molinton* (bl. 1271, ibid.).

Ar an iomlán, ní beag an lorg a d'fhág na hAngla-Normannaigh ar logainmneacha bharúntacht Chlann Liam ina bhfuil *Cloonmalonga* suite. D'áirigh Ó Cearbhaill (2006, 236) seacht sloinne is fiche de bhunús Angla-Normannach mar mhíreanna i mbailte fearainn agus i bparóistí na barúntachta seo ina hiomláine. Tá caisleán i nDún Eochaille (*Donohill,* A 56) cuir i gcás, timpeall le ciliméadar lastuaidh de *Cloonmalonga*, a bhí i seilbh 'na hAirsdeicneacha' (= an sloinne *Archdeacon* i mBéarla) de réir *AIF* 400 (1309 §2) agus de réir *CJR* I 6-7, bliain 1295 chomh maith: 'Silvester le Ercedekne ... his castle of Dounhochil'. Ní heol dúinn áfach gur lonnaigh daoine den sloinne *Millington / Mollington* i *TÁ* sa Mheánaois.

Cluain Mocóg (Beag, Mór)
Clonamuckoge (Beg, More) B 128; 35; S120641; 6:56

1303	Clonamaccok	*RBO* 72
1547-53	Clinomokoke	*Inq.(TÁ)* I 64
1598	Clonomockeg	*F* 6248
1654	Clonemockogmore, Clonemockogbegg,	
	Clonemuckogmore, Clonemockoge	*CS* I 69
	Clonenamuckog, Clonemuckoge	*CS* I 70
	Clonenamuckogebegg, Clonenamuckogemore,	
	Clonenamuckoge	*CS* I 71
	Clonemuckogemore	*CS* I 72
1657	Clonmuckgemo(re)	*DS*
1659	Clonmoge, Clonmoge begg	*Cen.* 318
1660c	Clone mc Logemore	*BSD (TÁ)* 30
	Clonemuckeogebeg	*BSD (TÁ)* 32
1661	Clonmc ogemore	*Inq.(TÁ)* III 315
	Clonmucogebegg	*Inq.(TÁ)* III 317
	Clomogebeg	*Inq.(TÁ)* III 320
1665-6	Clonmorkage	*HMR (TÁ)* 17
1666-7	Clonemuckoge	*HMR (TÁ)* 145
1685	Clonmuck gemus (sic)	*Hib. Del.*
1754	Clonvickanob	*Vis. Bk.* I 65
1840	Cluain na mucóg	*AL:pl* (=*OD*)

	Cluain na muc óg mor	*AL*:dúch (=*OD*)
	Cluain na muc og beag	*AL*:dúch (=*OD*)
1991	ˌklɑnəmə'koːg, ˌklunəmə'koːg	*Áit*.

pasture of ?

Suíomh:
(i) An tSiúir atá ar theorainn thiar agus theas *Clonamuckoge Beg* agus *More*. Is éard atá curtha síos ar *TÁ (SO)* 35 faoin talamh feadh na habhann ná 'liable to floods'.

(ii) Tá *Clonamuckoge More* i dteorainn le *bf Curraghmore* / **An Currach Mór** (B 128) lastuaidh, nó *Curraghmore CPR* 122 (1608), *CS* I 50, 69, 70 (1654); féach bríonna an fhocail **currach** faoi *Cluain Curraigh supra*, nótaí.

(iii) Sa 17ú haois, de réir na bhfoinsí ar nós *BSD, Cen., CS, DS*, bhí aonaid talún *Clonemuckogmore, -begg* (*et var.*) i bparóiste '*Loghmo(r)e*'. Paróiste níos fairsinge ná *Loughmoe West SO* / **Luachma** (B 129) ba ea *Loghmo(r)e* réamhráite an tráth úd. Faoin 19ú haois, de réir foinsí na Suirbhéireachta Ordanáis, bhain an dá bhaile fearainn faoi chaibidil le *p Loughmoe East or Callabegs AL* (1840) > *p Loughmoe East SO* / **Na Cealla Beaga**.

Nótaí:
(a) Is é an míniú a thug Séan Ó Donnabháin ar an bhfoirm Ghaeilge **Cluain na muc óg** a scríobh seisean san Ainmleabhar ná 'lawn or pasturage of the young pigs', .i. **Cluain** + ginideach iolra an ailt, an ainmfhocail **muc** agus na haidiachta cáilithí **óg**. Ghlac P. W. Joyce (1913, 210) leis an míniú sin. Athmhíniú ar cháilitheoir an logainm atá san fhoirm Ghaeilge sin dar linne.

Tá téarmaíocht bheacht sa Ghaeilge chun cur síos a thabhairt ar 'muca óga', ar nós **banbh** (*DIL*, 1975, B 29 s.v. **banb**), focal atá ina cháilitheoir sa logainm seo a leanas m.sh.: *bf Rossnamaniff, TÁ(SO)* 23 (*p* **An Teampall Mór**, in aon bharúntacht le *Clonamuckoge* faoi chaibidil), ar a dtugtar *Rossnamanveine CS* I 78 (1654), *Rossnamanaff CS* I 79, *Rossenamaniffe BSD (TÁ)* 79 (1660c), **Ros na m-banbh** foirm an phinn luaidhe in *AL* (1840). Tá téarmaí beachta eile ar mhuca óga san Fhéineachas pléite ag Kelly (1997, 86-7), leithéid **lúrcc** 'piglet', **céis** 'young sow' agus **orc(c)** 'piglet'. B'ait linn mar sin go mbainfí feidhm as téarmaíocht scaoilte ar nós *na muca óga* i logainm.

(b) Tá cosúlacht áirithe idir fianaise stairiúil an logainm seo agus cáilitheoir *bf Kilmacogue* i *Lm* (*p* Dhúin, *bar* Ó Cuanach) atá taobh le *TÁ*. Tá foirmeacha stairiúla an log. curtha síos i *Log. na hÉ* I 105-6 faoi **Cill na Muchóige** – sin í an fhoirm chéanna Ghaeilge is atá i dtéacs *An Leabhar Muimhneach* 363. Féach go bhfuil an-chosúlacht idir an fhoirm dheireanach agus **Ceill Machóige** *AL* (bl. 1840, *Log. na hÉ* I 106). Mar mhalairt leagain ar cháilitheoir an log. i *LM* 363 réamhráite, n. 321, tugtar **Muc[óige]**, agus faightear **Coill na mucóige** i *Senchas*

[163]

Síl Bhriain 186. I nginealach na mBrianach a fhaightear idir fhoirmeacha *LM* agus *Sen Síl Bhr.* araon (féach **Cluain Lis Bó** *supra*, n. *a*). Is iad na foirmeacha Béarlaithe is sine den log. úd i *Lm* atá ar fáil ná *Kilmocogy CPR* 281 (1615), *Keillvockogy CS* IV 21 (1655), *Killmckogie CS* IV 32. Dealraíonn sé gur ainmfhocal sa ghinideach uatha baininscneach **(na) Mucóige / Muchóige** atá anseo, ainneoin nach léir a bhrí (*Log. na hÉ* I 106).

(c)   Sa chuntas ar 'manerium de Thorles' in *The Red Book of Ormond* 72 atá an fhoirm is sine den logainm faoi chaibidil cumhdaithe, *Clonamaccok* (bliain 1303). Táimid ag déanamh talamh slán de go bhfreagraíonn an fhoirm stairiúil sin do *Clonamuckoge SO*: cuid de mhainéar Dhurlais ba ea 'Lowemoy' *RBO* 70 cuir i gcás, an paróiste ina raibh *Clonamuckoge* faoi chaibidil suite (Suíomh thuas, n. *iii*). Téann an fhoirm luath sin, fara an fhoirm a thagann ina diaidh – *Clinomokoke* (réimeas Rí Edward VI, 1547-53) – i gcosúlacht le cáilitheoir *Kilcoke / **Cill Chóca*** (B 128); féach *Log. na hÉ* II 94 ff. Tá timpeall ceithre chiliméadar slí idir an dá áit. Thuairimíomar i nótaí an logainm dheireanaigh gurbh ainm naoimh é an cáilitheoir, ainneoin é a bheith éiginnte.

    Foirm cuíosach déanach den logainm seo a thabharfadh le fios gur **mhic**, ginideach uatha **mac**, a bhí sa dara heilimint ná *Clonvickanob Vis. Bk.* I 65 (1754). I nGaeilge a scríobhadh dornán beag d'iontrálacha na cáipéise úd, 'the Visitation Book of Archbishop James Butler I of Cashel (1750-54)' (ibid. 1), agus tá foirmeacha neamhchoitianta logainmneacha caomhnaithe inti.

    Ní léir dúinn brí ná foirm bhunaidh an logainm seo.

Cluain Móna
Clonmona J 58; 5; N016051; 6:57

1570	the Grange of Cloynemoine	*COD* V 188? (féach n. *b*)
1657	Clonemonagh	*DS*
1692	Clonemona	*Inq.(TÁ)* III 380
1840	Clúain móna	*AL:pl* (=*OC*)
	Cluáin móna	*AL*:dúch (=*OD*)
1989	ˌklonˈmoːnə, ˌklanˈmoːnə	*Áit.*

pasture of (the) bog-land

Suíomh:
(i)   Seo cuid den chur síos a rinneadh in *AL* ar chineál na talún sa bhaile fearainn, 'the south end is composed of rough boggy land'. De réir *DS* (1657), 'Red Bog' ba ea an fearann lastuaidh agus laisteas den bhaile fearainn faoi chaibidil.

(ii)   Teorantach ar an taobh thoir theas le *bf Corraduff* (J 127) arb é *Corroduff* an Ainmleabhair an fhoirm is sine de, curtha síos do 'Boundary Surveyor'. Réadú is ea an fhoirm úd, fairis an fuaimniú áitiúil comónta den logainm a chualathas sa bhliain 1989, [ˌkorəˈdof], ar **(An) Currach Dubh** ach foghar -*ch* a bheith ar lár – tá samplaí eile de –*ach* > /ə/# i logainmneacha de chuid *TÁ* luaite ag Ó Cearbhaill (2007, 183). Tá cuid den phortach céanna i **An Currach Dubh** is atá in **Cluain Móna** taobh leis.

(iii) Ag críochantacht lastuaidh le *bf Sraduff* (J 58): foirmeacha luatha de, *Scruduff Cen.* 298 (1659), *Sheduffe HMR (TÁ)* 190 (1666-7), *Straduff* in atlas *T & S* 197 (1778), mar aon le **srath d(h)ubh** *AL*, scríofa le peann luaidhe i bpeannaireacht Thomáis Uí Chonchúir (*OC*). Cuireann an fhianaise stairiúil **Sra(i)th D(h)ubh** in iúl; talamh íseal, nó fliuch, cois srutháin a chiallaíonn **srath / sraith** anseo (féach Joyce, 1875, 399; *DIL*, 1953, S 365 s.v. **srath**).

Nótaí:
(a) Tá caoga ceathair baile fearainn i gCo. Thiobraid Árann a thosaíonn le **Móin** (féach *DIL*, 1976, M 159) nó le **Móintín** – foirm le hiarmhír dhíspeagtha – de réir ord minicíochta na n-ainmfhocal atá scagtha i *Liostaí Log. TÁ* xxv. Seo roinnt logainmneacha eile i mbarúntacht Urumhan Íocht. ina bhfaightear **móin**, nó **móinín**, taobh amuigh den logainm atá faoi chaibidil:
    bf Cushmona / **Cois Móna**, *TÁ(SO)* 14 (*p* Dhrom Inbhir) – foirm is luaithe den log., *Coshmona CGn.* 158.107.105095 (1752);
    bf Ballynamona / **Baile na Móna**, *TÁ(SO)* 10 (*p* Fhionnú) – foirm is luaithe de, *Ballynamona CGn.* 500.190.312573 (1795);
    bf Tomona / **Tuaim Móinín**, *TÁ(SO)* 14 (*p* Mhaigh Saotha) – foirmeacha is luaithe de *Thomonyn COD* II 125 (1372), *Tomonyne Inq.(TÁ)* I 148 (1604).
    Móin an Bhogáin atá luaite faoi *Cluain Inithe supra*, Suíomh.
    Sa leabhar seo thairis sin, luaitear **Móin Doicheartaigh** i mbarúntacht Chlann Liam s.v. *Cluain Míolchon*, Suíomh . n. *iii*, chomh maith leis na logainmneacha **Móin na Cíbe** s.v. *Cluain Gabhra*, n. *b* agus **Móin Locha Leathain** s.v. *Cluain Leathan*, n. *b*; i mbarúntacht Éile Uí Fhógarta atá an dá logainm dheiridh. Tugtar a lán samplaí de **Móin** mar chéad eilimint i logainmneacha agus mar logainm neamhspleách in *Onom. Goed.* 540-2.
(b) D'ionannaigh Curtis, eagarthóir *Calendar of Ormond Deeds*, an logainm seo a leanas le *Clonmona* faoi chaibidil, 'the Grange of Cloynemoine in Ormond ... with the castle ...' *COD* V 188 (1570) ('Index Locorum' ibid. 374). Dintiúr is ea an téacs úd idir beirt de mhuintir Chinnéide agus Iarla Urumhan. B'fhéidir gur 'Graige' ba cheart a bheith in ionad 'Grange' anseo, sa tslí go n-ionannófaí é le *bf Graigue*, *TÁ(SO)* 5, faoi bhun ciliméadair laistiar de *Clonmona* sa pharóiste céanna (Dura, J 58). Mar atá ráite ag Nicholls (1982, 380) áfach, is minic a fhaightear an dá fhocal **gráig** (cf. *DIL*, 1966, G 145 **gráig-baile**, G 144 **grágán**) agus *grange* (ón bhFraincis > **gráinsech** – Risk, 1970-1, 648 §190) taobh le taobh i dtaifid Mheánaoiseacha agus i logainmneacha. I seilbh *Daniell Kenedy* a

bhí aonad talún 'Graige' (> *bf Graigue SO*) sa bhliain 1640, de réir *CS* II 322. Sa bhaile fearainn céanna tá *(Site of) Pallas Castle* curtha síos ar *SO*; ba le *William O'Kennedy* é (' ... of the Pallice') timpeall na bliana 1580, de réir 'Panel of the freeholders of Ormond' (*Last Lords* 234, App. I). Is inmheasta gurb in é an caisleán a bhfuil tagairt dó sa dintiúr thuasluaite.

(c)   Ban-naomh í **Columb Cluana Mugna** sa téacs 'Comanmand naebúag hÉrenn' *CGSH* 155 §708.72. Tuairimítear in *Onom. Goed.* 268 gurb ionann an logainm sin agus *Clonmona SO* faoi chaibidil. Tuairimíocht gan taca í seo, mura bhféachfaí leis an mban-naomh réamhráite a cheangal le **Colum**, bunaitheoir fireann mhainistir **Tír Dhá Ghlas** (féach *Log. na hÉ* II 57) – mainistir atá cóngarach do *Clonmona*. Toisc go bhfuil éiginnteacht ag baint le suíomh **Cluain Mugna** agus toisc go bhfuil bearna aimsire rómhór idir é agus foirmeacha Béarlaithe *Clonmona*, ní léir gur aon logainm amháin iad.

Cluain Mhór (1)
Clonmore-walk A 180; 59; R903395; 6:58

1595	Clonwore	*COD* VI 77?
1709	Clonmore	*CGn.* 3.156.785
1840	Clonmore Walk	*AL:BS*
	Cluain muar	*AL:pl (=OK?)*
	Cluain mór	*AL:*dúch
1989	klən‚moːr'waːk	*Áit.*

big pasture

Nóta:
Cé nach deimhin gur tagairt do *Clonmore* faoi chaibidil í foirm *COD* thuas (atá tógtha as achoimre bearnach ar 'Ormond lands in Co. Tipperary' *op. cit.* 76-7), is foirm bhaininscneach í, ar a laghad, de **Cluain** i *corpus* logainmneacha *TÁ*.

Cluain muar, le *m-* neamhshéimhithe, an fhoirm Ghaeilge a scríobhadh le peann luaidhe san Ainmleabhar.

Cluain Mhór (2)
Clonmore D 79; 76; S134282; 6:59

1840	Clonmore	*AL:BS*
	Cluain m(h)or	*AL:pl* (glanta)
	Cluain mhór	*AL:*dúch (=*OD*)
1989	‚klan'moːr	*Áit.*

big pasture

Suíomh:
Tá *Clonmore* faoi chaibidil suite i smut de pharóiste Inis Leamhnachta atá scoite ón
gcuid eile den pharóiste laisteas. Gráinseach de chuid Mhainistir Chistéirseach Inis
Leamhnachta ba ea an fearann scoite sin (Conway, 1955-6,7-8; Ó Cearbhaill, 2001,
155-6), ar ar tugadh *Loghekyraghe,* 'grang de *Logh Kyragh' Inq.(TÁ)* I 33-4 (1534-
5), *Loghkyraghe COD* IV 240 (1542), *Loghkeragh* alias *Loghtikeraghe F* 3121 (1577)
(1618), 'the lake of *Loghtykearagh' CS* I 307 (1655) srl., .i. **Loch** (nó **Loch Tí?**)
Caorach. Tá *bf Clonmore SO* i dteorainn le *bf Decoy* / **Clais Chiaráin** lastuaidh. Ní sine
fianaise stairiúil an logainm dheireanaigh, an t-ainm Gaeilge nó an t-ainm Béarla, ná an
18ú haois, 'a track of ground commonly called the Decoy and a piece of ground known
as Clashkeeran' *CGn.* 379.361.253367 (1786). Is ansin a bhí an loch ar a nglaoití **Loch**
(Tí) Caorach de réir dealraimh: 'The official name [Decoy] – very modern by the way
– owes its origin to a contrivance for trapping wild duck which was set up in a bog, now
drained. The bog in question formerly occupied greater part of the townland' *PN Decies*
261. Thug Power le fios sa saothar úd, *The Place-names of Decies,* go raibh láthair luath
eaglasta den ainm **Teampall Mochuanna** sa bhaile fearainn áirithe sin (ibid.)

Nóta:
Cé nach bhfuil fágtha ach lorg an phinn luaidhe lenar breacadh **Cluain m(h)or** san
Ainmleabhar (bliain 1840), is dóigh linn gur *m* séimhithe, scríofa le *punctum delens,*
atá i dtosach an dara focal. Is ródhócha gur ag leanúint fhoirm an phinn luaidhe a
bhí Ó Donnabháin nuair a scríobh sé **Cluain mhór** le dúch ar an leathanach céanna
den *AL.* **Cluain Mhór** an fhoirm Ghaeilge a thugtar in *PN Decies* 261 chomh maith.
Taispeánann an sliocht a leanas as ceann de Litreacha na Suirbhéireachta Ordanáis a
scríobh *OD* go raibh teacht ar chainteoirí Gaeilge i bparóiste Inis Leamhnachta ina
bhfuil an logainm seo, an tráth ar scríobhadh ábhar na nAinmleabhar: 'The name of
this parish is written **Inis Leamhnachta** by Keating [*FFÉ* II 316] and this is the form
of the name in use at this day among the old natives when speaking Irish' *LSO (TÁ)*
I 40 / 104 (1840). Ainmfhocal baininscneach is ea **cluain** anseo mar sin, bíodh is go
bhfuil an fhianaise déanach agus tearc.

Cluain Mór (Theas, Thuaidh) (3)
Clonmore (North, South) E 32; 75, 81; S007247; 6:60

1596	Clonore	*Inq.(TÁ)* I 250
1654	Cluonemore	*CS* I 350, 353, 354, 362
	Cluonemore	*CS* I 352
1657	Clonmore	*DS*
1840	Cluain mór	*AL:pl,* dúch (=*OC?*)
1989	ˌklanˈmoːr	*Áit.*

big pasture

Suíomh:
  (i)   Idir **Cluain Mór Thuaidh** agus **Theas** tá sruthán gan ainm; géag den tSiúir atá ann.
  (ii) Téann an talamh le fána ó mhullach **Sliabh an Aird** / *Slieveanard* sna Gaibhlte atá 438 méadar ar airde i g**Cluain Mór Thuaidh** síos go dtí isleán **Cluain Mór Theas** atá 70 méadar ar airde. Is dócha go raibh an cluain seo ar an talamh íseal ó cheart.
  (iii) Tá **Cluain Mór Theas** teorantach le *bf Kilcommon* / **Cill Chomáin** (E 32) ar an taobh thoir theas – féach *Log. na hÉ* II 100-2.

Nótaí:
  (a)   I dtaca le foirm an phinn luaidhe in Ainmleabhar de, **Cluain mór**, ní foláir nó bhí teacht ag an té a scríobh (Tomás Ó Conchúir?) ar fháisnéiseoirí le Gaeilge an tráth úd (bliain 1840) sa cheantar. Is i mbarúntacht Uíbh Eoghain agus Uíbh Fhathaidh Thiar, mar a bhfuil an logainm seo suite, a bhí an céatadán ba mhó cainteoirí Gaeilge i *TÁ* de réir daonáireamh bl. 1851. Má chuirimid an fhianaise seo i gcomparáid le fianaise chomhaimseartha *Cluain Mhór 2* thuas (*bar* D), is cosúil gurbh fhirinscneach agus bhaininscneach do **cluain** i ndeisceart an chontae tráth bailithe na bhfoirmeacha úd, sin nó neachtar acu, nár tógadh síos na foirmeacha go beacht ón gcaint. Is í **Cluain Mhór** (bain.) a fhaightear sa dá chás in *PN Decies* 261, 299 faoi seach. B'fhéidir gur claonadh chun rialtachta is cúis leis seo.
  (b)   Díol suime go bhfuair údar *PN Decies* 299 tuairisc ar 'Cill Ghobnait .. a little known, early church site' sa bhaile fearainn seo. Cé nach bhfuil aon tagairt don chill i gcáipéisí na Suirbhéireachta Ordanáis, ní miste ainm an *bf*, **Cluain Mór**, a mheas sa chomhthéacs eaglasta sin.

Cluain Mór (4)
Clonmore F 95; 23, 29; S148752; 6:61

1303	Clonmore	*RBO* 72
1395	Clonmor	*COD* II 226
1437	Clonmore	*Proc. CE* 331
1582	Clonmore	*F* 4007
1593	Clonmore	*COD* VI 58
1594	Clonemore	*COD* VI 3
1595-6	Clonmour	*COD* VI 85
	Clonmore	*COD* VI 88
1598	Clonmore	*F* 6248
1601	Clonmore	*COD* VI 191
1607-8	Clonemor	*RVis.(CE)* 301, 307
1615	Clonmore	*RVis.(CE)* 289

1618	Clonemore	*CPR* 458
1654	Clonemore	*CS* I 4, 20, 21, 25
1657	Clonmore	*DS*
1659	Clonmore	*Cen.* 316
1660c	Clanemore, Clonemore	*BSD (TÁ)* 11
1840	Cluain mór	*AL*:dúch (=*OD*)
1991	ˌklɑnˈmoːr, klənˈmoːr	*Áit.*

big pasture

Suíomh:
  (i) Ag críochantacht lastoir le baile fearainn *Glebe* / **An Ghléib** (F 95), ina bhfuil fothrach eaglasta *Killavinoge* / **Cill Momhéanóg** – féach *Log. na hÉ* II 185-7. Tá *p Templeree* / **Teampall Rí** (F 181) taobh theas de bhaile fearainn *Clonmore SO* agus de *p Killavinoge* (F 95) dá réir; féach n. *c* thíos.
  (ii) An tSiúir atá ar theorainn thiar an bhaile fearainn. Tá géag den tSiúir ar an teorainn theas.
  (iii) De réir foinsí de chuid an 17ú haois, (*DS, BSD* thuas), ba phortach é deisceart an aonaid talún. Is é ainm a bhí ar chuid den fhearann sin ná 'Pollagh O Cahill, common to both baronys [= baruntachtaí B, F] being curragh and shaking bog' *DS* (**Pollach Ó gCathail**?); tá ainm na clainne **Ó Cathail** caomhnaithe sa log. (*bf*) *Ballycahill* / **Baile Uí Chathail** (B 178) taobh thiar de *bf* **Cluain Mór** faoi chaibidil. 'Parts of Clonmore are wet'a d'inis duine de bhunadh an cheantair dúinn sa bhliain 1991.

Nótaí:
  (a) Le dúch a scríobh Ó Donnabháin foirm aonair Ghaeilge an logainm san Ainmleabhar, **Cluain mór**. Ar chuma *Cluain Craicinn* sa bharúntacht chéanna, q.v. n. *a*, ní dócha gur foirm Ghaeilge ón gcaint í.
  (b) I bhfoinsí de chuid an 17ú haois, áiríodh *Clonemore* (*et var.*) faoi chaibidil mar chuid den aonad talún seo a leanas, *Moclonmore CS* I 19, 21 – '*Clonemore* being of the sd Colpe of *Moclonmore*' *CS* I 21 (1654) – *Moclonemore CS* I 19, 20, 79, *Mucklonymore BSD (TÁ)* 10, *Mocklonymore BSD (TÁ)* 11. Is inmheasta go gcuireann an fhianaise úd **Magh Cluana Móir* in iúl.
  (c) Mar bheachtú ar shuíomh eaglasta 'Clonmor(e)' i bhfoinsí na mblianta 1437, 1607-8 agus 1615 thuas, luaitear déanacht Éile Uí Fhógarta ('Decantus de Ely' *Proc. CE* 331) i ndeoise Chaisil. D'ionannaigh St. John D. Seymour, eagarthóir *Proc. CE*, an eaglais úd le paróiste Theampall Rí laisteas de *Clonmore SO* (ibid. 333; féach Suíomh thuas, n. *i*). Níl tagairt ar bith ann don logainm **Teampall Rí** (< **Tuath an Rí**?) roimh an 17ú haois, go bhfios dúinn: *Toghery CPR* 527 (1622), *Togheny* (sic) otherwise *Templejury CPR* 588 (1625), *Tampleree CS* I 4 srl. (1654).

Tá Empey (1970, 25-6) tar éis a léiriú go bhfreagraíonn mainéar tuata, Angla-Normannach **Durlas** / *Thurles* do dhéanacht Éile Uí Fhógarta réamhluaite. Baineann an dá shampla is luaithe den logainm faoi chaibidil le mainéar Dhurlais, *Clonmore* (1303), *Clonmor* [1395] thuas.

Cluain Mhór (Theas, Thuaidh) (5)
Clonmore (North, South) I 7; 52, 60; S056447; 6:62

1540	Clonemore	*COD* IV 193
1545	Clonevoir	*COD* IV 287
1546	Cloneworty	*COD* IV 290
1610	Clonvore	*CPR* 176
1634	Clonemore	*Inq.(TÁ)* II 173
1654	Clonmore	*CS* I 245, 246; II 376
1657	North, South Clanmore	*DS*
1659	North Clonmoure, South Clonmore, North Clonmouer	*Cen.* 307
1840	Cluain mhuar	*AL:pl* (=*OK?*)
	Cluain mhór, mhuar	AL:dúch (=*OK?*)
1993	ˌklonˈmoːr, ˌklanˈmoːr	*Áit.*

big pasture

Suíomh:
(i) An tSiúir atá ar theorainn thiar an bhaile fearainn. Is éard atá scríofa in *AL* (bl. 1840) faoi thalamh an bhaile fearainn i gcomharsanacht na habhann, 'the vicinity of the river is subject to floods'. Déanann An tSiúir agus An Arglach / *Arglo River* comar in iardheisceart an *bf* (féach an grianghraf ar lch. 171).
(ii) Teorantach ar an taobh thoir theas le *Cluain 3* q.v. Cuid d'aonad talún *Clonmore CS* srl., faoi chaibidil, ba ea achar *Cluain 3* réamhráite, de réir teorainneacha fhoinsí an 17ú haois (*CS, DS* thuas).
(iii) I gcoigríoch thuaidh le hiarsmaí eaglasta *Ardmayle* sa bhaile fearainn den ainm céanna (I 7). Eiseamláir stairiúil den logainm úd i gcáipéis Laidine is ea *Ardmail* in *Reg. St. Jn. B* 275, 332 *et al.* (1220c); **Ard Máille** an fhoirm Ghaeilge atá in *ARÉ* V 1754 (1581), *LGen.* III 811.2, 1389.1. I n. *b* thíos tá tagairt don mhainéar feodach den ainm céanna a chuir na hAngla-Normannaigh ar bun (féach Orpen, 1920, III 20, 166; Empey, 1985).

Nótaí:
(a) Tá séimhiú curtha in iúl tar éis **cluain** (baininscneach) i gcuid den fhianaise Bhéarlaithe thuas, *Clonevoir* (1545), *Cloneworty* (1546), *Clonvore* (1610). Bhí

Cluain Mhór, An tSiúir feadh na teorann thiar agus An Arglach feadh na teorann theas

     cluain baininscneach chomh maith de réir fianaise Ghaeilge an Ainmleabhair, **Cluain mhuar**, foirm an phinn luaidhe.

(b)   Sa chur síos ar 'extenta Manerii de Arthmail' *RBO* 62-4 (1305; féach Suíomh, n. *iii*), tá tagairt déanta do *Clon* (ibid. 63) le líne chothrománach ('horizontal stroke') scríofa os cionn an dá litir dheiridh den logainm. Seans gur foirm ghiorraithe í seo de **Cluain Mhór** faoi chaibidil.

Cluain Mhór (6)
Clonmore I 164; 61; S095427; 6:63

1613	Cloinemore	*CPR* 268
1654	Clonmore	*CS* I 223
	Cullmore	*CS* II 377

Cluain Mhór (6)

1657	Clonmore	*DS*
1660c	Clonmore	*BSD (TÁ)* 73
1840	Cluain m(h)or	*AL:pl* (glanta)
	Cluain mór	*AL:*dúch (=*OD*)
1993	ˌklɑnˈmoːr	*Áit.*

big pasture

Nótaí:
Cé nach bhfuil fágtha san Ainmleabhar ach lorg na foirme Gaeilge a scríobhadh le peann luaidhe, is cosúil gur **Cluain mhor** atá ann, le *punctum delens* os cionn *m-* (cf. **Cluain Mhór 2**, nóta). **Cluain mór**, le *m-* neamhshéimhithe, foirm an dúigh in *AL*. Cuir i gcóimheas le **Cluain Mhór 5** (baininscneach) sa bharúntacht chéanna.

Cluain Mór (7)
Cloonmore K 17; 21; R937812; 6:64

1760	Clunmore	*LN* 2043, 11
1840	Cloonmore	*AL:BS*
	Cluain mór	*AL:pl* (glanta), dúch (=*OD*)
1991	ˌkluːnˈmoːr, klənˈmoːr, ˌklɑnˈmoːr	*Áit.*

big pasture

Suíomh:
(i)   I dteorainn thuaidh an bhaile fearainn tá *Ollatrim River* / **Abhainn Chalatroma**.
(ii) Tá iarsmaí eaglasta an pharóiste (**Baile Uí Mhacaí**) i bf *Cloonmore* faoi chaibidil. Rinneadh cur síos ar an láthair i *LSO (TÁ)* III 97/286-7 (1840) agus in *FSCTÁ* I 238 faoi, *Church site and graveyard*. Tá fianaise stairiúil ann don logainm *Ballymackey* ó lár an 16ú haois anuas, *Ballyvaky* F 1135 (1552), *Ballyvakye* F 562 (1563); an sloinne **Ó Macdha** atá sa cháilitheoir – féach Woulfe (1923, 592), MacLysaght (1969, 153).

Nótaí:
I dtaca le hinscne **cluain** de san Ainmleabhar, **Cluain mór**, ní mór an céatadán íseal de chainteoirí Gaeilge a bhí i mbarúntacht Urumhan Uacht., de réir daonáireamh na bliana 1851 a chur san áireamh agus iontaofacht na foirme á meas; ní raibh ach 2.3% de dhaonra na *bar* sin ina nGaeilgeoirí an tráth úd (féach *Log. na hÉ* II 14).

Cluain Mór (8)
Clonmore K 54; 26, 27; R875712; 6:65

1657	Clonemore	*DS*
1660c	Clonemore	*BSD (TÁ)* 229
1666	Clonmore	*ASE* 45
1840	Cluain mór	*AL:pl* (glanta), dúch (=*OD*)
1991	ˌklɑnˈmoːr, klənˈmoːr	*Áit.*

big pasture

Suíomh:
(i)   *Dolla River* / **An Doladh** atá ar theorainn thiar agus ar theorainn theas an bhaile fearainn.
(ii) Teorantach le *bf Kilboy* / **Cill Bhuí** (K 105) ar an taobh thiar thuaidh – féach *Log. na hÉ* II 73-5.

Cluain Muc
Solsborough J 143; 20; R844791; 6:66

1594	Shesseragh Clonmock	*COD* VI 120
1654	Clonemuck	*CS* II 280
	Clounemucke	*CS* II 295
	Clonemucke	*CS* II 144, 296
1657	Clonemuck	*DS*
1659	Cloune Muckle	*Cen.* 298
1660c	Clonemuck	*BSD (TÁ)* 263
1685	Clonemuck	*Hib. Del.*
1778	Sallsboro	*T & S* 100
1840	Clonmuck or Solsborough	*AL:BS*
1840	Clua(in) muc or Salsbor(ogh),	*AL:pl* (*OK* i láimh scrábach)
	Cluain muc, Salsborough 'is also	
	known to the people'	*AL:*dúch (=*OD*)
1989	ˈsɑlzˌborə	*Áit.*

pasture of (the) pigs

Suíomh:
I lár an 17ú haois, de réir léarscáil *DS*, 'bog' ba ea cuid d'aonad talún *Clonemuck*. Ba 'shrubby wood' fiche acra den iomlán, san aicmiú a rinneadh ar chineál na talún sa bhaile fearainn in *CS* II 296 (1654).

[173]

Nótaí:

(a) Ní foláir nó bhí ainm Gaeilge an bhaile fearainn fós ar eolas sa cheantar tráth scríofa iontrálacha an Ainmleabhair ar nós, 'Cluain muc or Salsborogh' thuas. Ní bhfuaireamar aon tuairisc ar an ainm Béarla go dtí iontráil na bliana 1778, *Sallsboro*.

(b) Ginideach iolra an ainmfhocail **muc** – féach *DIL*, 1976, M 178-9 s.v. **muc(c)** – is cáilitheoir don logainm. Faightear an fhoirm dheilbhíochta chéanna i mbailte fearainn eile de chuid Urumhan (Íochtarach. & Uachtarach):

Cappanamuck / **Ceapach na Muc**, *TÁ(SO)* 7 (J 4) atá ar taifead ón mbliain 1675, *Cappaghnemucke Inq.(TÁ)* III 363;

Kylenamuck / **Coill na Muc**, *TÁ(SO)* 5, 8 (J 127): foirm is luaithe de, *Kilnemuck CGn.* 223.412.148821 (1763);

Foilnamuck / **Faill na Muc**, *TÁ(SO)* 27, 33 (K 54) ar a dtugtar *Faulanamuck CGn.* 146.231.97407 (1750), **Faill na muc** *AL*.

(c) **Muc** a cháilíonn **cluain** sa logainm faoi chaibidil. Is comhshuíomh é **Mucchluain** a bhfuil solaoidí de ar lgh. 212-4 *infra* agus atá comhdhéanta de na helimintí céanna droim ar ais, rud a fhágann gurb é an cáilitheoir atá chun tosaigh (féach Mac Giolla Easpaig, 1981, 151 ff.):

Cluain Mhurchaidh
Clonmurragha H 187; 45; R922540; 6:67

1811	Clunevookera	*CGn.* 640.178.438493
1819	Counvouracha otherwise Clunevouraka	*CGn.* 747.208.508343
1840	Cluenvoraha	*AL:BS*
	(C)l..ain Mh..racha(dh)	*AL:pl* (glanta agus cuid de doléite)
	Cluain Mhurchadha, 'Murrough's, or Morgan's meadow or bog island'	*AL:*dúch (=*OD*)
1993	ˌkluːnˈmorəkə, ˌkluːnˌmorəˈhuː, ˌglenˈmargən, ˌglenˈmɑːrgən	*Áit.*

*the pasture of **Murchadh***

Suíomh:

(i) Suite idir dhá ghéag den *Multeen River* / **An Moiltín**.

(ii) Seo cuid den chur síos a rinneadh in *AL* ar chineál na talún sa bhaile fearainn, 'the North West portion is bog, the remainder is arable and pasture land'.

(iii) Tá baile fearainn **Cluain Mhurchaidh** go maith os cionn meánairde na gCluain-ainmneacha i *TÁ*: a airde ná 200-275 méadar. Tá sé suite i gceantar cnocach ar a dtugtaí *Kilnallongert et var.* (.i. **Coill na Longfort**?) i bhfoinsí de chuid an 16ú agus an 17ú haois (féach *Liostaí Log. TÁ* xviii).

(iv) Tá *bf Curraheen* / **An Curraichín** (H 187) i gcoigríoch thiar *Clonmurragha.* B'fhéidir gurb ionann é agus *Curryhengrielly CS* II 77 (1654). Níl amhras faoi na solaoidí seo a leanas, *Curraheen CGn.* 640.178.438493 (1811), **(Cu)irithín** *AL:pl* (glanta) (1840). Foirm dhíspeagtha den ainmfhocal **currach** / **cuirreach** atá ann (féach *Cluain Curraigh*, Nótaí).

Nótaí:
(a) Cé go bhfuil fianaise stairiúil an logainm seo cuíosach déanach, ní hábhar amhrais na heilimintí bunaidh dar linn. Réadú ar an bhfoirm ghinidigh **Mhurchaidh** atá sa cháilitheoir, leithéidí *Counvouracha* (sic) (1819), *Cluenvoraha*, **(C)l[u]ain Mh[u]racha(dh)** (1840), fara ˌkluːnˈmorəkə (1993). Aistriúchán Béarla míchruinn ar an logainm bunaidh Gaeilge is bun le dhá cheann eile de na foirmeacha foghraíochta a bailíodh sa cheantar an tráth céanna, [ˌglenˈmargən], [ˌglenˈmɑːrgən] (= 'Glenmorgan'). Is iad na leaganacha deireanacha sin is comónta.
(b) Ainm pearsanta coiteann ba ea **Murchadh** sna ginealaigh luatha abhus. Chláraigh M. A. O'Brien (1973, 232) beirt is caoga den ainm sin (**Murchad**) sa liosta minicíochta ainmneacha a bhunaigh sé ar iontrálacha *Corpus Genealogiarum Hiberniae.* Luaigh an t-údar céanna (1973, 225) gur *u*-thamhan ba ea an t-ainm (gin. **Murchada**, *CGH passim*). Is díol spéise go bhfaightear sa *corpus* luath seo ginealach áfach, **Murchaid** mar fhoirm mhalartach ghinidigh (*Lec.* 216 Rd 44 = **Murchada** *Rawl.* B 502 150 b 15; *CGH* 216, ginealach **Éoganacht Caisil**). Féach chomh maith go dtugann Woulfe (1923, 394-5) aitheantas don sloinne **Mac Mhurchaidh** i dteannta **Mac Murchadha**.
(c) Tá an fhoirm ghinidigh chéanna, **Murchaidh**, i bhfeidhm cáilitheora sna bailte fearainn seo a leanas,
    Cappamurragh, TÁ(SO) 52 (G 40): fianaise luath an logainm, *Cappemorroghe COD* V 100 (1604), *Cappimoroghie CPR* 105 (1607) agus foirm Ghaeilge an Ainmleabhair, **Ceapa muroha**, scríofa le peann luaidhe (1840).
    bf Lismurphy, TÁ(SO) 59 (A 56) ar a dtugtar *Curragh Lismorroghy CS* II 50 (1654), **Lios mhurachaidh** *AL*, scríofa le peann luaidhe.
    Réadú Nua-Ghaeilge ar an bhfoirm ghinidigh **Murchada** (n. *b*) atá i bhfianaise stairiúil an logainm seo a leanas i *Cl, bf Cahermurphy* (*p* Chill Mhichíl, *bar* Chluain idir Dhá Lá): seo cuid den fhianaise stairiúil, *Cahirmorochowe F* 5712 (1592), **Cathair murchadha** *ARÉ* VI 2196 (1600), **Cathair Mhurchúdha** *AL* (bl. 1839) scríofa le peann luaidhe; cf. **Clann Murchada** de bhunadh Dhál gCais (*CGH* 245, *Rawl.* B 502 153 b 35). Léiriú is ea an tsolaoid seo den fhoirceann –*adha* > /uː/, ar chuma **gainmheadha** > **gainiú** sa logainm *Cluain Gainiú supra*, n. *b*.

Cluain na mBanrach
Clonamondra M 30; 49; S276554; 6:68

1840	Clonamondra	*AL:BS*
	Cluain na mannrach	*AL:pl* (=*OD*)
1989	ˌkuːləˈməundrə, ˌklɑnəˈməundrə	*Áit.*

the pasture of the enclosures

Suíomh:
- (i) Seo cuid den chur síos a rinneadh ar chineál na talún sa bhaile fearainn in *AL*, '... about 25 acres of bog in its Northern extremity' (féach an grianghraf ar lch. 184).
- (ii) Teorantach lastoir le *bf Clonamicklon* / **Cluain Ó Míolchon** *infra*. Ba chuid den bhaile fearainn sin réimse talún **Cluain na mBanrach** faoi chaibidil sa 17ú haois (féach **Cluain Ó Míolchon**, Suíomh, n. *ii*).

Nótaí:
- (a) Is réadú ar an eilimint tosaigh **cú(i)l** a fuarthas ó fhaisnéiseoirí áirithe sa bhliain 1989 thuas. Cuireadh **Cú(i)l** in ionad **Cluain** anseo. Mír choitianta i logainmneacha an chontae is ea **cúil** (*DIL*, 1974, C 586). Timpeall ciliméadar taobh thiar den logainm atá i dtrácht – sa pharóiste céanna – tá *bf Coole* cuir i gcás, ar mheas Seán Ó Donnabháin gur **Cúl** a bhí ann (*AL, p Buolick*, scríofa le dúch) (*recte* **Cúil** ?; cf. Toner, 1996-7).
- (b) Tá -*d*- sáiteach i bhfoirm Bhéarlaithe an Ainmleabhair thuas, -*mondra*, agus sa dá fhoirm den logainm a bailíodh sa chomharsanacht chomh maith (bliain 1989). Cuir i gcóimheas le *Lisnamandra* (foirm Bhearlaithe), n. *c* thíos. Forás fóineolaíochta comónta is ea consan pléascach a theacht idir consan srónach agus consan eile, ar nós *vendré* (Sean-Spáinnis) < *venire* (Laidin) 'with earlier syncopation of medial *i*' (Jeffers & Lehiste, 1979, 11): 'These plosives usually share point of articulation features with adjacent sounds, and their development can be explained by a change in the timing of the articulatory gesture involved in the closing of the nasal passage' (ibid.).

  Ní léir cé acu forbairt fhoghraíochta sa chanúint Bhéarla, nó sa Ghaeilge ba thrúig dó seo. Cuir an logainm **Droim Conrach** > *Drumcondra* m.sh. atá pléite i *Log. na hÉ* II 158 i gcomparáid le solaoidí Gaeilge ar nós [ˈLuNdrə] < **lonnradh** a bhailigh de Bhaldraithe (1966, 39) i gCois Fharraige, Co. na Gaillimhe. Féach go bhfreagraíonn an fhoirm Nua-Ghaeilge **Indreabhán** (*GÉ* 116) sa cheantar céanna do *Inveran SO* (*p* Chill Aithnín, *bar* Mhaigh Cuilinn) .i. go ndearnadh **Indreabhán** de ***Inreabhán** < **Inbhearán** agus gur réadú ar an bhfoirm dheireanach atá in a lán d'fhianaise stairiúil, Bhéarlaithe an log. úd, ar nós *Inveran F* 4698 (1585) – féach chomh maith Ó hUiginn (1994, 561).

Bhailigh 'An Seabhac' dhá logainm i mbarúntacht Chorca Dhuibhne, i *Ci* a thaispeánann go raibh -*d*- sáiteach san fhocal *ban(n)rach*, an focal céanna is atá ina cháilitheoir sa log. faoi chaibidil: 'Bóithrín na Bannraighe ("Banndraighe" adeirtear)' *TCC Dhuibhne* 282 (*p* Chill Gobáin), 'An Bhannrach ("Banndrach" sa chainnt)' ibid.

Bíodh gurb í **Cluain na mannrach**, gan -*d*- sáiteach, foirm Ghaeilge an Ainmleabhair thuas, b'fhéidir gur chun léirithe a scríobhadh an tríú heilimint amhlaidh.

(c) Agus é ag trácht ar bhunús an fhocail **márrach** i nGaeilge na hAlban, thug O'Rahilly (1926, 35) cuntas mar a leanas ar bhunús na foirme **mannrach** atá ag freagairt dó abhus,

This represents Irish *mannrach* (also *mainreach* as in the Irish Old Testament), 'an enclosure, pen, sheepfold,' derived from an earlier *mainnir* (surviving in Donegal and in Scotland), with same meaning. In the form *bannrach* the word is still in use in the South of Ireland, where it means, according to locality, either 'a farmyard' or 'a sheepfold'.

Tá solaoidí luatha den fhocal **mainder**, 'an enclosure for cattle, a pen, a fold' in *DIL* (1939, M 37), *Vendr. Lex.* (1960, M 10-11) agus ag Kelly (1997, 171, n. 89) – **mandrach** foirm an ghinidigh uatha i *Rennes Dind.* XV 468 m.sh. An t-aon sampla de **bannrach** atá cláraithe in *DIL* (B, 1975, 31) ná solaoid as filíocht aiceanta an 17ú haois, **bannruig** (tabh. u.). Féach chomh maith *FGB (Dinneen)* 78 s.v. **bannrach**, 'also mannrach' agus '**manrach** = **banrach**' *FGB* 828. Tá an fhoirm **bánrach** ón mbliain 1685 tugtha in *Corpas na G.*

Tá an tseachfhoirm réamhluaite, **manrach**, caomhnaithe in ainmneacha na mbailte fearainn seo a leanas:

Manragh Lower, Upper i *Ca* (*p* Chill Laighneach, *bar* Theallach Eathach) ar a dtugtar *Manragh CPR* 445 (1619);

Manraghrory / **Manrach Ruairí** i *ME* (*p* na Cille Móire, *bar* Iorrais): foirmeacha stairiúla de, *Monraghrooree* ar léarscáil *Bald* (1830), **Mánrach Ruaidhri** *AL*, scríofa le dúch (1838).

Lisnamandra / **Lios na Manrach** i *Ca* (*p* na Cille Móire, *bar* Lucht Tí Uacht.): *Lisnamanrath DS* (1655c), *Lissnemandra T & S* 58 (1778), **Lios na manrach** *AL:pl*, *Lisnamandra AL:BS* (1836).

Bhailigh Ó Cíobháin (*Top. Hib.* I 2 &´ 146) fianaise ar dhá mhionainm ag freagairt do **(An) Banrach**, (*recte* **An Bhanrach**?), i mbarúntacht Dhún Ciaráin Thuaidh, *Ci*. Seans go bhfuil **banrach** caomhnaithe leis in ainm an oileáin *Banragh Island SO, UF* (*p* Chluain Mhic Nóis, *bar* Gharraí an Chaisleáin).

Cluain na nAbhall
Clonnanoul J 99; 14; R807882; 6:69

1635	Cluonynaull	*Inq.(TÁ)* II 239
1636	Clonemowle	*Inq.(TÁ)* III 29
	Clonenoole	*Inq.(TÁ)* III 31
1664c	Clonanoule	*Inq.(TÁ)* III 355
1840	Clonnanoul	*AL:*Rev. Mr. Downes P.P. *et al.*
	Cluain na n-abhall	*AL:dúch (=OD)*
1989	ˌklɑnəˈnəul	*Áit.*

the pasture of the apple-trees

Suíomh: *bf Urra.*
(i) Rinneadh cur síos mar a leanas ar an áit seo in *AL*, faoi *Descriptive Remarks*: 'A collection of farm houses and subdenomination of the townland [of Urra]'.
(ii) Suite timpeall 200 méadar ó bhruach Loch Deirgeirt.

Nóta:
I dtaca leis an ainmfhocal **abhall** de, féach *Cluain Abhla supra*, n. *a.*

Cluain na nGaibhne
Cloneygowney L 34; 13, 14, 19, 20; R773817; 6:70

1654	Clonygeyney	*CS* II 152
	Clonenygeyney	*CS* II 153
	Clonegeyney, Clounegeyney	*CS* II 154
1657	Cloynegeney	*DS*
	Cloinegegney	*DS (P)*
1660	Cloynegeyney	*BSD (TÁ)* 198
1668	Clonegeny	*ASE* 51
1685	Cloingeny	*Hib. Del.*
1840	Cloney gowney	*AL:BS*
	Cluana gabhna	*AL:pl (=OC)*
	Clúain a gamhna	*AL:*dúch
1841	Cloneginy	*CGn.* 13.280
1989	ˌklonəˈgəuniː, ˌklɑnəˈgəuni:	*Áit.*

the pasture of the smiths

Suíomh:
Ar theorainn theas an bhaile fearainn tá *Youghal River*, bealach uisce a ainmníodh as
bf Youghal, p Youghalarra ar a dtugtar *Youghaill in Aree F* 4694 (1585), **Eochuille**
(gin.) *FNÉ* 388 (1630) cuir i gcás.

Nótaí:
Má chuirtear fianaise stairiúil an logainm seo a tháinig slán ón 17ú haois i gcomparáid le
fianaise stairiúil, chomhaimseartha *Cluain Gamhna supra*, i dteannta logainmneacha
eile le **gamhna** iontu atá curtha síos i nótaí an logainm dheireanaigh, tabharfar faoi
deara nach bhfuil litriú Béarlaithe an logainm seo ar aon dul leis na logainmneacha
sin. Ní **gamhna** an Ainmleabhair cáilitheoir bunaidh *Cloneygowney* más ea. Léirítear
sna nótaí ina dhiaidh seo gur délitir dhébhríoch ó thaobh fuaime de is ea -*ey*-, an
délitir a leanann -*g*- i bhformhór na solaoidí stairiúla Béarlaithe den logainm, leithéid
Cloneygeyney (bl. 1654).
(a)   Is díol suntais a chosúla atá litriú -*geyney* thuas le litriú an tsloinne seo a leanas,
Dermot m^c Teige I Geynie F 3150 (1577). Le Co. Chorcaí a bhain an 'fiant' áirithe
sin agus réadú ar an sloinne **Ó Géibheannaigh** atá ann (Woulfe, 1923, 540),
ach a chur i gcás go raibh an consan -*bh*- caol ar ceal (féach *Log. na hÉ* II 11).
Bhí **Uí Ghéibheannaigh** ('h-I Geibendaig') i measc 'lucht cóimícca Chlainni
Cellaig' in Uí Mhaine chomh maith, i gCúige Chonnacht, de réir *Lec.* 83 Ra 2
(*Hy-Many* 62); féach ibid., n. *d*, 'this family descends from Geibhennach son of
Aedh, chief of all Hy-Many' a maraíodh sa bhliain 973 (*AU* 410). Taca an ama
chéanna bhí **Gébennach mac Diarmata** ina rí ar **Ciarraige Luachra** i gCúige
Mumhan (*AIF* 158, s.a. 972). Tá nóta a bhaineann le hábhar faoin ainm seo ag
Ó Corráin & Maguire (1981, 110) s.v. **Gébennach, Géibheannach**: 'This name
was borne by a number of petty Munster kings in the tenth century. From it
derives the modern surname Ó Géibheannaigh (O Geaney) …'.
        Níor éirigh linn teacht ar shamplaí den sloinne seo i ndúthaigh Aradh, áfach,
mar a bhfuil an logainm faoi chaibidil (Suíomh thuas).
        Solaoid Bhéarlaithe eile a thaispeánann go bhfaigheadh foghar /eː/ a bheith
ag -*ey*- is ea *Keappagheneylighe* (bliain 1570) atá ag freagairt do **Ceapach na
nÉileach** (féach *Cluain Éilí* n. *b*).
(b)   Sílimid gur **na nGaibhne**, alt agus ainmfhocal sa ghinideach iolra, atá faoi réir
ag **Cluain** anseo. D'fhonn é seo a bheith amhlaidh, ní mór a chur i gcás gurb
é fuaim a chuireann -*ey*- sa chéad siolla de -*geyney* in iúl ná défhoghar ar nós
/əi/. Tá a chruthúnas sin i litriú stairiúil Béarlaithe de logainmneacha eile i *TÁ*,
logainmneacha mar *Kiltinan* / **Cill Teimhneáin** atá pléite i *Log. na hÉ* II 245-6
(= **Cill Toighneáin**, bl 1840) agus arbh é *Kilteynan(e)* an litriú Béarlaithe (bliain
1437, 1508, 1654 srl.), nó *Rathlynin* / **Ráth Laighnín** (< **Ráth Laighnigh**) atá
luaite faoi *Cluain Éilí supra*, n. *b* agus arbh é *Rathleyny* an litriú in *CS* II 5,
8, 12 srl. (1654). Féach *Ballynegeyne* (*et var.*) / **Baile na nGaibhne** sa chéad

pharagraf eile chomh maith. Tá sampla déanach ar marthain den logainm faoi chaibidil a threisíonn leis an tuiscint gur **gaibhne** a bhí ina dheireadh, *Cloneginy* (bliain 1841 thuas). Is tamhan srónach é **gabha** < **gobae** (*DIL*, 1966, G 127). Tá samplaí den fhoirceann *-nn* sa ghinideach iolra – díochlaonta ar nós **gúala**, gin iol. **na ngúalann / na ngúailleadh** in *IGT* III §131 – caomhnaithe i logainmneacha mar **Fearann na nGabhann**; b'in é an seanainm a bhí ar *bf Coolraine SO* i *Lm* (Paróiste Mhainchín, *bar*. na Líbeartaí Thuaidh) – féach na solaoidí stairiúla atá cnuasaithe i *Log. na hÉ* I 149, ar nós **ffarrin nigoune** (bl. 1655). Os a choinne sin, tá **gaibhne**, ginideach tréaniolra, caomhnaithe i leagan Gaeilge an logainm *Smithstown* cuir i gcás, baile fearainn atá suite i lár Co. an Chláir theas (*p* Dhrom Laoinn, *bar* Bhun Raite Íocht.); foirmeacha stairiúla de, *Ballynegeyne* sa saothar *Co. an Chláir* 102 (< LS *TCD* E. 2. 14, 1580c), *Ballynegewne Inq.(Ga)* I 68, *Ballynigeyny Inq.(TÁ)* II 19 (1624), **Baile na nGaibhne** *BM Cat.* I 69 (18ú haois).

Cluain na Ros
Cloonyross G 35; 46; S026542; 6:71

1601	Clonerosse	*F* 6531
1607	Clonerosse	*CPR* 104
	Clonenarosse	*CPR* 105
1610	Clonrosse	*CPR* 156
1654	both Clonycrosses	*CS* II 99
	Clonycrosse	*CS* II 100
	Clonyrosse	*CS* II 100, 102, 104
	Cloonyrosse	*CS* II 101
1657	Clonyrosse, Clanyrosse	*DS*
	Clanirosse, Claniresse	*DS (P)*
	Clonigross	*Cen.* 302
1660c	Clanirosse	*BSD (TÁ)* 179
1665-6	Clonrosse	*HMR (TÁ)* 37
1840	Cloonyross Bolton, Percival	*AL:BS*
	Cluain a ros	*AL:pl*, dúch (=*OD*)
1993	ˌklanəˈras, ˌkloniˈras, ˌkluːniˈras	*Áit.*

the pasture, clearing of the woods?

Suíomh:
(i) Teorantach lastuaidh le *Cluain Éilí supra*.
(ii) Teorantach laisteas le *bf Gortaculrush* / **Gort an Chúlrois** (G 35); féach n. *a* ina dhiaidh seo.

[180]

(iii) Sruthán den ainm *Marlow River*, *TÁ (SO)* 46 (athbhreithnithe, bl. 1903) atá i gcoigríoch thoir an bhaile fearainn. Ainmníodh an bealach uisce úd as baile fearainn *Marlow SO* trína ritheann sé; an seanainm a bhí ar *bf Marlow* ná *Pollovarley CPR* 105 (1607), *Pollevarly CS* II 99, 100, 102 (1654) .i. réadú ar **Poll an Mharla**.

(iv) De réir *DS* agus *DS (P)* an 17ú haois, bhí aonad talún *Clonyrosse* (*et var.*) níos fairsinge an tráth úd agus shín sé le taobh *Multeen River* / **An Moiltín** laistiar.

(v) Taispeántar lochán uisce sa bhaile fearainn ar *TÁ (SO)*. Is é *Marl Hole* an téarma tuairisce atá air ar an léarscáil; 'a pool of water covering about four acres' an cur síos atá air san Ainmleabhar (*p Clogher*).

Nótaí:

(a) Is léir ar an bhfoirm Ghaeilge a scríobhadh le peann luaidhe san Ainmleabhar, **Cluain a ros**, go raibh siolla breise idir **cluain** agus **ros**, mar a bhí in a lán de na foirmeacha stairiúla eile thuas – féach, cuir i gcás, *Clonenarosse* (bl. 1607). Thiocfadh sé gur léiriú atá sa ghuta sin ar chlaontuiseal an fhocail **cluain**, ginideach uatha sioctha – féach cáilitheoir an logainm **Cill Chluaine** m.sh. i *Log. na hÉ* II 90 – nó neachtar acu ainmneach iolra, **cluaine** .i. **Cluaine Ros*. Dealraíonn sé go bhfuil an tuiseal deireanach caomhnaithe san ainm *Clooney SO*, paróiste i *Cl* (*bar* Bhun Raite Uacht.); foirmeacha stairiúla den logainm úd is ea iad seo: *Cluony Pap. Tax.* 301 (1306c), **caislen Cluaine** *ARÉ* V 2088 (1598), **Cluaine** *BM Cat.* I 70 (18ú haois). Ina theannta sin, bhí *Cloonyross* atá idir lámha roinnte ina dhá chuid, ó na teorainneacha atá le feiceáil i bhfoinsí ar nós *DS*, *DS (P)*, mar aon leis an tagairt do 'both Clonycrosses' i *Civil Survey* (1654 thuas). Roinneadh an bunaonad ina dhá chuid sa 19ú haois athuair, *Cloonyross (Bolton)* agus (*Percival*) – féach fianaise an Ainmleabhair (bl. 1840) thuas.

B'fhéidir a áiteamh gur réadú ar leithéid **Cluain *Uí Rois* / *Uí Rosa*** atá i bhfoirmeacha áitiúla na bliana 1993 .i. foirm ghinidigh ainm athartha nó sloinne (féach **Ross, Russ** *CGH* 725-6 & 728, Index). Níl an fhianaise i gcoitinne ag teacht le **Rois** ná le **Rosa** áfach. Go deimhin nuair a chuirtear an logainm faoi chaibidil i gcóimheas le fianaise logainmneacha eile sa saothar seo, is é is dóichí gur readú ar *schwa* atá sa ghuta i ndiaidh *Clon-* / **Cluain**; cuir leithéid *Clonyrosse* ón mbliain 1654 (thuas) i gcóimheas leis an litriú *Clonnyloghy* (bl. 1654) atá ag freagairt do **Cluain an Locha** supra nó le *Clonygeyney* (1654) atá ag freagairt do **Cluain na nGaibhne** supra.

Ar an iomlán mar sin, is cosúil go seasann an fhianaise stairiúil do **Cluain na Ros**, gur ginideach iolra an ailt agus an ainmfhocail **ros** a thagann i ndiaidh **Cluain**; sampla eile de **ros**, an fhoirm dheilbhíochta chéanna, is ea cáilitheoir **Cill Ros** i *Log. na hÉ* II 229-30. Tá ginideach uatha an fhocail **ros** caomhnaithe sa logainm **Gort an Chúlrois**, taobh theas de *Clonyross* (féach Suíomh n. *ii*);

Gort a chúl ruis an fhoirm Ghaeilge a scríobhadh le peann luaidhe san Ainmleabhar.

(b)   Ar léarscáileanna an 17ú haois, *DS, DS (P)*, taispéanadh coillte ar chuid den aonad talún atá idir chamáin. Mar atá mínithe faoi Suíomh thuas, n. *iv*, bhí an baile fearainn níos mó an tráth úd ná mar atá anois. Cuid den réimse fairsing talún úd ba ea *Kilcroe SO* / **Coill Chró** (?) cuir i gcás sa pharóiste céanna (*p* an Chlochair), ar baile fearainn ar leith é ón 19ú haois i leith ach go háirithe: *Killcrew CGn.* 211.4789.141062 (1761), *Killcrowe CGn.* 223.87.146960 (1763) na foirmeacha is luaithe de, **Coill cruaig** a scríobhadh le peann luaidhe san Ainmleabhar. Is inmheasta más ea gur 'coillte' is brí le **ros** (gin. iol.) sa chás seo. Tá réimse céille **ros** pléite i *Log. na hÉ* II 230, mar a mínítear go bhfuil an bhrí talamh ard, talamh ard coillteach nó coill ag an bhfocal i logainmneacha. Is fiú a rá mar sin go bhfuil *Clonyross* ar leirg cnoic agus go bhfuil mullach an chnoic úd i mbaile fearainn *Kilcroe* thiar. Téann an talamh le fána ó bharr an chnoic atá 183 méadar ar airde, anuas go dtí teorainn thoir bhaile fearainn *Cloonyross* atá 90 méadar ar airde.

Cluain Ó Míolchon
Clonamicklon M 30; 43, 49; S282559; 6:72

1184c	Clonomylchon	*COD* I 2
1508	Cloynomyghcan	*COD* III 335
1572	Clonemelchon	*F* 1988
1632	Cloneomilchon	*Inq.(TÁ)* II 50, 53
1633	Clonimilchin	*Inq.(TÁ)* II 72
1654	Clonomilcon	*CS* I 101, 112, 115 srl.
1657	Clonamilcon	*DS*
1840	Clonamicklon	*AL:BS*
	Cluain O Miolchon	*AL:pl* (=*OD*)
	Cluain O'Míolchon	*AL:*dúch (=*OD*)
1989	ˌklanəˈməiklən	*Áit.*

the pasture of **Uí Mhíolchon**

Suíomh:
(i)   Teorantach laisteas le *bf Kilbraugh* / **Cill Bhrácha** (*p* Bhuailice, M 30) – féach *Log. na hÉ* II 172.
(ii)   Seo cuid den chur síos a rinneadh ar chineál na talún sa bhaile fearainn in *AL*, '... about 40 acres of bog in its N[orth] W[estern] corner' (féach an léarscáil agus an grianghraf i do dhiaidh ar lgh. 183-4). Tá an portach céanna, 'Bog', taispeánta ar *DS* (1657). Is áirithe ón eolas a tugadh ar 'Clonomilcon' (*et. var.*)

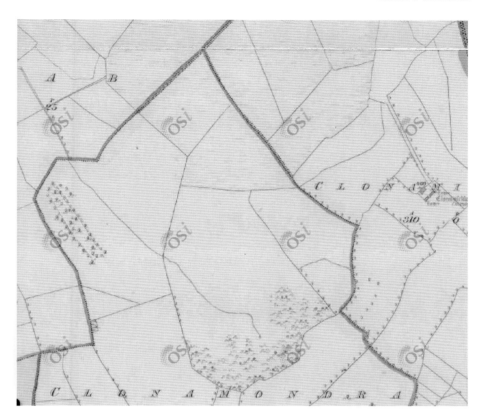

TÁ (SO) 43, 49

faoi chaibidil i bhfoinsí de chuid an 17ú haois, ar nós *CS, DS*, go raibh an t-aonad talún níos fairsinge an uair úd ná *bf Clonamickon SO*. Sa 17ú haois ba chuid den fhearann atá i dtrácht talamh *Cluain na mBanrach supra* cuir i gcás agus shín sé le teorainn *p Kilcooly* / **Cill Chúile** lastoir (M 87).

(iii)   Sa chur síos a rinneadh in *CS* I 131 (bl. 1654) ar theorainneacha 'The Parish of Kilcowly' (féach n. *ii* roimhe seo), bhí dhá shruthán ag deighilt **Cluain Ó Míolchon** ó pharóiste Chill Chúile an tráth úd: 'a broke called *Shrughcleangale* bounded by the lands of *Clonomilcon* in the Parish of Buolick on the West ... and from thence by a ditch to a little [brook] called *Srughclonomilcon*'. Réadú ar **Sruth C(h)luain Ó Míolchon** atá san ainm deireanach gan amhras agus ainmníodh an sruth as an logainm faoi chaibidil.

[183]

Cluain Ó Míolchon gona phortach in uachtar ar dheis; Cluain na mBanrach, coill ar an talamh portaigh in uachtar ar chlé

Nótaí:

(a)   De thoradh meititéise is ea a tháinig an fhoirm Bhéarlaithe *Clonamicklon* chun cinn a breacadh san Ainmleabhar. Tá an mheititéis chéanna le tabhairt faoi deara ar fhoirm áitiúil na bliana 1989. Cuir i gcóimheas le **Cill Mhíolchon >** *Kilmucklin* i *Log. na hÉ* II 169.

(b)   Taispeánann an fhianaise stairiúil – féach m.sh. an fhoirm is luaithe *Clonomylchon* (1184c) – gurb éard atá sa cháilitheoir, foirm ghinidigh ainm treabhchais den déanamh **Uí** + ainm sa ghinideach. Tá bunús an ainm a leanann **Uí** anseo pléite i *Log. na hÉ* II 169, n. *b*.

(c)   Is díol suntais an dá iontráil seo a leanas, *Fynnoure & Clonymolyntyn CJR* I 295 (1299), *Fynnour & Clony Molyntyn PR 38 RDK* 90 (1303-4). Dealraíonn sé gurb ionann an chéad logainm sa dá chás agus *Fennor* / **Fionnúir** i mbarúntacht Shliabh Ardach, paróiste atá lastuaidh de *p* Bhuailice ina bhfuil *bf Clonamicklon SO* suite.

Cluain Orrtha
Clonoura M 64; 48; S239546; 6:73

1508	Cloynesvorgh	*COD* III 335?
1535	Clonehore	*COD* IV 165
1541	Clonehoure	*COD* IV 208
1548	Clonowree	*COD* V 6
1549	Clone ouer	*F* 262
1558	Clonehory	*COD* V 75
1571	Cloneworhie	*COD* V 200
1572/3	Cloneworhie	*COD* V 235
1558-1603	Cloneowry	*F* 2725
1637	Clonorwye	*Inq.(TÁ)* III 74
1654	Clonorhy	*CS* I 119
	Cloniorhy	*CS* I 120
	Clonowral	*CS* II 369
	Clonowry	*CS* I 47
	Cloneourrhy	*CS* I 127
1657	Clonourhy	*DS (P)*
1660c	Clonourhy	*BSD (TÁ)* 156
1665-6	Clonorha	*HMR (TÁ)* 32
1666-7	Cloenorry	*HMR (TÁ)* 136
1840	Clonora	*AL:BS*
	Cluain odhartha [*úr-* scríofa le *pl* os cionn litreacha tosaigh an dara focal]	*AL:pl*, dúch (=*OD*)
1989	ˌkloˈnoːrə, ˌklɑˈnəuri:	*Áit.*

pasture of prayer, charm?

Suíomh:

(i) Teorantach ar an taobh thoir thuaidh le baile fearainn *Buolick* / **Buailic** mar a bhfuil iarsmaí eaglasta an pharóiste den ainm céanna. Baineann na tagairtí is luaithe don eaglais Mheánaoiseach úd le hOrd Oispidéil Eoin Bhaiste (cf. *Cluain Abhla*, Suíomh n. *i*), ar nós 'ecclesia de Boulec' *Reg. St. Jn. B* 314 (1210c).

(ii) Teorantach ar an taobh thiar theas le *bf Derryvella* / **Doire Mheille** (féach *Cluain Meala*, n. *a*) mar a bhfuil seanláthair eaglasta (Lord Killanin & Duignan, 1967, 452).

[185]

Doire Mheille agus Móin Éile

(iii) Seo cuid den chur síos a rinneadh in *AL* ar chineál na talún sa bhaile fearainn: 'A very large piece of bog lies along the Northern and Western Bound[ar]y ... some pieces of marshy and rough pasture are interspersed thro' it'. Tá an portach céanna léirithe ar *DS* (1657) agus is é ainm a thugtar ar an réimse mór portaigh in *CS* I 120 ná 'the Bogg of Ely', nó 'Red bog of Monely' (*DS*) .i. **Móin Éile** (Ó Muraíle, 1980, 111, n. 1). 'Oileán' istigh i lár stráice den phortach úd is ea láthair eaglasta **Doire Mheille** thuasluaite, n. *ii* agus sin í an láthair a d'ionannaigh Lord Killanin agus Duignan (*loc. cit.*), mar aon le Gwynn agus Hadcock ina ndiaidh (*Med. Rel. Ho.* 33), le heaglais **Daire Mór** a bhunaigh an tEaspag Colmán mac Dar Áine (féach Byrne, 1980, 118-9, Ó Muraíle, 1980, 113, n.12; ní hann a bhí **Daire Mór** dar le K. W. Nicholls, *Chart John* 273-4, ach i *bf Longford Pass North, TÁ (SO)* 42, *p* Chill Chúile < *Durrihie COD* V 200 (1571) *et al.*).

(iv) Ar theorainn thiar thuaidh an bhaile fearainn tá bealach uisce den ainm *Derheen River SO* ar a dtugtar **Dorthi(n)** in *AL* (*p Twomileborris*), scríofa le peann luaidhe. Ar theorainn theas an *bf* tá an abhainn *Black River SO*, nó 'the rivolett (called) *black Water' CS* I 44, 45, 51 (1654), *the River Blackwater* ar léarscáil *DS* (1657).

Nótaí:

Cluain odhartha an fhoirm Ghaeilge a scríobh an Donnabhánach san Ainmleabhar. Bhreac an t-údar céanna **úr-** os cionn litreacha tosaigh **odhartha** a chur malairt foirme, **úrtha*, in iúl. Ba é an fuaimniú áitiúil ba chomónta den logainm a chualathas sa bhliain 1989 ná [ˌkloˈnoːrə], ach gur chualathas [—ˈnəuriː] ó fhaisnéiseoir amháin.

D'fhonn teacht ar fhoirm bhunaidh an cháilitheora ní mór na féidearthachtaí seo a leanas a áireamh.

(a) **Or(r)tha:**

Iasacht ón Laidin *ōrātiō* atá san ainmfhocal **ortha** (Meán-Ghaeilge) < **orthu* Sean-Ghaeilge (*Vendr. Lex.*, 1960, O 31). Cé gur tamhan srónach atá ann de réir na samplaí is luaithe atá cláraithe in *DIL*, 1940, O 159 (s.v. **1 ortha** = **ortha, artha, árrtha** *IGT* II §8), ar nós **orthainn** áinsoch uatha (*Thes.* II 322), infhilleadh *iā*-thamhan atá ag samplaí áirithe Nua-Ghaeilge (*DIL, loc. cit.*), ar nós 'aos órtha' (*Ó Bruadair* II 138). De réir na bhfoclóirí thuasluaite, fara *FGB* 935, is éard is brí don fhocal ná 'prayer, incantation' srl.

Tá **orrtha** i bhfeidhm cáilitheora sa logainm seo a leanas, *bf Goldengarden, TÁ (SO)* 51, 59 (G 110). I gcóip de ghníomhas comhaimseartha Gaeilge a rinneadh sa bhliain 1587 agus atá caomhnaithe i LS *TCD* I. 6.12, uimhir 7 (féach Abbott & Gwynn, 1921, 305) is ea a fhaightear an fhoirm is sine den logainm úd, **Garraidh Orrtha**. Tá cuntas ar ábhar agus ar chomhthéacs na cáipéise ag Nicholls (1985, 101). As cóip den ngníomhas céanna a scríobh Eoghan Ó Comhraí i lámhscríbhinn *TCD* I. 6. 13 (Abbott & Gwynn, 1921, 306) a baineadh an iontráil **G. Órrtha** *Onom. Goed.* 436; níl an suíomh atá tugtha ansin (*loc.*

cit.) i gceart. Is iad na tagairtí stairiúla do *Goldengarden SO* a leanann **Garraidh Orrtha** in ord aimsire ná, *Garryorhy CPR* 269 (1607), *Garryora, Garriora CS* II 86 (1654). Tabhair faoi deara go dtéann na solaoidí Béarlaithe sin i gcosúlacht le litriú stairiúil *bf Clonoura* faoi chaibidil.

Sílimid go bhfuil an cáilitheoir céanna sa logainm *(bf, p) Killora* in iardheisceart Co. na Gaillimhe (*bar* Dhún Coillín) ar a dtugtar, *Killorithe CPL* XV 394 (1491), *Killora Inq.(Ga)* I 143 (1585), *Killorha Inq.(Ga)* II 36 (1626).

(b) **Odhardha:**

I dtaca leis an bhfoirm Ghaeilge **Cluain Odhartha** de a chuir Ó Donnabháin síos san Ainmleabhar (thuas), freagraíonn an dara focal ansin don aidiacht **odorda** *io, iā*-thamhan, 'of a dun or brownish colour' (*DIL*, 1940, O 99) > **odhardha** *FGB (Dinneen)* 807; tá sampla amháin de **odhardha** le fáil in *Corpas na G*, timpeall na bliana 1650. Fréamhaí atá ann den aidiacht **odor, odur, odar** (*Vendr. Lex.*, 1960, O 9).

Is inmheasta gur **odhar** atá mar cháilitheoir sna logainmneacha seo a leanas i *TÁ*,

bf Touloure, TÁ (SO) 82 (E 6) arb iad seo na foirmeacha is luaithe de, *Towlowroe CGn.* 23.141.12913 (1718), *Towloure CGn.* 62.212.42570 (1729); is iad foirmeacha Gaeilge an Ainmleabhair ná **toll aobhar** scríofa le peann luaidhe agus **toll odhar** scríofa le dúch; fuaimniú áitiúil, [ˌtuˈluːr] (1989);

bf Moanour, TÁ (SO) 66, 73 (A 37) arb iad seo na foirmeacha is luaithe de, *Moneore CGn.* 21.169.11105 (1718), *Monehoure CGn.* 226.4812.148615 (1763); **Móin odhar** a scríobhadh san Ainmleabhar le peann luaidhe agus le dúch; fuaimniú áitiúil, [ˌmoˈnəur].

Toisc nach eol dúinn aon sampla deimhneach den aidiacht **odhardha (odhartha)** i logainmneacha, is éadóigh linn an t-athchruthú sin **Cluain Odhartha**.

(c) Má tá guta fada deiridh curtha in iúl i bhfianaise stairiúil an logainm, leithéid *Clonowree* (1548), *Cloneworhie* (1571) thuas – cf. *Kilnecarrigee* (bl. 1543) áfach ag freagairt do **Cill na Carraige** i *Log. na hÉ* II 190-1 – b'fhéidir an cáilitheoir a mheas mar seo:

Cnuasainm pobail, 'collective singular name' .i. **Odrige, Odorrige** (MacNeill, 1911, 73 & ibid. n. 6; = 'otter-folk' O'Brien, 1923, 325) atá ag freagairt, seans, don inscríbhinn oghaim MOCOI ODR...REA (Macalister, 1945, 288) i gCo. Phort Láirge; ainm pobail atá ansin den déanamh MUCOI + ainm sa ghinideach.

Odhrach (ainmfhocal): Tá tuairisc ag Williams (1993, 137-9) ar phlanda den ainm **odhrach bhallach**, 'devil's bit scabious', atá cláraithe in *FGB (Dinneen)* 1299 faoi **úrach**. Cf.**1 odrad**, 'name of a plant, bugloss' in *DIL* (1940, O 99), mar a dtuairimítear gur fréamhaí é den aidiacht **odor** (n. *b* thuas).

Cluain Peata
Clonpet A 41; 66, 67; R873340; 6:74

1302c	Clonpet	*Pap. Tax.* 279
1306c	Clonpet	*Pap. Tax.* 289
1309	Clompet	*CJR* III 136, 139
1319	Clonpet	*Reg. St. Jn. B* 350
1494	Cluainpyt	*Ann. Im.* 38
	Cluaynpeyt, Cluaynpet	*CPL* XVI 256
1539-40	Clonepethe	*Inq.(TÁ)* I 40
	Clonepett	*Inq.(TÁ)* I 42, 44
1541	Clonepeth	*Ir. Mon. Poss.* 65
1561	Clonepeth	*F* 322
1590	Clonepath	*Inq.(TÁ)* I 213
1591	Clonepache	*F* 5548
	Clonepath	*COD* VI 46
1593	Clonepatt	*COD* VI 61
1601	Clonpat	*COD* VI 191
1607-8	Clonpett	*RVis.(CE)* 305
	Clonepett	*RVis.(CE)* 311
1615	Clonpett	*RVis.(CE)* 295
1622	Cloanpett	*CPR* 549
1633	Clonpath	*Inq.(TÁ)* II 98
	Clonepatt	*Inq.(TÁ)* II 125
1654	Clonepett	*CS* II 23, 28, 31
	Clonpett	*CS* II 30
1840	peata	*AL:pl* (=*OD*)
	Cluain peata	*AL:*dúch (=*OD*)
1989	ˌklonˈpet	*Áit.*

pasture of (the) pet?

Suíomh:
(i) Tá an méid seo scríofa i *LSO (TÁ)* I 3/6 (1840) faoi *bf* Breansha More / **An Bhréinseach Mhór**, ar theorainn theas *bf Clonpet* agus in aon pharóiste leis: 'There are no remains of antiquity in this Parish but parts of the walls of a church in the townland of Breansha More'.
(ii) I *bf* Ballynilard / **Baile an Aighleardaigh** (A 186), ar theorainn thuaidh *bf Clonpet*, bhí láthair eaglasta den ainm **Teampall San Seanáin**; féach *LSO (TÁ)* III 36-109-111, *Log. na hÉ* II 253.

Nótaí:

(a) Má chuirtear i gcás gurb é **peata** an Ainmleabhair ceartfhoirm an cháilitheora
     sa chiall 'pet (animal / bird)' (féach *DIL*, 1940, N-O-P 184; *Vendr. Lex.*, 1960,
     P-8 s.v. **pet(t)a**), ní mór a admháil gur tearc an fhianaise go raibh cáilitheoir
     an logainm déshiollach, seachas, b'fhéidir corrshampla ar nós *Clonepethe*
     (1539-40), *-pache* (1591). Ar a shon sin, ní hannamh a bhíonn guta deireanach
     neamhaiceanta logainmneacha ar ceal san fhianaise Laidine nó Béarla (féach
     Log. na hÉ II 67, n. *c* faoi **Cill Bhrácha**; *Clonmel* / **Cluain Meala** *supra*) agus
     san fhianaise Ghaeilge ar uairibh leis (féach Ó Cearbhaill, 2008, 29 i leith **Dún
     Séann** / *Doonsheane* i *Ci*). Níor dhomheasta ach oiread go rachadh an focal
     Béarla *pet* i gcion ar fhoirmeacha stairiúla an logainm: 'The usual term for a
     pet in Old Irish is *pet(t)a*, which may be the ultimate origin of the English word
     pet' (Kelly, 1997, 125). Ní heol dúinn aon sampla eile de **peata** i logainmneacha
     áfach.

     Níl aon teimheal den tsleamhnóg *a* sa chéad siolla den cháilitheoir go dtí
     deireadh an 16ú haois, nuair a fhaightear foirmeacha ar nós *Clonepath* (bl.
     1590). Ní hionann sin agus a rá nach raibh lár an tsiolla aistrithe go dtí an
     tsleamhnóg i bhfad roimhe sin, ach gur dócha gur foirm shioctha í *-pet* a
     fhaightear i dtéacsanna Laidine nó Béarla, amhail *Clonmel* réamhluaite cuir i
     gcás.

     Cé gur díol suntais é an guta *-y-* san fhoirm stairiúil *Cluainpyt* thuas as
     Annates Diocesis Imelacensis (1494) (= *Cluaynpeyt, Cluaynpet CPL* XVI 256),
     is é ár dtuairim gur i bpróiseas na scríbhneoireachta a tháinig an fhoirm aduain
     sin chun cinn.

(b) Ní móide gurb ionann cáilitheoir an logainm seo agus 'the rare word *peat*',
     sa chiall **oirfideadh** a luaigh O'Rahilly (1926, 37) sa phlé a rinne seisean ar
     bhunús **peata** (ibid. 36-7). Ní móide gurb ionann é ach oiread agus **pet(t)**
     (*DIL,* 1940, N-O-P 184) ar focal de bhunús Piochtach é a fhaightear sa
     lámhscríbhinn *The Book of Deer* (Jackson, 1972, 114-5) agus i logainmneacha
     de chuid na hAlban mar fhocal aicmeach coitianta: 'the element which is now
     part of over 300 names beginning with *Pit-* … In the earliest recorded forms
     of practically all *Pit*-names the generic also appears as *Pet-*' (Nicolaisen,
     1976, 151-2).

Cluain Rascain
Clonraskin J 127; 5; N012027; 6:75

1675	Cloveraskine [leg. *Clone-*]	*Inq.(TÁ)* III 364
1712	Clonteraskin	*CGn.* 10.147.3252
1714	Clonteraskin	*CGn.* 12.366.5428
1811	Clounteraskine	*CGn.* 630.442.436828

1840	Clonraskin	*AL:BS*
	Cluain riascain	*AL:*dúch (=*OD*)
1989	ˌklɑnˈraskən, ˌklonˈraskən	*Áit.*

pasture of ?

Suíomh:
(i) Seo é an cur síos a rinneadh in *AL* ar chineál na talún sa bhaile fearainn: '...
partially cultivated, being composed of rough, boggy land'.
(ii) Teorantach laistiar le *bf Cluain Fionnáin.*

Nótaí:
(a) Tá fianaise stairiúil an logainm seo cuíosach déanach – foirm na bliana 1675
an fhoirm is luaithe de, *Cloveraskine* (sic). I sraith gníomhas talún de chuid an
18ú haois / tosach an 19ú haois a fhaightear na chéad tagairtí dó ina dhiaidh sin,
Clonteraskin (1712, 1714), *Clounteraskine* (1811). Cé go mb'fhéidir gur réadú í
an fhianaise dheireanach sin ar an bhfoirm iolra **Cluainte** mar chéad eilimint, ní
dócha go bhfuil na cáipéisí neamhspleách ar a chéile.
   Cluain riascain an fhoirm Ghaeilge a scríobh Ó Donnabháin san Ainmleabhar.
Foirm dhíspeagtha de **ríasc** *DIL* (1944, R 61) a mheas sé a bheith sa dara focal,
ní foláir, ón míniú 'little moor' a chuir sé leis. Is ródhócha, ach fianaise an log. a
bhreithniú ina hiomláine, nach bhfuil san fhoirm sin aigesean ach tuairimíocht.
(b) Ní miste cáilitheoir an logainm seo a chur i gcomparáid leis an dara heilimint
den ainm **Loch Rasga** a luadh in *Caithréim Thoirdhealbhaigh* i dtréimhse na
Nua-Ghaeilge Moiche (*CThoir.* 104). Is ionann é agus *Loughrask SO*, loch agus
baile fearainn i *Cl* (*p* Dhroim Críche, *bar* Bhoirne) – féach *Log. na hÉ* II 208.
B'fhéidir gur **ro-esca*, 'mór-uisce' atá i gcáilitheoir **Loch Rasca** ó bhunús (cf.
esca DIL, 1932, E 185).
Ní léir dúinn brí cháilitheoir *Clonraskin.*

Cluain Singil
Clonsingle L 116; 37; R710593; 6:76

1587	Cloneshnell	*F* 4975
1602	Clonfynen	*F* 6583
1614	Cloensigell	*CPR* 264
1620	Clonsingill, with a water-mill	*Inq.* (*Mon. Hib.* 413)
1624	Clonsmigill	*CPR* 577
1654	Clonesinill	*CS* II 188
	Clounsimiell, Clounsimell	*CS* IV 6
	Clonsinell, Cluonsinell	*CS* IV 7

1657	Clonshannon	*DS (P)*
1659	Consinill	*Cen.* 324
1840	Clonsingle	*AL:BS*
	Cluain singil	*AL:pl* (glanta), dúch (=*OD*)
1989	ˌklɑnˈsiŋəl, ˌklonˈsiŋgəl, ˌklɑnˈsiŋgəl	*Áit.*

the pasture of **Sineall**?

Suíomh:
(i) Teorantach lastuaidh le **Cluain Buinne** *supra*.
(ii) Sruthaíonn *Clare River* / **Abhainn an Chláir** tríd an mbaile fearainn agus feadh na teorann thoir (féach an grianghraf thíos agus an lsc. ar an lch. thall). Ar an abhainn seo, ní foláir, a bhí an muileann uisce a luadh in ionchoisne na bliana 1620, ionchoisne a chuir Archdall i gcló in *Monasticon Hibernicum* (bl. 1786) as an bhfoinse seo, 'Lib. Inq. in Bibliot. honoratiff. W. Conyngham' (*Mon. Hib.* 413).

Cluain Buinne in uachtar, Cluain Singil in íochtar agus Abhainn an Chláir

TÁ (SO) 37

Nótaí:

(a) D'aistrigh Ó Donnabháin an fhoirm Ghaeilge **Cluain Singil** a bhí scríofa aige san Ainmleabhar mar seo, 'single lawn, meadow or bog island'. Ní móide go bhfuil míniú sin an Donnabhánaigh ar cháilitheoir an logainm cruinn. Iasacht ón mBéarla, *single,* é **singil, saingil, sinnil** na Gaeilge (*DIL*, 1953, S 237). I dtréimhse an Mheán-Bhéarla a tugadh an focal *single* isteach sa Bhéarla ('adoption of Old French < Latin singulum' Onions, 1950, II 1898) agus baineann na solaoidí ar fad den fhocal **singil** *et var.* a thugtar in *DIL* (*loc. cit.*) le tréimhse na Nua-Ghaeilge. Is é is dóichíde, ar bhonn comparáide le logainmneacha n. *b* thíos, gur ainm pearsanta atá sa cháilitheoir.

(b) Tá an logainm faoi chaibidil inchomórtais leis na logainmneacha seo a leanas, *bf, p Kiltennell* i *LG* (*bar* an Bhealaigh Chaoin Thuaidh): solaoidí stairiúla den ainm, *Kyllcheniel Ann. Fern.* 3 (1423), *Kiltenyll F* 863 (1551), *Kiltenell CS* IX 35 (1654-5); **Cill tSinchill** an fhoirm Ghaeilge de réir Uí Dhonnabháin (*AL*, bl. 1839).

bf, p Kiltennell i *Ce* (*bar* Ó Dróna Thoir) ar a dtugtar m.sh. *Kylltynille* in *CPL* VII 88 (1418), *Kiltenyll F* 863 (1551); is é míniú Thomáis Uí Chonchúir (*OC*) ar bhunús an logainm seo i *LSO (Ce)* 88/297 (1839), 'Kiltennel is pronounced Cinn Tinnil and not Cill Tinnil, but both are corruptions of Cill tSinchill ...'.

bf Tullahennel (North, South) i *Ci* (*p* Achadh Mhálainn, *bar* Oireacht Uí Chonchúir): *Tullahniell F* 6123 (1597), *Tullihinell F* 6477 (1600-1), *Tullyhynile Inq.(Ci)* II 132 (1640), *East and West Tullyhinnills DS* (1655c), **Tula Shínil**, 'Sinchell's hill' *AL*, i bpeannaireacht Uí Dhonnabháin (1841).

bf Cortannel i *Mu* (*p* Achadh na Muileann, *bar* Chríoch Mhúrn) / **Corr tSinill** *Liostaí Log. Mu* 20. Ní sine fianaise stairiúil an logainm ná an 18ú haois, *Cortenall CGn.* 272.122.173847 (1768), *Cortinele CGn.* 296.468.197767 (1773); **Cor a tseanail** *AL:OD* (1835).

Is inmheasta, ach an logainm faoi chaibidil a scrúdú i dteannta logainmneacha réamhluaite an nóta seo, gur **Sincheall** nó **Sineall** (ainmneacha pearsanta) atá mar cháilitheoirí iontu. Cé go n-aithnítear de ghnáth idir an dá ainm sin i dtéacsanna luatha – féach m.sh. 'Sinchelli abbatis Cilli Achid' *Mart. Tall.* 27 (26ú Márta); **Sinell húa Liathain** *Mart. Tall.* 50 (15ú Meitheamh) – tá fianaise áirithe i lámhscríbhinní go measctaí iad. Léiriú ar an meascán seo is ea tagairtí áirithe do Naomh **Sincheall** thuasluaite: 'Sincheall mc. Cenanndain, abbas Cille Achaid Drummfoto' a thugtar air in *AU* 76 (549 §3), ach **Sineall mac Cenandain** an iontráil atá ag freagairt dó sin in *ATig.* XVII 140. Tá ginealach an Naoimh ríomhtha i *CGSH* 46 §282, **Senshinchell m. Cenfhinnain** (*var. lec.* **(Sen)sinell**), agus in *CGH* 35 chomh maith, **Sinchell m. Cenannāin** (*var. lec.* **Sinell**). Tá samplaí eile ríofa i *Log. na hÉ* II 42 den logainm sin *Killeigh* / **Cill Aichidh** *(UF)*.

Má chuirtear i gcás gurb í ***Cluain Sinchill** bunfhoirm an logainm atá idir chamáin, is cinnte nár imigh an fhorbairt rialta chéanna ar theaglaim consan an cháilitheora, *-nch* (caol)-, is a d'imigh ar an logainm **Cill Choinchinn** > *Kilcunnahin SO* i *TÁ* cuir i gcás (mar a bhfaightear guta gúnta idir an dá chonsan). Gheofar samplaí eile d'fhorás an ghuta chúnta idir *-n-* agus *-ch-* i *Log. na hÉ* II 12, 85, 99.

Os a choinne sin, má chuirtear i gcás gurb í ***Cluain Sinill** an bhunfhoirm, ní mór í a thabhairt chun réitigh le lárchonsa(i)n fhoirm Ghaeilge *AL*, **Cluain Singil** agus le fuaimniú áitiúil na bliana 1989, [ˌklɑnˈsiŋɡəl] (*et var*). Míníodh i *Log. na hÉ* II 167, gur réadú ar *-n(n)-* neamhshéimhithe, stairiúil, caol ba ea an fhóinéim /ŋ´/ i nDéise dheisceart *TÁ*. De cheal eolais ar chanúint Nua-Ghaeilge an cheantair atá idir lámha (**Uaithne**), ní áirithe go bhfuil bunús fóinéimeach leis an bhfoghar [ŋ] sa log. Is inmheasta go ndeachaigh an focal Béarla *single* nó **singil** na Gaeilge (n. *a*) i gcion ar fhuaimniú an logainm.

(c)   Cé gurb ionann litriú oifigiúil Béarlaithe *bf Clonsingle* in *IM* (*p* Bhaile an Chaisleáin, *bar* Mhaigh Chaisil) agus litriú Béarlaithe an logainm atá faoi chaibidil, is mór idir fhianaise stairiúil an dá logainm. Is iad seo na blúirí eolais faoi logainm na hIarmhí a fhaightear in *PN Westmeath* 259: 'pronounced *clunshinyel*', **Cluain Sinnil** foirm Ghaeilge *AL*, mar aon le foirmeacha Béarlaithe ón 17ú haois, *Clonsilem, Clonsillane BSD (IM)* 90. Seo cúpla sampla eile den log. atá faighte againn, *Tensillan DS* (1655c), *Clonesillan ASE* 122 (1667). Dealraíonn sé gur de thoradh meititéise a tháinig foirm an Ainmleabhair chun cinn.

Cluain Taidhg
Clonteige K 17; 21; R948788; 6:77

1616	Cloniteige	*CPR* 303
1636	Clone Teige	*Inq.(TÁ)* III 12
	Clonteige	*Inq.(TÁ)* III 16
1661	Clonteige	*Inq.(TÁ)* III 309
1840	Clontegue	*AL:BS*
	Cluain Teig	*AL:pl* (glanta)
	Cluain Taidhg	*AL*:dúch (=*OD*)
1991	ˌklɑnˈteːɡ	*Áit.* (faisnéiseoir amháin)

the pasture of **Tadhg**

Suíomh:
Tá sruthán gan ainm ar theorainn thoir an bhaile fearainn.

Nótaí:
(a)   Mar le cáilitheoir an logainm de, tá breis is fiche sampla de **Tadc** le fáil i mbailiúchán ginealach réamh-Normannach *CGH* (739-740, Index).

Faightear dhá shampla de **Tadhg** i measc ainmneacha bhailte fearainn *TÁ*:

Tá **Mac Taidhg**, ainm athartha / sloinne, caomhnaithe sa logainm *Garrymacteige, TÁ (SO)* 19 (L 34) ar a dtugtar, *Garrane mc Teige CS* II 152, *Gurranevicteige CS* II 156, *Garranevieteige DS* (1657), *Garrane mc Teige CGn*. 47.239.30391 (1725), *Garrymacteigue AL:BS* (1840), **Garrai mhac Taoidhg** *AL*, scríofa le peann luaidhe, **Garraidh mhac Taidhg** *AL*, i bpeannaireacht *OD*, [ˌgariːˌmakˈtəig] *Áit.* (1989). Bhí **garraí** curtha in ionad an aicmitheora **garrán** sa log. áirithe seo faoin tráth ar scríobhadh iontrálacha an Ainmleabhair.

Garraí Thaidhg foirm bhunaidh *Garryteige, TÁ (SO)* 37 (L 116) ar a dtugtar, *Garriteige CPR* 146 (1609), **Ga(rraidh) Thaidhg** *AL*, scríofa le peann luaidhe (agus glanta) agus le dúch i bpeannaireacht *OD*, [ˌgariːˈtəig] *Áit.* (1989).

[195]

(b) I dtaca le fuaimniú an fhocail dheireanaigh de, is díol suntais go raibh défhoghar [əi] i bhfuaimniú áitiúil an dá logainm réamhráite, fad a bhí guta fada [eː] ina ionad ag an bhfaisnéiseoir aonair ar bailíodh *Clonteige* uaidh.

(b) Tá tuairisc ar **Ó Taidhg** in Woulfe (1923, 650) agus tá an sloinne caomhnaithe sa logainm *Ballyheige* i *Ci*, baile fearainn, paróiste agus baile poist i mbarúntacht Chlann Mhuiris; **Baile Uí Thaidhg** an fhoirm Ghaeilge in *GÉ* 29 & in *Bailte Poist* 61 roimhe sin; foirmeacha stairiúla den log., *Balliheig F* 6034 (1597), **Baile Uí Thaidhg** *AL*, scríofa le peann luaidhe (1841).

Níor éirigh linn teacht ar shamplaí stairiúla de **Ó Taidhg** i gceantar Urumhan (barúntachtaí J agus K faoi chaibidil). San iomlán ní dócha gur réadú ar **Uí Thaidhg**, sloinne sa ghinideach, atá sa logainm faoi chaibidil, ainneoin foirm na bliana 1616, *Cloniteige*.

Cluain Tíf
Clontaaffe F 178; 23; S108769; 6:78

1303	Clontathe	*RBO* 73?
1614	Clonteabe	*CPR* 268
1654	Cloneteffe, Clonteafe	*CS* I 4
1657	Cloanteefe	*DS*
1659	Cloneteife	*Cen.* 317
1660c	Cloane Teefe	*BSD (TÁ)* 1
1665-6	Clonteaffe	*HMR (TÁ)* 18
1666-7	Clontafe	*HMR (TÁ)* 147
1668	Cline-Teef, Clontaffe	*ASE* 183
1669	Clontaffe	*ASE* 208
1685	Cloantiffe	*Hib. Del.*
1713	Clonteaff	*CGn.* 11.324.4626
1714	Clontaffe	*CGn.* 13.394.6115
1840	Clontaafe	*AL:BS*
	Táa	*AL:pl (=OD)*
	Cluain Teá	*AL:dúch (=OD)*
1991	ˌklonˈteːf, ˌklanˈteːf	*Áit.*

pasture of ?

Suíomh:
(i) Teorantach lastuaidh le *bf Killough* / **Cill Eochaidh** (F 178) – féach *Log. na hÉ* II 135-6. Tá abhainn na Siúire idir an dá bhaile fearainn.

(ii) Teorantach ar an taobh thoir theas le *bf Kilclareen* / **Cill Chléirín** (F 178) – féach *Log. na hÉ* II 84.

Nótaí:

(a) Níor scríobhadh ach cáilitheoir an logainm le peann luaidhe san Ainmleabhar, **táa** (bl. 1840). Foirm Ghaeilge an dúigh ná **Cluain Teá** in *AL* agus is mar seo a thiontaigh Ó Donnabháin í, 'Taaffe's clon'. Taobh amuigh den chomhréir, is beag idir an t-aistriú Béarla sin agus foirm Bhéarlaithe an logainm a cuireadh síos do 'Boundary Surveyor' in *AL, Clontaafe.*
Sloinne áirithe de bhunús gallda a bhí ar aigne ag an Donnabhánach. Tá tuairisc ar an sloinne sin abhus ag Woulfe (1923, 677) s.v. **Táth,** agus ag MacLysaght (1957, 272-3 & 1969, 205) s.v. *Taaffe (Taa, Tath).* San fhoilseachán deireanach m.sh. is éard atá ráite faoi bhunús an tsloinne, 'This family of Welsh origin (meaning son of David) [*pace* Woulfe, *loc cit.*] who came to Ireland in the thirteenth century, soon became one of the most influential in the country'. Níl sanasaíocht úd an ainm cruinn, mar atá mínithe ag Morgan & Morgan (1985, 30): 'The connexion [of *Taaffe*] with *David / Dafydd* is highly improbable and it is much more likely that the source is the river-name, *Taf (Taff),* ...: it looks as if the -aa- is meant to keep the vowel long as it should be in the river-name'.
Foirm Ghaelaithe de *Taaffe* is ea '**Táa**' an Ainmleabhair. In *Cín Lae Ó Mealláin,* cuir i gcás, tagraítear do 'Uilliam Taffa nó Táa' faoin mbliain 1642 (*Cín Lae Ó M* 7). Ar an gcuma chéanna, i gcás *bf Bawntaaffe* i Lú (*p* Mhainistir Bhuithe, *bar* Fhir Arda) / **Bábhún an Táthaigh** (*Liostaí Log.* Lú 4), b'fhéidir foirm Bhéarlaithe, stairiúil seo an logainm – *Bawnetaffe DS* (1657c) – a chur i gcomórtas leis an tslí a d'fhuaimnítí an sloinne céanna sa cheantar, de réir *LSO (Lú)* 8/12 (bl. 1835), 'the pronunciation is **Táá**'.
B'ann don sloinne *Ta(a)ffe (et var.)* i *TÁ* i ndeireadh an 16ú-17ú haois, ar a dhéanaí: *Janico Taaff COD* VI 82, 97 (1595, 1596; gníomhais a bhaineann le *TÁ*), *George Taff* i bparóiste Chloch an Phrióra (*bar* J) *HMR (TÁ)* 54 (1665-6), *William Taffe* i bparóiste an Aonaigh (*bar* J) *HMR (TÁ)* 182 (1666-7). Is inmheasta go gcuireann leaganacha stairiúla áirithe den logainm atá idir lámha *Taaffe / Tá(th)* in iúl, *Clontafe* (bl. 1666-7), *Clontaffe* (blianta 1668, 1669, 1714) chomh maith le foirmeacha an Ainmleabhair. Os a choinne sin, ní heol dúinn ach logainm amháin i *TÁ* ina bhfaightear ainm de bhunús Normannach i ndiaidh **Cluain** .i. *Clonwalsh / Cluain an Bhreatnaigh supra.* Tá an baol ann gur foirmeacha analachúla iad *Clontaf(f)e* thuas, agus gur athchruthú Gaeilge ar leithéid *Clontaafe* is bun le **táa** san Ainmleabhar.

(b) Tá cáilíocht ghuta tosaigh an cháilitheora débhríoch anseo:
Ar láimh amháin b'fhéidir a cheapadh go bhfuil an délitir -*ea*- i bhfoirmeacha ar nós *Clonteabe* (bl. 1615) ag teacht le foghar áitiúil na bliana 1991 thuas, [—'te:f]. Is réadú ar an bhfoghar sin, ní foláir, na samplaí atá i gcló trom i mo dhiaidh: *Buries Claniceyn COD* V 294 (1578), *Burresclankean CPR* 356 (1616) .i. eiseamláirí de litriú Béarlaithe *p* **Buiríos Uí Chéin** (*bar* J) < **Buirgéis Chlainne Chéin** (Gleeson & Gwynn, 1962, 151-2, & 152, n. 1).

Ar an láimh eile is féidir a áiteamh go gcuireann cuid den fhianaise stairiúil foghar /iː/ in iúl agus gur claochlú analachúil is cúis le foghar /eː/ i bhfuaimniú an lae inniu. Léiriú ar an bhfoghar /eː/ neamhstairiúil (< /iə/) is ea fuaimniú áitiúil **Cill Fhiacal** / *Kilfeakle* i *TÁ* cuir i gcás, [ˌkilˈfeːkəl] (1989) – féach *Log. na hÉ* II 137.

Tá litriú Béarlaithe seo a leanas an tsloinne **Ó Caoimh** (féach Woulfe, 1923, 450-1) a fhaightear in 'fiants' de chuid réimeas Elizabeth I (1558-1603) – *Keife, Keefe, Keef, Kyffe* in *F (Index)* 676 – inchomórtais le foirmeacha stairiúla áirithe de cháilitheoir an logainm faoi chaibidil, leithéid *Cloneteffe* (bl. 1654), *Cloan(e)teefe* (1657, 1660), *Cloneteife* (1659), *Cline-Teef* (1668), *Cloantiffe* (1685).

I gcomhthéacs stairiúil an Bhéarla, d'imigh dhá fhorbairt fhoghraíochta ar ghuta $\bar{e}$ an Mheán-Bhéarla i ré an Nua-Bhéarla, $\bar{e}$ > /ɛː/ > /eː/ ~ /iː/ (Dobson, 1957, II 611): 'Throughout the [early] Modern English period there was a struggle going on between two ways of pronouncing "Middle English $\bar{e}$ words"' (ibid.). Féach i dtaca leis sin de, go bhfuil codarsnacht sa lá atá inniu ann idir fhoghar na ngutaí i bhfocail Bhéarla ar nós, *heath* ~ *break* (Pyles & Algeo, 1992, 173).

(c) Tá tagairt do *Clontathe* sa chuntas ar 'manerium de Thorles' in *RBO* 73 (1303). Cuid den mhainéar Angla-Normanach réamhráite ba ea *Corketeny* (ibid. 70) < **Corcco Tene** *CGH* 249, **Corca Theinedh** *Marcher Lords* 26. **An Teampall Mór** / *Templemore SO* a tugadh ar an bparóiste eaglasta ina dhiaidh sin, mar is léir ó thagairtí ar nós, 'Tempelmore alias Korkehynne' *COD* VI 97 (1596) – féach *Log. na hÉ* II 130. Cé go bhfuil *Clontaffe SO* suite i bparóiste (dlí) an Teampaill Mhóir, ní áirithe gurb ionann é agus **Clontathe** réamhráite.

Ní léir dúinn bunús an cháilitheora anseo.

Cluain Uí Bhriain
Cloneybrien L 34; 19; R741788; 6:79

1635	Clonbryen	*Inq.(TÁ)* II 228
1625-49	Cronbrin	*Inq.(TÁ)* III 284
1654	Cloyneibryne	*CS* II 157
	Cloneibryene	*CS* II 158
	Cloneibrine	*CS* II 153
	Clonbryen	*CS* II 155, 158
	Clonibryen	*CS* II 156
	Clone Ibryne	*CS* II 137, 152
	Cloune Ibrine	*CS* II 143
	Clony Bryne	*CS* II 153, 157
1657	Clonbryne	*DS*
	Clonebrine	*DS (P)*

1659	Clonny Bryen	*Cen.* 323
1714	i **gcluain úi Briain**[a] i ndúthaig Aradh	*Sen. Síl Bhr.* 181 (*var. lec.* [a]**Í Bhriain** *LM* 385)
1762	**chluana úi Briain**[a] (gin.)	*Sen. Síl Bhr.* 181 (*var. lec.* [a]**Í Bhriain** *LM* 385)
1840	Clon ui bhr(aoín)	*AL:pl* (*OC* i láimh scrábach)
	Cluaín uí bhríain	*AL:*dúch (=*OD*?)
1989	ˌkloniː'brəin, ˌklɑniː'brəin	*Áit.*

the pasture of **Ó Briain**

Suíomh:

(i) Seo é an cur síos a rinneadh in *AL* ar chineál na talún sa bhaile fearainn: ' ... partially cultivated, being chiefly composed of rough, boggy land'. Tá an talamh in iarthar agus in ndeisceart an *bf* sléibhtiúil. Tá sliabh den ainm *Tountinna*

Cluain Uí Bhriain i lár slí taobh thoir de Thonn Toinne agus de chnoic eile;
Loch Deirgeirt ar chlé

[199]

i dteorainn leis theas ar a dtugtar **Tul Tuinne** sna samplaí Gaeilge is luaithe atá ar fáil (Leabhar Gabhála Éireann, *LL* I 438; *MDind.* III 274 m.sh.). Rinne **Tonn Toinne** de, de bharr comhshamhlaithe, faoin dara leath den 17ú haois, *Tounetunny CS* II 137, 159, 162 (1654), **Cnoc Thunn Tuinne** *Éigse* VI 231 (1794). Is é an bhrí atá le **toinne** (gin. **tonn**) sa logainm seo, de réir dealraimh, ná 'marsh', ar chuma **Brú Thoinne** i *Co,* log. ar scríobh T. F. O'Rahilly faoi (1933, 200).

(ii) Tá Cluain Uí Bhriain timpeall le ciliméadar go leith lastoir de Loch Deirgeirt (féach an grianghraf ar lch. 199).

(iii) Teorantach lastoir le *bf Killoran* / *Cill Odhráin* (L 34) – féach *Log. na hÉ* II 207-8.

Nótaí:

(a) I nginealach Uí Bhriain a fhaightear solaoidí Gaeilge bhlianta 1714 agus 1762. Tá an t-ábhar ginealaigh seo curtha in eagar as lámhscríbhinní éagsúla in *Senchas Síl Bhriain* agus sa *Leabhar Muimhneach*; féach *Cluain Lis Bó supra*, n. *a*. I dtosach an 14ú haois is ea a lonnaigh sliocht na mBrianach a dtugtaí **Mac Uí Bhriain Aradh** ar a dtaoiseach (*Sen. Síl Bhr.* 180) i ndúthaigh Aradh (> tuaisceart *bar* Uaithne agus Ara): féach cuntas *AIF* 414 (sub anno 1313 §4) ar a n-imirce, 'idem Brian filius Donaldi [I Briain] intrauit Aru super quosdam nobiles de terra fugientes ...'. Go deimhin de réir ionchoisne réimeas Charles I (1625-49) thuas, bhí *Cronbrin* (sic) i seilbh 'M. Mc Brien alias Mc Brien Arra' an tráth úd. Is inmheasta mar sin gur déanaí ná tús an 14ú haois an logainm áirithe seo.

(b) Tá an sloinne **Ó Briain** nó an t-ainm pearsanta **Brian,** caomhnaithe sna trí logainm seo a leanas i mbarúntacht Uaithne agus Ara (féach n. *a*):

bf Gortlassabrien, TÁ (SO) 19, 25 (L 171): na foirmeacha is luaithe den log. ná *Killassebrine DS* (1657), *Killasebrine DS (P), Killassebrine BSD (TÁ)* 202 (1660c) atá ag freagairt do *Coill Leasa (Uí) B(h)riain*. Tá **Gort** le fáil ar dtús san fhoirm *Gortlasea Bryen* in *HMR (TÁ)* 42 (1665-6) agus ina dhiaidh sin san Ainmleabhar, **Gort leasa Bhriain** scríofa le dúch i bpeannaireacht Uí Dhonnabháin agus *Gortlass O Brien* curtha síos do 'Boundary Surveyor' (1840).

bf Tooreenbrien / **Tuairín Bhriain**, *TÁ (SO)* 38 (L 116): *Tworynbryen Inq.(TÁ)* II 245 (1625-49), **Tuairín Bhriain** *AL.*

bf Lisheenbrien / **Lisín Uí Bhriain**, *TÁ (SO)* 19 (L 34): *Lisseene CS* II 157, 'proprietors names in 1640, Kenedy o Bryen' (*et al.*) ibid., **lisín bhriáin** *AL.*

(c) Formhór na mbailte fearainn eile i *TÁ* ina bhfaightear **Brian, Ó Briain** nó **Mac Briain** (ainm athartha / sloinne), tá siad suite in Urumhain Uacht. (= J) nó in Urumhain Íocht. (= K) .i. na barúntachtaí atá lastuaidh agus lastoir de Uaithne agus Ara faoi seach. Seo cuntas achomair orthusan:

Lisbryan / **Lios Bhriain** (J 4): *Lisbryan LN* 16 I 17, 14b (1637), **lios bhriáin** *AL*;

Ashpark / **Baile Uí Bhriain** (J 126): *Bally y Byrne F* 1017 (1552), *Ballebrene F* 3273 (1578), *Ashpark AL*;

Derrybreen / **Doire Uí Bhriain** (J 126): *Derrybreen CGn.* 82.152.57339 (1735), **Doire Ui Bhraoin** *AL*;

Farranmacbrien / **Fearann Mhic Bhriain** (J 133): *Farrenmc brien COD* VI 171 (1614), **Fearann mic Briain** *AL*;

Lisbrien / **Lios Bhriain** (K 105): *Lisbrine CS* II 241 (1654), **lios bhriain** *AL*.

Cluain Uí Chionaoith
Clonakenny F 26; 23; S111798; 6:80

1432	Sluagh Gall do thoighecht a n-Eilibh-hUi-Cherbaill 7 caislen Baile-an-britaigh 7 caisdel **Cluain-hUi-Cínaith** do loscadh	*AU* III 122
1550	Cluoin Cuini	*F* 636?
1585	Cluoin in Keany	*F* 4674
1586	Clonenkeny	*F* 4933
1603	Clonneckvy	*CPR* 28
1604	Clonynceny	*Inq.(TÁ)* I 145
1605	Clonynreny	*CPR* 40
1614	Clwonkeany	*CPR* 268
	Clonihkeany otherwise Clonekeany	*CPR* 295
1654	Clonenakeany	*CS* I 3-5 srl.
	Clonykeany	*CS* I 4
	Clonekeany	*CS* I 7, 11, 16
	Cloneakeany	*CS* I 8
	Clonenakeny	*CS* I 13
	Clonenykeany	*CS* I 19
	Clonekeyne	*CS* I 29
	Clone Icheany	*CS* I 79
1657	Clonakeany, Clonaky	*DS*
1659	Clonkenny	*Cen.* 318
1840	Clonakenney	*AL:BS*
	Cluain Ua Chionaoith	*AL*:dúch (=*OD*)
1991	ˌklɑniːˈkeniː, ˌklɑnəˈkeniː, ˌkleniːˈkeniː	*Áit.*

the pasture of **Ó Cionaoith**

Cluain Uí Chionaoith, an sráidbhaile in uachtar ar chlé agus an portach ar dheis

Suíomh:
(i) Taispeántar *Church (in ruins)* ar *TÁ (SO)* i *bf Clonakenny*. Tá cur síos ar na hiarsmaí eaglasta úd i *LSO (TÁ)* II 81/217 (1840), ag Stout (1984, 100-1) agus in *FSCTÁ* I 237: 'Located on a low, flat-topped ridge … A rectangular enclosure is located … to the East of the East gable of the church … A fortified house and bawn are visible beyond this enclosure to the East … Only the East gable [of the church] survives to any degree'.
(ii) Teorantach lastuaidh le *bf Shanacloon* / **Seanchluain** sa pharóiste céanna (**Boirinn**); féach lch. 215. Cuid de réimse talún 'Clonakeany' faoi chaibidil a bhí ansin i bhfoinsí de chuid an 17ú haois (*CS, DS*).
(iii) Teorantach laisteas le **Cill Eochaidh** – féach *Log. na hÉ* II 135-6.
(iv) Seo cuid den chur síos a rinneadh ar chineál na talún sa bhaile fearainn in *AL*, 'nearly one quarter bog, rest arable' (féach an grianghraf thuas agus an léarscáil ar lch. 203).

Nótaí:
(a) **Cluain Uí Chionaoith** foirm oifigiúil Ghaeilge *Clonakenny* ó 1969 i leith (*Bailte Poist* 89, *GÉ* 68). Tá iontráil Bhéarlaithe an Ainmleabhair, *Clonakenney*, mar aon le foghraíocht áitiúil na bliana 1991 thuas, ag teacht leis an bhfoirm

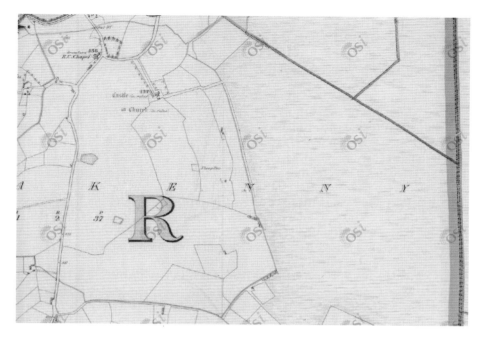

TÁ (SO) 23

sin; féach fianaise Ghaeilge n. *b* chomh maith. Ar éigean gur foirm Ghaeilge ón gcaint í **Cluain Ua Chionaoith** *AL* áfach; ní raibh ach 1.3% de dhaonra bharúntacht **Uí Chairín** ina nGaeilgeoirí de réir daonáireamh na bliana 1851.

(b)   In *AU* IV 80 (Index), ionannaíodh an fhoirm atá i dtéacs Annála Uladh, bliain 1432 thuas, le *Kinnity SO* in *UF* .i. (*p*) **Cionn Eitigh**, *bar* Bhaile an Bhriotaigh (*Liostaí Log. UF* 2) < **Cinn Etigh** (ginideach) *AU* 356 (908 §3) m.sh. (féach faoi **Cenn Eitig** *Onom. Goed.* 225). Níl cruthúnas dá laghad ann a thacódh lena leithéid d'ionannú.

Dar linne, freagraíonn foirm sin Annála Uladh do *Clonakenny* atá i dtrácht. Is ionann **Baile an Bhriotaigh** na hiontrála céanna agus *Ballybritt SO*, baile fearainn agus barúntacht in *UF* thiar theas. Ba chuid de dheoise Chill Dalua í críoch **Éile Uí Chearbhaill** na hiontrála úd ón 12ú haois i leith (Gleeson & Gwynn, 1962, 123-6) < **Éle Tuascirt** (*CGH* 249, LL 329 c 44), ní hionann is **Éile Uí Fhógarta** < **Éle Descirt** (*CGH* 384, LL 325 c 33) a bhí i ndeoise Chaisil (Empey, 1970, 25-6 s.v. *The Cantred of Eliogarty*). Bhain paróiste eaglasta Bhoirne, ina bhfuil *Clonakenny* suite, leis an gcuid de bharúntacht **Uí Chairín** (= F) a bhí i ndeoise Chill Dalua, rud is léir ó thagairtí dó ar nós *Borion* (*Pap.*

[203]

Tax. 302, bl. 1306c) i 'Laoniensis diocese' (ibid. 299), *ecclesia de Burynn, Laoniensis diocesis (Ann. Laon.* 9, bl. 1425).

Ina theannta sin tá fianaise ann, taobh amuigh d'iontráil Annála Uladh, go raibh caisleán ar thalamh *Clonakenny*, 'the castle town and lands of Clwonkeany' *CPR* 268 (1614) cuir i gcás; féach Suíomh, n. *i* thuas agus an sainchuntas atá tugtha in *FSCTÁ* I 392-3 ar 'fortified house and bawn' sa bhaile fearainn.

Níl a leithéid d'iontráil le fáil sna príomhbhailiúcháin eile Annála agus b'fhéidir gur cheart (**Cluain Uí**) **Cinaith** a thuiscint in ionad **Cínaith** (*AU* III, bl. 1432); cf. 'tarrsna **ín** Machaire' (sic) *AU* III 128. Cuir an fhoirm leasaithe úd, ***Cinaith**, i gcomparáid le dhá iontráil atá comhaimseartha léi nach mór in *AU*, **Mac Cinaith an Triucha** *AU* III 50 (1403) agus **Clann-Cinaith in Triucha** *AU* III 140 (1436). Sna macasamhla digiteacha atá ar fáil de Annála Uladh as lámhscríbhinn *Rawl.* B 489 ('Early Manuscripts at Oxford University', suíomh idirlín http://image. ox.ac.uk), is mar seo a scríobhadh na trí iontrálacha sin, **cluana h. cínaith** (fóilió 90R), **Mac cínaith an triucha** (fóilió 84R), **clann chínaith ín triucha** (fóilió 91R) – féach cuntas Ghearóid Mhic Niocaill i mbrollach *AU* (1983) viii-ix ar an dá lámhscríbhinn páir inar scríobhadh na hAnnála úd.

Tugtar aitheantas don sloinne **Mac Cionaoith** i saothar Woulfe (1923, 331, s.v. **Mac Cionaodha**): 'the name of a family who, though belonging to the southern Uí Néill, were chiefs of the barony of Trough [< **Triucha** thuasluaite] in the north of Co. Monaghan'. Is foirm ghinideach dhéanach í **Cinaith** den ainm comónta, luath **Cináed** (féach *CGH* 545-7, Index; is í **Cináeda** foirm choitianta an ghinidigh in *CGH, passim* agus in iontralacha luatha *AU*, bl. 844 m.sh.). Dar le Woulfe (*op. cit.* 466), ba shloinne forleathan **Ó Cionaoith / Ó Cionaodha** ar fud Chúige Mumhan agus Chúige Laighean, agus i gceantracha áirithe eile – bhí Muintear Chionaith in **Uí Mhaine** cuir i gcás, i gCúige Chonnacht (*Hy-Many* 42). Ba ghiúróir i *TÁ* é *Thomas O'Kenayth* sa bhliain 1455 (*COD* III 116).

Cluain Uí Ghaoithín
Clonygaheen L 100; 31, 32; R777683; 6:81

1609	Cloneogihin, Clonogihine	*CPR* 146
1654	Clonygihine	*CS* II 172
	Clonigihine	*CS* II 174, 180
	Clunegeihine	*CS* II 175
	Clonigihyne	*CS* II 176
1657	Clonoghihine	*DS*
	Clonoghahine	*DS (P)*
1659	Clonigh pie	*Cen.* 324
1660c	Clonegihine	*BSD (TÁ)* 207
1665-6	Cloanygivlimn	*HMR (TÁ)* 40

1666-7	Clonygihine	*HMR (TÁ)* 176
1685	Clonoghihin	*Hib. Del.*
1840	Clonegaheen	*AL:BS*
	Cluain ui ghaoithín	*AL:pl* (glanta)
	Cluain Uí ghaoithín	*AL:*dúch (=*OD*)
1989	ˌkluːngəˈhiːn	*Áit.*

the pasture of **Ó Gaoithín**

Suíomh:
(i) Ag críochantacht lastuaidh le *bf Killoscully* / **Cill Ó Scolaí** sa pharóiste céanna – féach *Log. na hÉ* II 217-8. I mbaile fearainn *Clonygaheen* faoi chaibidil, *TÁ (SO)* 32, a bhí cuid de ghléib pharóiste **Cill Ó Scolaí** agus is i mbailte fearainn *Killoscully* agus *Clonygaheen* atá seaniarsmaí eaglasta an pharóiste (*Log. na hÉ* II 217).
(ii) *Mulkear River* (*TÁ, Lm*) / **An Mhaoilchearn** atá ar theorainn thoir an bhaile fearainn. De réir *Civil Survey* (1654) is é ainm a bhí ar an gcuid seo den abhainn i *TÁ* ná 'the Rivolett of Owney' *CS* II 172 srl. .i. ainmníodh an abhainn as dúthaigh **Uaithne** trínar shruthaigh sí.
(iii) Teorantach laistiar le ***Cluain an Locha***.

Nótaí:
(a) **Cluain ui ghaoithín** an fhoirm Ghaeilge a scríobhadh le peann luaidhe san Ainmleabhar (*p* Chill Ó Scolaí). Bhí 5.2% de dhaonra bharúntacht **Uaithne agus Ara** ina gcainteoirí Gaeilge de réir daonáireamh na bliana 1851 agus tá cuma iontaofa ar na foirmeacha Gaeilge a scríobhadh le peann luaidhe in Ainmleabhar **Cill Ó Scolaí**, ar nós *bf Longstone SO* = **Cloch Fhada** *AL:pl*; *bf Middlequarter* = **ceath[ramha]dh láir** *AL:pl* (glanta). Réadú ar an bhfoirm **Cluain Uí Ghaoithín** chomh maith, dar linn, atá i bhfoirmeacha stairiúla *Civil Survey* thuas, leithéid *Clonygihine* (bl. 1654) agus in iontrálacha bhlianta 1665-6 agus 1666-7.
   An fhoirm Bhéarlaithe a cuireadh síos do 'Boundary Surveyor' san Ainmleabhar ná *Clonegaheen* agus dealraíonn sé gur réadú ar an bhfoirm sin atá i bhfuaimniú áitiúil bhliain 1989 thuas.
(b) B'fhéidir a mheas gurbh ionann na solaoidí stairiúla is luaithe den logainm seo – *Clone-ogihin, Clon-ogihine* (bl. 1609) – agus **Cluain Ó nGaoithín** (< **Uí Ghaoithín**, ainm treabhchais). Ní gnách urú a léiriú ar *g-* san fhianaise Bhéarlaithe: Cuirimis na foirmeacha stairiúla réamhráite i gcóimheas m.sh. le fianaise Bhéarlaithe *bf Ballynagoul* / **Baile na nGall** i *Lm* (*p* Eachinse, *bar* Cois Máighe) atá curtha síos i *Log. na hÉ* I 45, leithéidí *Ballynegalt F* 5189 (1588), *Ballynegawle CS* IV 122 (1655). Féach chomh maith fianaise stairiúil ***Cluain na nGaibhne*** *supra*, n. *b* agus an Réamhrá, lch. 8.

(c)   Sampla luath den ainm pearsanta atá caomhnaithe sa logainm seo is ea **Gáethíne mac Cináeda** *CGH* 91 (*Rawl.* B 502 127 a 32; **Loíchsi**), *Bethu Phát.* 117. Mac dósan ba ea **Cennétig mac Gáethíne**, rí Laoighise, a fuair bás sa bhliain 903 (*AU* 354); féach *Frag. Ann.* xxii f., 114 srl. chomh maith.

Tá sampla den sloinne **Ó Gaoithín** san aiste filíochta 'Tuilleadh feasa ar Éirinn oigh' le Giolla-na-naomh Ó hUidhrín (*Top. Poems* 42) inar maíodh gur thiarnaí iad ar **Síol Ealaigh** > *bar Shillelagh* / **Síol Éalaigh** i *CM* – féach *PN Wicklow* VI 339-41.

I gcás an logainm atá idir chamáin, níl aon fhianaise ann – neamhspleách ar an log. féin – go raibh pobal den sloinne / ainm treabhchais **Ó Gaoithín** / **Uí Ghaoithín** i gceantar **Uaithne** (**Tíre**). Díol suime go bhfaightear **Gaoithín** mar cháilitheoir le **Cluain** sa logainm seo a leanas atá timpeall naoi gciliméadar laistiar den tSionainn i seanchríoch Dhál gCais, *bf Cloongaheen East, West* (*p* Chill Ó gCinnéide, *bar* na Tulaí Íocht., *Cl*) ar a dtugtar **Cluana Gaoithín** (ginideach) sa téacs 'Suim Tigernais Meic na Mara' *AID* 45.

Cluain Uí Shé
Cloonyhea I 59; 63; S310406; 6:82

1601	John fitz Wm. O Shee of Cloneoshee	*F* 6564
	Daniel mc. Rob. O Shea of Clonoshea	*F* 6565
1602	Donell Mc Shane O Shea of Clonihe	*F* 6706
1610	Clonehie	*CPR* 174
1654	Clonyhea	*CS* I 158, 160
	Clonihea	*CS* I 160-2, II 380
	Cloone Ishea	*CS* I 100
	Clone Ihea	*CS* I 108
1657	Clonehae	*DS*
	Clonehue	*DS (P)*
1659	Clonehea	*Cen.* 305
1665-6	William Shea de Clonihea	*HMR (TÁ)* 9
1840	Cluain ui s(h)é,	*AL:pl* (glanta)
	Cluain Uí Sheagha	*AL:dúch* (=*OD*)
1993	ˌklonəˈhe:	*Áit.*

the pasture of **Ó Sé**

Suíomh:
Tá glaise gan ainm ar theorainn thoir an bhaile fearainn agus tá bealach eile uisce i ndeisceart an bhaile fearainn; géaga is ea iad araon de *Anner River* / **An Annúir**.

Nótaí:

(a)   Ón ainm pearsanta **Ségdae** (Ó Corráin & Maguire, 1981, 164) a shíolraigh an sloinne **Ó Séaghdha** (> **Ó Sé**), cáilitheoir an logainm. Seo a leanas dhá sholaoid luatha den sloinne úd, 'Hua Ségdai, rí Corcu Duibne' *AIF* 206 (1041 §9), 'Mathgamain Hua Ségdai, ri Corco Duibne' *AIF* 252 (1096 §5). Léiriú beag atá ansin ar cheangal stairiúil **Ó Séaghdha** le *Ci*. Féach chomh maith 'Ó Ségha, rígh Ó Ráthoch' a bhí i 'seanchríoch Ó nDuibhne' de réir Giolla-na-naomh Uí Uidhrín, *Top. Poems* 49, ll 1332, 1322-3; *Onom. Goed.* 293-4 s.v. **Corcu Duibne**.

Sliocht an chine úd a rinne imirce go *TÁ* (agus go *CC*) de réir Carrigan (1905, III 79), Woulfe (1923, 641) agus MacLysaght (1969, 197). Sa 13ú haois a d'aistríodar de réir an údair dheireanaigh (ibid.). Ní miste a lua áfach gur d'Eoghanacht duine den bheirt a raibh an t-ainm **Ségdae** air sa *corpus* ginealach réamh-Normannach, mar atá **m[ac] Ségdai** *CGH* 389 (=LL 327 b 38) ar de chraobh choibhneasa **Áes Gréne** é > *(p)* **Grian** atá suite in oirthear *Lm* ar theorainn *TÁ* (féach *Log. na hÉ* I 119).

Tá daoine den sloinne a bhaineann go sonrach le *TÁ* ar taifead ó thosach an 14ú haois pé scéal é, i gcáipéisí ar nós *Calendar of the Justiciary Rolls*, mar a luadh 'David loth Osethe' *CJR* III 251(1312). In ionchoisnithe a tógadh i *TÁ* sa bhliain 1345 luadh daoine éagsúla den sloinne *Osheth* (*LPEDesm.* 23, 28). Thug O'Rahilly (1930, 171) sampla ón mbliain 1304 ar dhaoine den sloinne *OSchethe* a raibh cónaí orthu i gCo. Thiobraid Árann (38 *RDK* 91). Theastaigh ón Raithileach a léiriú go raibh *dh* na Gaeilge caomhnaithe sa litriú Béarla sin i dtús an 14ú haois.

I measc na ndaoine den sloinne céanna dá dtagraítear in *Calendar of Ormond Deeds* tá *Thomas Ossheth* nó *Oshee* a bhí i seilbh ar 'Crumpistown, Elyottesheiis' agus tailte eile nach iad (*COD* III 393 bl. 1377, gníomhas 1 *et seq.*), ionann is 'Crompestoun and Elyotesheys' *COD* III 71. Tá *Crumpistown* réamhráite ag freagairt do *bf Cramp's-castle SO* i *TÁ* (I 149), mar is léir ó thagairtí stairiúla dó ar nós, 'Crompiscastell, otherwise called Crompisland or Crompistown' *COD* III 494 (1542), *Ballynecrompkghe* alias *Crompes-castell Inq.(TÁ)* I 61 (1547-53). Tá *Cramp's-castle* timpeall naoi gciliméadar taobh thiar theas de *Cloonyhea*. Seans go bhfuil 'Elyottesheiis' réamhluaite comhdhéanta den ainm AN. *Elyot(t)* – foirm de *Elias* (féach *COD* II 234, n.) – agus den sloinne faoi chaibidil. Ní hann don 'logainm' sin a thuilleadh, murab ionann is an logainm seo a leanas: *Shetheslandes* (*COD* V 200), *Sheethesland* (*COD* VI 189) > *Farranshea CS* I 180, 181, .i. réadú ar an bhfoirm Ghaeilge **Fearann Uí Shé** / *Farranshea SO* – baile fearainn atá láimh le *bf Cramp's-castle* thuasluaite, sa pharóiste céanna (Baile Bhriodúnach). Tabhair faoi deara go bhfuil an paróiste úd teorantach le paróiste Dhrongáin ina bhfuil **Cluain Uí Shé** faoi chaibidil suite. Is áirithe mar sin go raibh aicme den sloinne **Ó Séaghdha** i seilbh sa taobh sin tíre faoi dheireadh an 14ú haois.

[207]

Uaireanta faightear an sloinne seo ina cháilitheoir leis an logainm *Cloran SO* / **Cloichreán** chomh maith, i dtagairtí stairiúla ar nós *Cloghranoshee F* 625 (1550). I bparóiste an Chluainín (I, M 39) atá *bf Cloran* agus ráiníonn go bhfuil an paróiste sin buailte le paróiste Dhrongáin freisin.

(b) Is léir ó sholaoidí stairiúla áirithe i nóta *a* go raibh leagan giorraithe den sloinne **Ó Séaghdha** in úsáid chomh fada siar le deireadh an 14ú haois, más foirmeacha comhaimseartha, iontaofa iad *Oshee, Elyottesheiis*. Féach ina theannta sin *Joan Shee* (*et al.*) *COD* III 393 (gníomhas 2, bliain 1450).

I nóta *a* thuas tugadh deismireacht den fhoirm **Ó Ségha** as déantús filíochta le Giolla-na-naomh Ó hUidhrín. Tá cuibheas inmheánach (comhardadh slán) sa dán úd idir **Ségha:séla** (*Top. Poems* ll. 1323-4) agus idir **Ségha:séna** (ibid. ll. 1331-2). Dá bhrí sin, fiú i dteanga choiméadach an Dáin Dhírigh bhí foirm shimplithe den sloinne ceadaithe, foirm gan an consan cuimilteach déadach -*dh*-.

Cluain Uí Thorpa
Clonyharp G 35, H 139; 46; S040535; 6:83

1584	Clonyhorpy	*F* 4371
	Clonehorpe	*F* 4417
1585	Clonyhorpa	*F* 4460
1586	Clowin Ihorpa	*F* 4937
1588	Clone Ithorp	*F* 5085
1600	Clonyhorp	*F* 6441
1601	Clonehorpe	*F* 6531
	Clonehoripe	*F* 6531
1602	Clonehorp	*F* 6706
1607	Clone-Ihorpa	*CPR* 104
1610	Cloneharpe	*CPR* 156
1611	Cloniehorpe	*CPR* 198
1620	Clonyherpy	*Inq.(TÁ)* I 289
1654	Clonyhorpa	*CS* II 76, 77, 81 srl.
1840	Cluain ui torpa	*AL* (G 35):*pl* (=*OD*)
	Cluain uí thórpa	*AL* (G 35):dúch (=*OD*)
	'Clu.. ui Thórpa is the Irish'	*AL* (H 139):*pl* (glanta)
1993	ˌkloniˈharp, ˌkluːniˈharp	*Áit.*

the pasture of **Ó Torpa** (< **Ó Torptha**)

Suíomh:
(i) I gcoigríoch thoir le *Clodiagh River* / **An Chlóideach**.

(ii) I gcoigríoch theas le *bf Clogher* / **An Clochar** ina bhfuil iarsmaí eaglasta an pharóiste suite; féach na solaoidí seo, 'ecclesia de *Cloher, Kloker*' in *Reg. St. Jn. B* 332 srl. (13ú haois).

Nótaí:
(a) Is éard atá ráite ag M. A. O'Brien (1973, 224) faoi dháileadh an ainm phearsanta **Torpaid** (*i*-thamhan) a bhfuil trí shampla déag ar leith de cláraithe in innéacs *CGH* 744, ná 'all S[outh]'. Ba d'Eoghanacht triúr acusan. I ndéanacht eaglasta Chaisil a bhí paróiste an Chlochair sa Mheánaois (= *Clochir Pap. Tax.* 280), mar a bhfuil an baile fearainn faoi chaibidil suite. Is ábhar suime é mar sin gur i gceantar Chaisil a bhí Eoghanacht Chaisil (Ó Corráin, 1972, 5; Byrne, 1973, 176).

Faightear solaoidí luatha den ainm céanna sna hAnnála a bhfuil a ndáileadh ag teacht lenar thug O'Brien faoi deara: féach m.sh. 'Mors Torptha, ríg Corc-Mdrúad' *AIF* 112 (769), 'Mors Tórpda m. Aithechtha, Ríg Corco Bascind' *AIF* 118 (788).

I *TÁ* go sonrach a bhí cónaí ar an triúr seo a leanas sna blianta 1665-7, *John Torpad, Thomas Torpy, Dermott Torpy HMR (TÁ)* 28, 119, 172 faoi seach. Bhíodarsan ag cur fúthu in áiteanna difriúla sa chontae (barúntachtaí Uíbh Eoghain agus Uíbh Fhathaidh Thiar, Chlann Liam, Uí Chairín faoi seach). Tharlódh gurb é an t-ainm réamhluaite **Torpaid(h)** atá caomhnaithe sna sloinnte Béarlaithe sin agus sa logainm faoi chaibidil. Léargas ar an gclaochlú *****Cluain Uí Thorptha** > **Cl. Uí Thorpa/Thórpa** atá i bhfoirmeacha Gaeilge an Ainmleabhair thuas mar sin. Cuir i gcóimheas le malairtí leagain seo a leanas **Torpthai** (gin.) *CGH* 213 (=*Rawl.* B 502 150 a 46): **Torptha** (=LL 326 c 60), **Torpai** (=*Lec.* 216 Rb 42), **Torpa** (=*BB* 175 c 16).

(b) Sloinne de chuid **Tír Fhiachrach** i *Sl* is ea **Ó Tarpaigh** (*Hy-Fiachrach* 172), h. **Tarpa** *AConn.* 22 (1226 §9). Seachfhoirm den sloinne **Ó Tarpa(igh)** is ea **Ó Tórpa, Ó Tórpaigh** dar le Woulfe (1923, 651). Bhí an sloinne **Ó Torpa** áirithe i measc dúchasaigh **Corca Laoighdhe** i *Co* chomh fada siar leis an 12ú haois (Ó Corráin, 1993, 67). Ní thugtar aon aitheantas do **Ó Torptha** (n. *a*) i saothar Woulfe ná i leabhair MacLysaght (1957, 1960, 1969) ach oiread.

LOGAINMNEACHA COMHSHUITE DAR CRÍOCH -*CHLUAIN*

Glaschluain
Glascloyne I 20; 53; S102440; 6:84

1654	Glassclone	*CS* I 247
1666	Glassecloane	*ASE* 55
1840	Glascloyne	*AL:BS*
	Glais chaoin, 'smooth stream'	*AL*:dúch (=*OD*)
1993	ˈglɑsˌkləin	*Áit.*

green pasture

Nótaí:

(a) Is samplaí eile den logainm comhshuite **Glaschluain** < **glas** (aid.) + **cluain** na bailte fearainn seo a leanas:
    Glascloon i *Cl* (*p* Chill Ard, *bar* Ó Breacáin), ionann is *Glasseclowen F* 6617 (1602)?, *Glasloyne CPR* 493 (1621), *Glasclone BSD (Cl)* 435;
    Glascloon in iardheisceart *UF* ar theorainn *TÁ* – féach **Cluain Craicinn** *supra*, Suíomh, n. *ii*;
    Glascurran i *Lm* (*p* Chill Chaoide, *bar* Phobal Bhriain) arb iad seo na foirmeacha is luaithe de, *Glasdoyne* (sic) *Inq.(Lm)* II 169 (1617), *Glascline Inq.(Lm)* II 176 – féach s.v. **An Ghlaschluain** *Log. na hÉ* I 185.

(b) Bhí **Glaschluain** eile i *TÁ* atá dulta ar ceal. Sa chur síos a dhéantar in *CS* I 289 (1654) ar theorainn pharóiste Chluain Meala (D 163), luaitear 'a ditch called Cleynaglasscluony'. Freagraíonn an fhoirm Bhéarlaithe sin do **Claí na Glaschluaine / Glaschluana**. Sampla stairiúil eile den logainm céanna is ea *Glasclone Inq. (TÁ)* III 242 (1639).

Lomchluain
Lumcloon Wood J 58; 5; M991040; 6:85

1840	Lumcloon Wood	*AL*:Mr. O Callaghan
	lom chlúain	*AL:pl*
	lom chluain	*AL*:dúch (=*OC*)
	Áit. —	

bare pasture

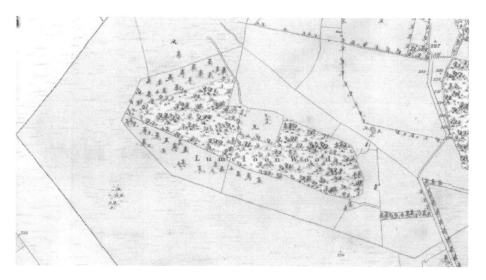

TÁ (SO) 5 (1843)

Lomchluain, imeall na coille le feiceáil fós ar chiumhais an phortaigh

[211]

Suíomh:
 (i) Cuid de bhaile fearainn *Walshpark* ar a dtugtaí **Doire Leathan** i nGaeilge; féach *Cluain Fionnáin supra*, Suíomh, n. *iii*.
 (ii) Rinneadh cur síos mar a leanas ar *Lumcloon Wood* san Ainmleabhar (1840), 'A wood containing about 25 acres' (féach an léarscáil ar lch. 211).
 (iii) Tá talamh portaigh, nó 'Bog' de réir *DS* (bl. 1657), idir **Lomchluain** agus *bf* **Cluain Fionnáin** laisteas (féach an léarscáil agus an grianghraf ar lch. 211).

Nótaí:
 (a) Samplaí eile den logainm comhshuite **Lomchluain** < **lom** (aid.) + **cluain** iad na bailte fearainn seo de réir dealraimh:
   Lomcloon i *Sl* (*p* Chill Athrachta, *bar* Chúil Ó bhFinn) ar a dtugtar **lom chluain** san Ainmleabhar, scríofa le peann luaidhe (bl. 1836);
   Lumcloon i *Ce* (*p* Fhionnmhach, *bar* Ó Dróna Thoir) ar a dtugtar *Lomclone CPR* 225 (1612);
   Lumcloon i *CM* (*p* Achadh Abhall, *bar* Shíol Éalaigh), logainm nach dtugtar ach an t-aon solaoid stairiúil amháin de i *PN Wicklow* VI 373, *Loomecloon* (bl. 1799).
   bf Lumcloon in *UF* (*p* Ghailinne, *bar* Gharraí an Chaisleáin) nó **Lomchluain Í Fhlaithile** *ARÉ* V 1506 (1548).
 (b) Cuir **Lomchluain** i gcomparáid leis an dá shampla seo a leanas den logainm neamhchomhshuite **Cluain Lom**, ina bhfaightear na heilimintí céanna droim ar ais:
   bf Clonlum in *AM* (*p* Chill Shléibhe, *bar* na nOirthear Uacht.) ar a dtugtar *Clonlume Esch. Co. Map* 5.26 (1609), **Cluain lom** *AL*, scríofa le dúch i bpeannaireacht Uí Dhonnabháin (1835c);
   bf Cloonloum i *Cl* (*p* Chluain Lao, *bar.* na Tulaí Íocht.) ar a dtugtar *Clonuloume* (sic) *CGn.* 37.231.22514 (1722), **Cluain lom** *AL*, scríofa le peann luaidhe (1839).

Muc-chluain (1)
Muckloon J 184; 4; M888018; 6:86

1794	Muckloon	*CGn.* 475.476.307034
1840	Muckluen or Muckloon	*AL:BS*
	Muc-chluain	*AL:*dúch (=*OD*)
1989	məˈkluːn	*Áit.* (féach *Muc-chluain 2*, n. *b*)

pig-pasture

Suíomh:
 (i) Loch Deirgeirt atá feadh na teorann thiar agus thuaidh (féach an grianghraf ar an lch. thall). Is éard atá curtha síos ar léarscáil *TÁ (SO)* 4 faoin talamh ar

Muc-chluain, Loch Deirgeirt taobh thuaidh agus taobh thiar de

chiumhais an locha in oirthuaisceart agus in iardheisceart an bhaile fearainn ná 'Liable to floods'.
(ii)   Seo é an cur síos a rinneadh san Ainmleabhar ar chineál na talún sa bhaile fearainn: '… partially cultivated, being composed of bog and rough rocky land'. (Tá cuid den talamh garbh úd le feiceáil in íochtar an ghrianghraif thuas.)

Nótaí:
(a)   Comhshuíomh is ea **muc-chluain** den déanamh ainmfhocal + ainmfhocal (féach Mac Giolla Easpaig, 1981, 156). Cuir i gcomparáid le *Cluain Muc supra*, logainm neamhchomhshuite den déanamh ainmfhocal + ainmfhocal sa ghinideach, mar a bhfaightear na focail chéanna.
(b)   Taobh amuigh de *TÁ*, tá **Muc-chluain** socraithe i nGaeilge ag an mBrainse Logainmneacha do bhailte fearainn ar a dtugtar *Mucklon, Mucklone, Muckloon*

i mBéarla sna contaetha seo a leanas, *CD, Ga, ME* agus *UF* (féach an suíomh idirlín www.logainm.ie). Ní miste a lua go bhfuil **Muc-chluain** / *Mucklone (East, West)* in *UF* (*p* Chill Chuimín, *bar* Chluain Leisc) suite i dteorainn le *TÁ*, i seandúthaigh Éile Uí Chearbhaill; foirmeacha stairiúla den logainm úd is ea *Muclone Inq. Lag. (Com' Regis)* §14 Jac. I (1621), 'the woods of Mucklon in Elly ô Carroll' *CS* II 278 (1654).

Muc-chluain (2)
Muckloonmodderee J 184; 6, 7; R873982; 6:87

1840	Muckluen or Mauddhery	*AL:BS*
	Modderee	*AL:*Ed.Biggs Esq.
	Magh doiridhe	*AL:*dúch (=*OD*)
1989	məˈkluːn	*Áit.* (féach n. *b*)

pig-pasture

Suíomh:
(i) Teorantach ar an taobh thiar theas le **Cluain Inithe** *supra*. Tá portach **Móin an Bhogáin** eatarthu (féach **Cluain Inithe** *supra*, Suíomh, n. *i*). Tá réimse portaigh eile i dtuaisceart an *bf*.
(ii) Is é cur síos a rinneadh in *AL* ar chineál na talún sa bhaile fearainn, 'chiefly composed of bog; the centre only being partially cultivated …'.

Nótaí:
(a) Ní sine an fhianaise stairiúil ná iontrálacha an Ainmleabhair thuas. Ar a shon sin is áirithe go bhfuil an t-ainm Béarla *Muckloonmodderee SO* déanta de dhá logainm ar leith. Measaimid go bhfreagraíonn an dara logainm ('or Maudhery' *BS* thuas) do **Ma(i)gh Doirí**, 'plain of oak-woods'. Mar leis an gcáilitheoir de, féach s.v. **daire, doire** *DIL* (1913, D-degóir 33): 'mod[ern] **doire**, pl[ural] **doiridhe**'.
(b) Tá *Muc-chluain* faoi chaibidil, mar aon le **Muc-chluain 1**, suite i bparóiste Thír Dhá Ghlas. Níl ach timpeall trí chiliméadar slí eatarthu. Aithníodh an dá Mhuc-chluain ó chéile mar seo sa chomharsanacht sa bhliain 1989, 'There's two [məˈkluːnz], upper and lower'.

Seanchluain (1)
Shanacloon B 70; 47; S152548; 6:88

1578	Shanclone	*COD* V 297
1720	Shannaclown	*CGn.* 28.69.16349

1733	Shanacloan	*CGn.* 71.502.52425
1840	Shanacloon	*AL:BS*
	Seana chluain	*AL:pl* (=*OK*)
	Sean-chluain	*AL:*dúch (=*OD*)
1991	ˌʃanəˈkluːn, ˌʃaniːˈkluːn	*Áit.*

old pasture

Suíomh:
Sruthaíonn *Cloghrane River* / **Abhainn Chloichreáin** (?) trí thuaisceart an bhaile fearainn. *Cloughraun* leagan Béarlaithe an ainm úd san Ainmleabhar (*p* na Gallbhuaile), curtha síos do 'Inhabitants'; **Cloithreán** an leagan Gaeilge a scríobh Ó Donnabháin san Ainmleabhar. Ba é éirim an nóta a scríobh Patrick O'Keeffe ar an leathanach céanna den *AL* nach raibh an t-ainm úd ar eolas ag muintir na háite sa bhliain 1840: 'I have made a careful search for the name, but have not found it known to the people. Betty's River is the name of a little river running through Shanacloon'. Is ionann *Betty's River* agus *Cloghrane River* dá réir sin.

Nóta:
Taobh amuigh de *TÁ*, tá an t-ainm Gaeilge **Seanchluain** / **An tS-** socraithe ag an mBrainse Logainmneacha do bhaile fearainn ar a dtugtar *Shanacloon, Shancloon* i mBéarla sna contaetha seo a leanas, *Co, Ga, LG, Lm, PL* agus *UF* (féach an suíomh idirlín www.logainm.ie mar leo sin de).

Seanchluain (2)
Shanacloon F 26; 23; S107810; 6:89

1714	Shanaclone	*CGn.* 14.105.5273
1720	Shanaclown	*CGn.* 26.425.16007
1729	Shanclone, Shancloon	*CGn.* 58.499.40276
1840	Sean chluain	*AL:*dúch (=*OD*)
1991	ˌʃanəˈkluːn	*Áit.*

old pasture

Suíomh:
Cuid de réimse talún *Cluain Uí Chionaoith*, q.v. Suíomh n. *ii*, ba ea **Seanchluain** faoi chaibidil thiar sa 17ú haois.

Seanchluain (3)
Shanacloon H 187; 44, 50; R867487; 6:90

1637	Shaneclone	*Inq.(TÁ)* III 90
1654	Shancloone	*CS* II 79, 83
1654	Shancloon, Shanclone	*CS* II 77
1657	Sanduane	*DS*
1659	Sandvane alias Shancloone	*Cen.* 303
1660c	Sandvan	*BSD (TÁ)* 174
1840	Seana chluain	*AL:pl*
	Sean-chluain	*AL:*dúch (=*OD*)
1991	ˌʃanəˈkluːn	*Áit.*

old pasture

Suíomh:
(i) An t-aicmiú a rinneadh i *DS* (bl. 1657) ar chuid de thalamh an bhaile fearainn ná, 'mount[ain] & old wood'. Is éard ata scríofa faoi chineál na talún sa *bf* in *AL* ná, 'The northern end contans some bog and rough pasture and wood. The remainder is under tillage'.
(ii) Ag críochantacht laisteas le *bf Toem* / **Tuaim** – ar a dtugtar *Tomavereg RVis.(CE)* 311 (1607-8), *Thomeberg RVis.(CE)* 295 (1615), *Toyme CPR* 144 (1609), **Tóm** *AL* (1840) – agus le *bf Kilbeg* / **An Choill Bheag** ina bhfuil iarsmaí eaglasta pharóiste sin Thuama (A, H 187).

AGUISÍN

Logainmneacha eile dar céad eilimint *Cluain* nach bhfuil áirithe sa saothar thuas.

Cluain Baird Mic Úghaine

In saithe aile do Chassiul co hAilill
Flann Becc co rīg Muman. Dobert
side doib **Clūain** [a]**Baird maic
Augaine**[a]

Laud Gen. 307 – *var. lec.* [a-a]**Baird
Mac nUgairi** *Lec.* 125 Ra 15,
Bard mac nUgaire *BB* 169 b
29-30

*the pasture of **Bard mac Úghaine** (< Augaine)?*

Suíomh:
Éiginnte. 'In Feimin … n[ea]r Clonmel' de réir *Onom. Goed.* 255, faoi **C. baird mac n-ugairi**. Maidir le **Feimhean** de, féach *Cluain Conbhruin supra*, Suíomh. Ní thugtar an suíomh úd sna lámhscríbhinní áfach (féach n. *a* thíos). In iardheisceart *Lm* dar le Ó Buachalla (1954) – n. *a* thíos.

Nótaí:
(a) Sa chuntas próis ar chúis 'torchi Corco Ché' (*Laud Gen.* 307 < lámhscríbhinn *Laud* 610) nó **Corco Oichi** (*Lec.* 125 Ra 1-2, *BB*) a fhaightear foirmeacha an logainm thuas. I gcnuasach scéalta ginealaigh a tiomsaíodh sa chéad leath den 8ú haois (Mac Néill, 1929, 116 & 118) a fhaightear an scéal sin. Insítear an scéal céanna i bhfoirm filíochta i ndéantús dar tús 'Ba mol Midend midlaige' (*Laud Gen.* 306, *Lec.* 125 Rb 1-20, *BB* 169 b 47-170 a 12). Ba é **Luccreth moccu Chíara** a chum, file arbh é a *floruit* dar le Carney (1971, 74) – sa staidéar a rinne seisean ar mheadaracht an dáin – timpeall an dara leath den 6ú haois go dtí an chéad cheathrú den 7ú haois (cf. Mac Néill, 1929, 116 áfach: *fl.* 662-5). Níl aon tagairt don log. faoi chaibidil i leagan easnamhach *Lec., BB* den dán. Sa leagan de atá caomhnaithe i *Laud* 610 ceanglaítear, de réir dealraimh, ceantar Iarluachra ar theorainn *Co*, *Lm* agus *Ci* (*Onom. Goed.* 472 s.v. **Irlochair**) leis an logainm seo:
mrogais Clīathaire cia bu hen co rrīg Muman hi Femen.
Fri hAilill Fland Becc dommelt a ríi, dobert side dó Mag Taline;
talléicc a shíl īar cath Cennibrae, dosfūid co rrīg nIrlūachrai.
Doaisbenad doib tír co llī Clūain Baird maic Augaine
(*Laud Gen.* 308).
In iarthar *Lm* a bhí 'Corcu Oche Muman' (*AU* 76, bl. 552) lonnaithe nuair a ghaibh **Uí Fhidhgheinte** forlámhas orthu (Byrne, 1973, 171; Ó Corráin, 1972, 6). Díol suime go rianaítear craobh ginealaigh Ó bhFidhgheinte siar go dtí **Ailill Fland Bec** thuasluaite (*CGH* 230). Níl bun fírinne más ea lena lonnú i **Feimhean**

(Suíomh thuas). In iardheisceart *Lm* a bhí an áit atá idir chamáin dar le Liam Ó Buachalla (1954, 115): '… the king of Cashel gave them [the Corca Ché] lands called Aurchind [féach *Laud Gen.* 307] or Cluain Báird Meic Ugaine, evidently the Killeady district of south-west Limerick which this Corca Ché sept occupied in historical times. This was probably then, as it was afterwards, portion of the Uí Fidgeinte territory …'.

(b) Maidir leis an mhalartaíocht idir **Augaine** agus **Ugaire** sna lámhscríbhinní ina bhfaightear an insint próis thuas, ní foláir nó meascadh dhá ainm ar leith,

Augaire a bhfuil ceithre shampla de cláraithe in *CGH* (Index) 513 agus ar de chraobh ginealaigh Ó Muireadhaigh (**Lagin**) iad ar fad. Féach m.sh. **Augaire** *CGH* 12 (*Rawl.* B 502 117 b 19) agus *var. lec.* **Ūgaire** i LL 337 d 9, **Ūgairi** i *BB* 138 b 15. Tá samplaí den mhalartaíocht idir an défhoghar fada *áu* agus *ú* i ré na Sean-Ghaeilge tugtha ag Greene (1976, 42-3).

Augaine arb é **Augaine** / **Úgaine Már** na réamhstaire an t-aon sampla den ainm a fhaightear in *CGH* (Index); feach **Augaine: Úghaine** (Ó Corráin & Maguire, 1981, 25).

Samplaí eile de **Úgaine** i logainmneacha is ea iad seo: **Cú(i)l Úgaine** 'i Maig Luigne' atá le fáil i *CGSH* 171, §722.13; **Cliú Máil meic Úgaine** sa scéal *Mesca Ulad* (ll.268, 304, 318, 842).

(c) B'fhéidir gurb ainm pearsanta é **Bard** i gcás an logainm atá faoi chaibidil: féach m.sh. an fréamhaí **Bardéne** (< **Bard**) atá léirithe ag Ó Cuív (1986, 161) agus féach go háirithe *p Killymard* / **Cill Ó mBaird** i *DG* (*bar* Bháineach), 'the church of *Uí Bhaird*', ar mar seo a litríodh é i dtéacs eaglasta Laidine, bliain 1428, *Killomayrdd Ann. Ult.* 261.

Cluain Caoláin

	i **Cluáin Cóiláin**	*Rule of Ailbe* 108
1630	Eoghan mac Sarain ó **Cluain Caoláin** dar chum Ailbhe Imlibh Iobhair an riaghail …	*FNÉ* 76

the pasture of Caolán

Suíomh:
Éiginnte. I *TÁ* a bhí mainistir **Cluain Caoláin** dar le O Neill, eagarthóir *Rule of Ailbe* 95.

Nóta:
I ré na Sean-Ghaeilge a scríobhadh an riail a leagtar ar Ailbhe dar teideal, 'Riagol Ailbi oc tinchosc Eogain mic Saráin' (*Rule of Ailbe* 95). Cumadh í do Eoghan mac Saráin i gCluain Caolán. 'The language is Old Irish … The metrical form makes impossible the

supposition that it is the modernisation of an earlier composition. Authorship by Ailbe is, therefore, out of the question … It is a reasonable hypothesis that the poem was written by, or rather at the command of, the *comarba* of Ailbe at Emly to Eogan on the occasion of his elevation to the headship of Clúain-Cóiláin …' (Kenney, 1929, 315).

Cluain Cnaoid[h]each
Knigh J 118; 14; R855849

1306c	Crinteagh	*Pap. Tax.* 302
1546	Knoye	*COD* IV 299
1548/9	Creaghe	*COD* V 33
1550	the Croye	*F* 458
1552	Cnoyaghe	*F* 1020
1562	Cnoyaghe	*F* 463
1566	Curoyghe	*COD* V 168
1570	Croy	*COD* V 188
1572	Croy	*F* 1987
1580c	the Knoye	*Last Lords* 234
1585	Creighe	*F* 4694
1591	Knyghe	*F* 5697
1602	Kinegh	*F* 6583
1603	Kney	*F* 6765
	Knihe	*F* 6775
1615	Kneah	*RVis.(Kill.)* 219
1622	Kneah	*State Dioc.* 120
1624	Kneegh	*CPR* 577
	Kneegh	*Inq.(TÁ)* I 300
1629-30	Kneagh	*VBen.(Laon.)* 14
1633	Kneagh	*RVis.(Laon.)* 166
1650c	**Cluain Cnaoideach**	*Top. Frag.* 80
1654	Knigh	*CS* II 277, 279, 281 srl.
	Kneigh	*CS* II 278
	Kneygh	*CS* II 280
1840	Poraiste an cnaoídh	*AL:pl* (=*OD*)
	Cnaoídh, 'nuts'	*AL*:dúch (=*OD*)
	'It is pronounced like the English word nigh, near. It is called in Irish Cnaoí.'	*OD, LSO (TÁ)* II 41/18
1989	nəi	*Áit.*

Cnaoidheach: *place of enclosures?*

Cluain Cnaoidheach

Teampall an Chnaoi

Suíomh:
Beachtaíodh suíomh **Cluain Cnaoideach** (bliain 1650c) sa téacs bunaidh mar seo, 'in diocese Laonensi, comitatu de Tiobrad Arann, a nUrmhumhain Iochtair' (*Top. Frag.* 80). Is áirithe gur foirm den logainm *Knigh* / **An Cnaoi** atá sa cháilitheoir úd. Taispeántar *Knigh Church (in ruins), burying ground* ar *TÁ (SO)* 14, i *bf, p Knigh* agus tá cur síos ar an suíomh eaglasta in *FSCTÁ* I 251; féach an grianghraf thuas.

Nótaí:
(a) I lámhscríbhinn a tiomsaíodh, de réir cosúlachta, i gColáiste San Antaine, Lobháin sa dara leath den 17ú haois a fhaightear **Cluain Cnaoideach**. Níor tháinig ach blogh den téacs iomlán slán. Dar le Mooney, an té a chuir an téacs in eagar, '[it] may have been intended as an Irish ecclesiastical onomasticon' (*Top. Frag.* 73). Tá fuílleach an ábhair atá againn anseo in ord aibítre. Tá na logainmneacha ar fad a thosaíonn le **Cluain** san ord ceart nach mór, chomh fada le **Cluain Uallach** (*op cit.* 80). Is é an t-ord ina bhfuil na logainmneacha ina dhiaidh sin ná **Cluana Colmain Becc, Cluain Cnaoideach** agus **Cnoc Áine**. Bheadh **Cnaoideach** in ord aibítre mar sin dá mba rud é gur logainm neamhspleách é ann féin. Toisc nach bhfuil oiread is sampla stairiúil amháin eile

de *Knigh* ann a thaispeánann gur logainm é den déanamh **Cluain** + focal eile, ní mór amhras a chur in iontaofacht na foirme úd **Cluain Cnaoideach** (*recte* **Cnaoidheach**, féach n. *b*).

(b) San fhianaise den logainm thuas, ón leagan is sine, *Crinteagh* atá le fáil i gcáin phápach thús an 14ú haois, go dtí *Creighe* ('fiant' na bliana 1585), is líonmhaire an dá litir *Cr-* ná *Cn-* / *Kn-*.

Tá an t-athrú fuaime *cr-* > *cn-* léirithe ag Ó Murchadha (1958, 7-8) leis an logainm *Kinure* i *Co* (*bf, p* i mbarúntacht Chineál Aodha). Thaispeáin seisean gur as **Creamh-dhoire > *Cneamh-** a d'eascair an t-ainm áirithe sin: 'The most unusual change here [in the written forms of the name] is that from "Krivir" to "Knyvre". We are familiar with the Northern custom of changing initial 'cn' to 'cr'; the reverse of this process occurs sporadically in parts of Munster [O'Rahilly, 1932, 22] and seems to have taken place here ...' (*op. cit.* 8). Rinneadh **cneamh** de **creamh** sa logainm (*bf*) *Derricknew* < **Doire an Chreamha** i *TÁ* chomh maith (M 75), mar a léirítear anseo: *Derrinecrew Inq.* (*TÁ*) II 218 (1635), *Deriknogh DS* (*P*) (1657), *Doire nhich in nuad(h) AL*, scríofa le peann luaidhe (1839), [ˌderiːkəˈnjuː] (1989). Tá foirm Ghaeilge an Ainmleabhair de **Cill Churcaí** i *TÁ* ina sampla ar an athrú céanna fuaime de réir dealraimh: **Cill Cnoc Aoidh** (*AL*, bl. 1840) < **Cill *Crucaí** (*Log. na hÉ* II 118-9).

Má chuiream i gcás go bhfuil *Cn-* curtha in ionad *Cr-* sa logainm atá idir chamáin, féadaimid a mheas gur fréamhaí é ón mbunfhocal **cró**, 'enclosure, sty, pen' (féach Kelly, 1997, 366), le hiarmhír aidiachtúil *-ach*. Sa chuntas a scríobh Greene (1983, 1 ff.) faoi stair agus fhorás **cráo** (**cró**), chuir sé síos an díochlaonadh rialta a bhí ag an bhfocal, ar dtús sa tSean-Ghaeilge, **cráo, cró** (ainmneach uatha), **craí** (gin. u.), **crú** (tabh. u.) agus sa Nua-Ghaeilge Chlasaiceach ina dhiaidh sin, **cró** (ain. u.), **craoi** (gin. u.), **crú** (tabh. u.). Go deimhin tá ginideach an fhocail **cró** caomhnaithe i logainm eile de chuid *TÁ*, *bf Knockanacree* / **Cnocán an Chraoi** (J 133) ar a dtugtar *Knockanecry CPR* 298 (1615), **Cnocán a chroidhe** *AL*. Ní domheasta gur ***Craoi(dhe)ach** ó bhunús atá sa logainm faoi chaibidil mar sin, sa chiall 'place of enclosures'(?). Is inmheasta, ach foirmeacha Béarlaithe den logainm faoi chaibidil – *Cnoyaghe* bl. 1552 agus 1562 cuir i gcás – a chur i gcomparáid le leagan Gaeilge an tseachtú haois déag (n. *a*), gur chóir an fhoirm dheireanach a leasú mar seo, **(Cluain) Cnaoid[h]each** le *d* séimhithe.

Cluain Dá Ros

| 1200c | garb crot caol i **cluain da ros** | *Lis.* 194 Vb 32 (*Ac. Bec*) |

pasture of two woods

Suíomh: Éiginnte (féach nóta).

Nóta:
Thuairimigh eagarthóir *Onom. Goed.* 261 gur 'n[ea]r Sliab Crot' a bhí an logainm seo a fhaightear i ndán de chuid na hAgallmha Bige. (Is ionann **Sliabh gCrot** nó **Crota Cliach** agus *Galty Mountains*; féach **Cluain Big** *supra*, Suíomh n. *iii*.) Más í an tagairt do 'crot' sa líne filíochta thuasluaite a chuir an suíomh seo i gceann Hogan, bhí dul amú air. Is léir ó chomhthéacs na laoi ina hiomláine gur tuigeadh gurbh ainm pearsanta é **Garb Crot** nó **Garbc[h]rot** (?) (cf. **Garbchrot** *LL* IV 28784 = **Garb Crot** *Duan. Finn* II 150). Tá an dán úd curtha in eagar chomh maith in *Ag. na Sean.* II 3-6 as lámhscríbhinní *RIA* 24 P 5 agus 23 H 6.

Cluain Mucrais

Is logainm bréagach é seo a dtugtar aitheantas dó in *Onom. Goed.* 268. Tá iontráil úd *Onomasticon Goedelicum* bunaithe ar na solaoidí seo a leanas:

Ciaran **Clu*ana* Mucrais** *Lec.* 36 Vd 10. I gcraobh choibhneasa Naomh Ciarán Chluain Mhic Nóis a fhaightear iontráil sin Leabhar Leacáin. **Cluana Mac / Mucc Nois** malairt leagain na hiontrála sna lámhscríbhinní eile a thugtar in *CGSH* 21 §125.1.

Cluain Mucra*nn* a Crota Cliach *UM* 55 Vb 9 (féach *CGSH* 179 §722.94). Athscríobh míchruinn, **C. Mucrais**, d'iontráil úd Leabhar Ó Maine atá in *Onom. Goed.* (*loc. cit.*). **Cluain Bec** *et var.* .i. **Cluain Big** *supra*, macasamhail na hiontrála sin i lámhscríbhinní eile.

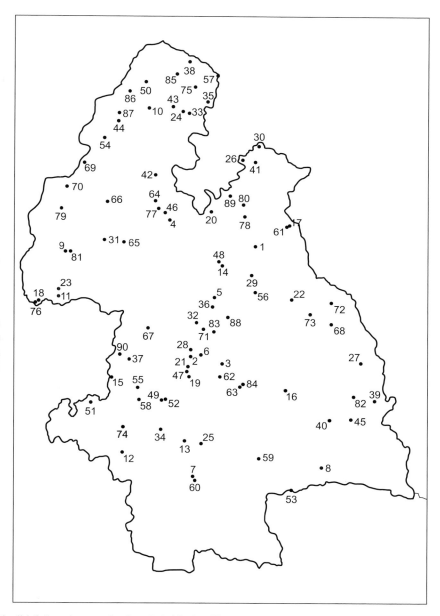

Léaráid 6: Logainmneacha dar céad eilimint *Cluain, Chuainín* nó dar déanamh - *chluain*

[223]

TAGAIRTÍ A CEADAÍODH

(Tá na tagairtí d'fhoilseacháin i bhfoirm Noda agus Giorrúcháin, *AClon.* m.sh., ar lgh. viii-xxiii)

Abbott, T. K. & Gwynn, E. J. (1921): *Catalogue of the Irish manuscripts in the library of Trinity College, Dublin.* BÁC.

Ahlqvist, A. (1994): 'Litriú na Gaeilge', *Stair na G,* 23-59.

Andrews, J. H. (1975): *A Paper Landscape: the Ordnance Survey in nineteenth-century Ireland.* Oxford.

Begley, J. (1906): *The Diocese of Limerick, ancient and medieval.* BÁC.

Binchy, D. A. (1955): 'Coibnes Uisci Thairidne', *Ériu* 17, 52-85.

Bowen, C. (1975-6): 'A historical inventory of the *Dindshenchas*', *Studia Celtica* 10/11, 113-37.

Bradley, J. (1985): 'The medieval towns of Tipperary', *Tipp.: Hist. & Soc.,* 34-59.

Breatnach, R. B. (1947): *The Irish of Ring, Co. Waterford: a phonetic study.* BÁC.

Breatnach, L. (1994): 'An Mheán-Ghaeilge', *Stair na G,* 221-333.

Burke, W. P. (1907): *History of Clonmel.* Waterford.

Byrne, F. J. (1973): *Irish Kings and High-Kings.* London.

_____ (1980): 'Derrynavlan: the historical context', *JRSAI* 110, 116-126.

Candon, A. (1984): 'Ráith Bressail: a suggested identification', *Peritia* 3, 326-9.

Carey, J. (1988): 'Fir Bolg: a native etymology revisited', *CMCS* 16, 77-83.

Carney, J. (1955): *Studies in Irish Literature and History.* BÁC.

_____ (1971): 'Three Old Irish accentual poems', *Ériu* 22, 23-80.

Carrigan, W. (1905): *The history and antiquities of the Diocese of Ossory,* I-IV. BÁC.

Carville, G. (1973): *The heritage of Holy Cross.* Belfast.

Charles-Edwards, T. M. & Kelly, F. (1983): *Bechbretha.* Early Irish Law Series 1. BÁC.

Conway, C. (1955-6): 'The Cistercian Abbey of Inislounaght', *Journal of Clonmel Historical and Archaeological Society* 1, no. 4, 3-13.

Cottle, B. (1978): *The Penguin Dictionary of Surnames* (2ú heagrán; an chéad eagrán 1967). Middlesex etc.

Cox, R. A. V. (2002): *The Gaelic place-names of Carloway, Isle of Lewis: their structure and significance.* BÁC.

de Bhaldraithe, T. (1966): The Irish of Cois Fhairrge, Co. Galway: a phonetic study, (eagrán leasaithe; an chéad eagrán 1945). BÁC.

de Brún, P. (1991): 'The Irish Society's Bible Teachers, 1818-27, VI', *Éigse* 25, 113-49.

Dillon, M. (1952): 'The story of the finding of Cashel', *Ériu* 16, 61-73.

Dobson, E. J. (1957): *English Pronunciation 1500-1700*: I *survey of the sources,* II *phonology.* Oxford.

Duignan, M. (1944): 'Early monastic site at Peakaun, Co. Tipperary', *JRSAI* 74, 226-7.

Dwyer, P. (1878): *The Diocese of Killaloe from the Reformation to the close of the eighteenth century.* BÁC.

Empey, C. A. (1970): 'The cantreds of medieval Tipperary', *NMAJ* 13, 22-9.

(1985): 'The Norman period: 1185-1500', *Tipp.: Hist. & Soc.*, 71-91.

Fitzsimons, E. (2003): 'Maughold of Man', *Nomina* 26, 15-28.

Flanagan, D. (1979): 'Common elements in Irish place-names: *ceall, cill*', *BUPNS* ser. 2, vol. 2, 1-8.

(1980): 'Place-names in Early Irish documentation: structure and composition', *Nomina* 4, 41-4.

(1980-1): 'Common elements in Irish place-names: *dún, ráth, lios*', *BUPNS* ser. 2, vol. 3, 16-29.

Flanagan, D. & Flanagan, L. (1994): *Irish Place Names.* BÁC.

Gleeson, D. F. & Gwynn, A. (1962): *A history of the Diocese of Killaloe.* BÁC.

Greene, D. (1976): 'The diphthongs of Old Irish', *Ériu* 27, 26-45.

(1983): '*Cró, crú* and similar words', *Celtica* 15, 1-9.

Gwynn, A. (1992): *The Irish Church in the eleventh and twelfth centuries*, ed. G. O'Brien. BÁC.

Hamp, E. P. (1989): 'Varia II, 1. *bolg*, "gap"', *Ériu* 40, 181.

Harbison, P. (1992): *Guide to National and Historic Monuments of Ireland, including a selection of other monuments not in State care.* BÁC.

Hennessy, M. (1985): 'Parochial organisation in medieval Tipperary', *Tipp.: Hist. & Soc.*, 60-70.

Hughes, A. J. (1986): 'Clonclayagh', *Ainm* 1, 92-3.

(1993): 'Old Welsh *Cunbran/Conbran* < *Kunobranos* 'wolf-raven', in the light of Old Irish *Conbran(n)*' *Ériu* 44, 95-8.

Jackson, K. (1972): *The Gaelic notes in the Book of Deer.* Cambridge.

Jeffers, R. J. & Lehiste, I. (1979): *Principles and methods for historical linguistics* (2ú cló i gclúdach bog 1980). Cambridge, Massachusetts, London.

Joyce, P. W. (1869, 1875, 1913): *(The origin and history of) Irish names of places* I-III. BÁC.

Joynt, M. (1910): 'Echtra mac Echdach Mugmedóin', *Ériu* 4, 91-111.

Kelly, F. (1975): 'Tiughraind Bhécáin', *Ériu* 26, 66-98.

(1997): *Early Irish farming: a study based mainly on the law-texts of the 7th and 8th centuries AD.* BÁC.

Kenney, J. (1929): *The sources for the early history of Ireland: ecclesiastical,* (athchló 1979). New York, BÁC.

Lord Killanin & Duignan, M. V. (1967): *The Shell Guide to Ireland* (2ú heagrán; an chéad eagrán 1962). London.

Lyons, P. (1939): 'The place-name Clonmel', *JRSAI* 69, 221-2.

Macalister, R. A. S. (1945, 49): *Corpus inscriptionum insularum Celticarum I, II.* BÁC.

Mac Erlean, J. C. (1914): 'Synod of Ráith Breasail: boundaries of the dioceses of Ireland', *Archiv. Hib.* 3, 1-33.

Mac Giolla Easpaig, D. (1981): 'Noun + Noun compounds in Irish placenames', *Études Celtiques* 18, 151-163.

(1995): 'Placenames and early settlement in County Donegal', *Donegal: History and Society*, ed M. Donleavy, W. Nolan, L. Ronayne, 48-81. BÁC.

MacLysaght, E. (1957): *Irish families: their names, arms and origins.* BÁC.

(1960): *More Irish families.* Galway, BÁC.

(1969): *The surnames of Ireland.* Shannon.

Mac Mathúna, L. (1974): *Semantische und etymologische Untersuchungen zum Wortfeld Land im Altirischen* (Tráchtas neamhfhoilsithe Ph.D., Leopold-Franzens-Universität, Innsbruck).

MacNeill [al. Mac Néill], E. [al. J.] (1911): 'Early Irish population-groups: their nomenclature, classification and chronology', *PRIA* 29 C 4, 59-114.

(1929): 'The mythology of Lough Neagh', *Béaloideas* 2, 115-121.

MacNeill, M. (1962): *The Festival of Lughnasa: a study of the survival of the Celtic festival of the beginning of harvest.* Oxford.

Mac Spealáin, G. (1942): 'Notes on place-names in the city and liberties of Limerick', *NMAJ* 3, 98-117.

McCone, K. (1994): 'An tSean-Ghaeilge agus a réamhstair', *Stair na G*, 61-219.

McManus, D. (1983): 'A chronology of the Latin loan-words in Early Irish', *Ériu* 34, 21-71.

(1991): *A Guide to Ogam.* Maynooth.

(1994): 'An Nua-Ghaeilge Chlasaiceach', *Stair na G,* 335-445.

Meid, W. (1970): *Die Romanze von Froech und Findabair: Tain Bó Froích* ... . Innsbruck.

Meyer, K. (1905): *Cáin Adamnáin: An Old-Irish treatise on the law of Adamnan.* Anecdota Oxoniensia. Oxford.

(1907): 'The expulsion of the Déssi', *Ériu* 3, 135-42.

(1912): 'Sanas Cormaic: An Old-Irish glossary compiled by Cormac úa Cuilennáin, King-Bishop of Cashel in the ninth century', *Anecdota from Irish Manuscripts* 4, ed. O. J. Bergin, R. I. Best, K. Meyer & J. G. O'Keeffe. Halle.

Mitchell, F. & Ryan, M. (1990): *Reading the Irish landscape* (eagrán athbhreithnithe; an chéad eagrán 1986). BÁC.

Moloney, M. (1962-5): 'Beccan's hermitage in Aherlow: the riddle of the slabs', *NMAJ* 9, 99-107.

Morgan, T. J. & Morgan, P. (1985): *Welsh Surnames.* Cardiff.

Nicholls, K. W. (1982): 'Anglo-French Ireland and after', *Peritia* 1, 370-403.

(1985): 'Gaelic landownership in Tipperary in the light of the surviving Irish deeds', *Tipp.: Hist. & Soc.*, 92-103.

Nicolaisen, W. F. H. (1976): *Scottish place-names: their study and significance.* London.

Ní Dhonnchadha, M. (1982): 'The guarantor list of *Cáin Adomnáin*, 697', *Peritia* 1, 178-215.

Ní Mhaonaigh, M. (1992): 'Bréifne bias in Cogad Gáedel re Gallaib', *Ériu* 43, 135-158.

Ní Mhurchú, M. & Breathnach, D. (1999): *Beathaisnéis 1782-1881.* BÁC.

O'Brien, M. A. (1923): 'Hibernica', *ZCP* 14, 317-25.

(1956): 'Etymologies and notes', *Celtica* 3, 168-184.

(ed. R. Baumgarten) (1973): 'Old Irish personal names: M. A. O'Brien's "Rhys lecture"-notes, 1957', *Celtica* 10, 211-36.

O'Brien, C. & Sweetman, D. P. (1997): *Archaeological inventory of County Offaly, Fardal seandálaíochta Chontae Uíbh Fhailí.* BÁC.

Ó Buachalla, L. (1951, 1952, 1954, 1956): 'Contributions towards the political history of Munster, 450-800 A.D.', *JCHAS* 56, 87-90; 57, 67-86; 59, 111-26; 61, 89-102.

Ó Canann, T. G. (1986): 'Trí shaorthuatha Mhuinntire Chanannáin: a forgotten Medieval placename', *Donegal Annual* 38, 19-46.

(1989-90): 'Notes on some Donegal placenames', *Ainm* 4, 107-24.

(1993): 'Aspects of an early Irish surname: Ua Canannáin', *Stud. Hib.* 27, 113-144.

Ó Cathasaigh, T. (1984): 'The Déisi and Dyfed', *Éigse* 20, 1-33.

Ó Cearbhaill, P. (1988): 'An Trian Meánach', *THJ* 136-141 [seach-chló ceartaithe].

(1993): 'Cill Chaise nó Cill Chais?: logainm i gContae Thiobraid Árann', *Éigse* 27, 89-97.

(1995-7): 'Abhalta nó Olltaigh srl. i logainmneacha?', *Stud. Hib.* 29, 205-216.

(1999): *Logainmneacha dar céad eilimint cell agus cluain i gCo. Thiobraid Árann agus i mbarúntachtaí Bhaile an Bhriotaigh, Chluain Leisc (Co. Uíbh Fhailí)* (Tráchtas Ph.D., Coláiste na hOllscoile, Baile Átha Cliath).

(2001): 'Déise Chontae Thiobraid Árann', *An Linn Bhuí: iris Ghaeltacht na nDéise* 5, 147-57.

(2005): 'Logainmneacha dar críoch -*ach* i gCo. Thiobraid Árann', *THJ*, 9-23.

(2006): 'Place-names of Co. Tipperary; the foreign element in an inland southern district of Ireland', *Proceedings of the 21st International Congress of Onomastic Sciences, 2002*, ed. E. Brylla & M. Wahlberg, 233-44. Uppsala.

(2007): 'Tipperary place-names and Irish -*ach*', *Proceedings of the 8th Symposium of Societas Celtologica Nordica*, ed. J. E. Rekdal & A. Ó Corráin, 165-85. Uppsala.

(2008): 'The placename Doonsheane', *JCHAS* 113, 28-30.

Ó Cíobháin, B. (1964): 'Logainmneacha ó dheisceart Thiobraid Árann', *Dinnseanchas* 1, 32-42.

(1969): 'Logainmneacha ó bharúntacht Mhaigh Fhearta, Co. an Chláir - II', *Dinnseanchas* 3, 99-108.

(1970-1): 'Logainmneacha ó bharúntacht Mhaigh Fhearta, Co. an Chláir - V, Inis Cathaigh', *Dinnseanchas* 4, 113-125.

Ó Concheanainn, T. (1973): 'The scribe of the Leabhar Breac', *Ériu* 24, 64-79.

(1981-2): 'The three forms of *Dinnshenchas Érenn*', *The Journal of Celtic Studies* 3, no. 1, 88-101, no. 2, 102-131.

O'Connor, P. J. (2001): *Atlas of Irish place-names*. Limerick.

Ó Corráin, D. (1972): *Ireland before the Normans*. BÁC.

(1981): 'The early Irish churches: some aspects of organisation', *Irish Antiquity: essays and studies presented to Professor M.J. O'Kelly*, ed. D. Ó Corráin, 327-341. Cork.

(1993): 'Corcu Loígde: land and families', *Cork: Hist. & Soc.*, 63-81.

Ó Corráin, D. & Maguire, F. (1981): *Gaelic Personal Names*. BÁC.

Ó Cuív, B. (1944): *The Irish of West Muskerry, Co. Cork: a phonetic study*, (athchló 1975). BÁC.

(1986): 'Aspects of Irish personal names', *Celtica* 18, 151-84.

Ó Dálaigh, P. (1995): *Logainmneacha riaracháin dhá bharúntacht in oirthuaisceart Chontae Chorcaí* I-II (Tráchtas neamhfhoilsithe Ph.D., Coláiste na hOllscoile Corcaigh).

Ó hUiginn, R. (1994): 'Gaeilge Chonnacht', *Stair na G*, 539-609.

O'Keeffe, J. G. (1931): 'Four Saints', *Irish Texts* 3, ed. J. Fraser, P. Grosjean & J. G. O'Keeffe, 1-8. London.

Ó Lochlainn, C. (1940): 'Roadways in ancient Ireland', Féil-sgríbhinn Eóin Mhic Néill ... Essays and studies presented to Professor Eóin Mac Neill on the occasion of his seventieth birthday, May 15th, 1938, ed. J. Ryan, 465-474. BÁC.

Ó Máille, T. S. (1960): '*Cuilleann* in áitainmneacha', *Béaloideas* 28, 50-64.

Ó Muraíle, N. (1980): 'Doire na bhFlann alias Doire Eidhneach: an historical and onomastic study', *Stud. Hib.* 20, 111-39.

(1985): *Mayo Places: their names and origins*. Mayo.

(1996): *The celebrated antiquary Dubhaltach Mac Fhirbhisigh (c.1600-1671): his lineage, life and learning*. Maynooth.

Ó Murchadha, D. (1958): 'Two Co. Cork parish names', *JCHAS* 63, 5-8.

(1994-5): 'A reconsideration of some place-names from *The Annals of Connacht*', *Ainm* 6, 1-31.

(1996-7): 'A reconsideration of some place-names from *The Annals of Tigernach*', *Ainm* 7, 1-27.

(1999): 'Where was Ráith Breasail?', *THJ*, 151-61.

Onions, C. T. (ed.) (1950): *The shorter Oxford English Dictionary* I, II (3ú heagrán, leasaithe; an chéad eagrán 1933). Oxford.

O'Rahilly, T. F. (1926): 'Etymological Notes', *SGS* 1, 28-37.

(1926-8): 'The history of the Stowe Missal', *Ériu* 10, 95-109.

(1930): 'Notes on Middle Irish pronunciation', *Hermathena* 20, 152-195.

(1932): *Irish dialects past and present,* (athchló 1988). BÁC.

(1933): 'Notes on Irish place-names', *Hermathena* 48, 196-220.

(1946): *Early Irish history and mythology.* BÁC.

Ó Riain, P. (1977): 'St. Finnbarr: a study in a cult', *JCHAS* 82, 63-82.

(1983): 'Cainnech alias Colum Cille, patron of Ossory', *Folia Gadelica*, ed. P. de Brún, S. Ó Coileáin & P. Ó Riain, 20-35. Cork.

(1990): 'The Tallaght martyrologies, redated', *CMCS* 20, 21-38.

(1993): '"To be named is to exist": the instructive case of Achadh bolg (*Aghabulloge*)', *Cork: Hist. & Soc.*, 45-61.

(2000-1): 'The Martyrology of Óengus: the transmission of the text', *Stud. Hib.* 31, 221-242.

Orpen, G. H. (1911, 1920): *Ireland under the Normans, 1169-1216* I, II; (1920) III. Oxford.

Ó Siadhail, M. (1989): *Modern Irish: grammatical structure and dialectal variation.* Cambridge.

Oskamp, H. P. A. (1970): *The Voyage of Mael Dúin: a study in early Irish voyage literature, followed by an edition of Immram curaig Máele Dúin from the Yellow Book of Lecan in Trinity College, Dublin.* Groningen.

O'Sullivan, A. & Sheehan, J. (1996): *The Iveragh Peninsula: an archaeological survey of South Kerry.* Cork.

Owen, H. W. & Morgan, R. (2007): *Dictionary of the place-names of Wales.* Ceredigion.

Padel, O. J. (1985): *Cornish place-name elements.* English Place-Name Society 56/57, general ed. K. Cameron. Nottingham.

Pender, S. (1951): 'The O Clery book of Genealogies', *Anal. Hib.* 18, 1-194.

Plummer, C. (1925): *Irish Litanies.* London.

Pokorny, J. (1959): *Indogermanisches etymologisches Wörterbuch I.* Bern

Power, P. (1914): *Life of St. Declan of Ardmore (edited from MS in Bibliothèque Royale, Brussels) and Life of St. Mochuda of Lismore (edited from MS in Library of RIA).* ITS 16. London.

Pyles, T. & Algeo, J. (1992): *The origins and development of the English Language* (4ú heagrán; an chéad eagrán 1964). Oxford.

Quin, E. G. & Freeman, T. W. (1948): 'Irish topographical terms', *Irish Geography* 1, no. 5, 151-155.

Reaney, P. H. (1961): *A dictionary of British surnames,* (2ú cló leasaithe; an chéad chló 1958). London.

Reeves, W. (1861): 'On the townland distribution of Ireland', *PRIA* 7, 473-90.

Risk, H. (1970-1): 'French loan-words in Irish', part I, part II, *Études Celtiques* 12, 585-655.

(1974): 'French loan-words in Irish', part III, *Études Celtiques* 14, 67-98.

Ross, N. (1939): *Heroic poetry from the Book of the Dean of Lismore*. Edinburgh.

Russell, P. (1990): *Celtic word formation: the velar suffixes,* BÁC.

(1995): 'Brittonic words in Irish glossaries', *Hispano-Gallo-Brittonica: essays in honour of Professor D. Ellis Evans on the occasion of his sixty-fifth birthday*, ed. J. P. Eska, R. Geraint Gruffydd & N. Jacobs, 166-182. Cardiff.

Ryan, M. (eag.) (1985): *Seoda na hÉireann: ealaín Éireannach, 3000 R.Ch. - 1500 A.D.* BÁC.

Schmidt, K. H. (1957): 'Die Komposition in gallischen Personennamen', *ZCP* 26, 33-301.

Smith, A. H. (1956): *English place-name elements: part I, introduction, bibliography, the elements Á-ĪW, maps.* English Place-Name Society 25, general ed. A. H. Smith. Cambridge.

Smyth, A. P. (1982): *Celtic Leinster: towards an historical geography of Irish civilization, A.D. 500-1600.* BÁC.

Stout, G. T. (1984): *Archaeological survey of the Barony of Ikerrin.* Roscrea.

Strachan, J. (1905): *Contributions to the history of Middle Irish declension,* (athchló ón Philological Society's Transactions, 1905). Hertford.

Toner, G. (1996-7): 'The backward nook: *cúil* and *cúl* in Irish place-names', *Ainm* 7, 113-7.

(1999): 'The definite article in Irish place-names', *Nomina* 22, 5-24.

Ua Súilleabháin, S. (1994): 'Gaeilge na Mumhan', *Stair na G,* 479-538.

van Hamel, A. G. [1932]: *Lebor Bretnach: The Irish version of the Historia Britonum ascribed to Nennius.* BÁC.

Watson, W. J. (1926): *The history of the Celtic place-names of Scotland: being the Rhind lectures on archaeology (expanded), delivered in 1916.* Edinburgh, London.

Williams, N. (1993): *Díolaim Luibheanna.* BÁC.

(1994): 'Na canúintí a theacht chun solais', *Stair na G,* 447-478.

Wood, H. (1907): 'The Templars in Ireland', *PRIA* 26 C 14, 327-377.

Woulfe, P. (1923): *Sloinnte Gaedheal is Gall, Irish names and surnames; collected and edited with explanatory and historical notes.* BÁC.

Innéacs Logainmneacha: Ceannfhoirmeacha Gaeilge

Innéacs Logainmneacha: Ceannfhoirmeacha Béarla

Cuirtear barúntachtaí agus paróistí in iúl leis an gcód cuí (féach lgh. 27-34).

Clon (Beg, More) (B 78)	37	Clonganhue (A 169)	119
Clonagoose (M 117)	123	Clongower (B 185)	117
Clonakenny (F 26)	201	Clongowna (J 58)	120
Clonalea (K 17)	139	Clonismullen (B 60)	145
Clonalough (L 100)	52	Clonkelly (G 147)	84
Clonamicklon (M 30)	182	Clonlahy (M 117)	137
Clonamondra (M 30)	176	Clonlusk (A 154)	146
Clonamuckoge (Beg, More) (B 128)	162	Clonmacaun (J 126)	148
		Clonmaine (A 154)	152
Clonaspoe (G 147)	142	Clonmakilladuff (J 81)	155
Clonbealy (L 116)	55	Clonmel (C, D 163)	153
Clonbeg (A 37)	57	Clonmona (J 58)	164
Clonbonane (A 40)	77	Clonmore (D 79)	166
Clonbrassil (B 60)	63	Clonmore (F 95)	168
Clonbrick (A 169)	68	Clonmore (I 164)	171
Clonbrogan (I 130)	70	Clonmore (K 54)	173
Clonbulloge (A38)	61	Clonmore (North, South) (E 32)	167
Clonbunny (L 116)	75		
Clonbuogh (F 95)	72	Clonmore (North, South) (I 7)	170
Cloncannon (F 24)	80	Clonmore-walk (A 180)	166
Cloncorig (J 127)	92	Clonmurragha (H 187)	174
Cloncracken (F 45)	96	Clonnanoul (J 99)	178
Cloncurry (M 124)	98	Clonoulty (A, G 40)	38
Clondoty (B 129)	101	Clonoura (M 64)	185
Clone (G 40)	36	Clonpet (A 41)	189
Clonedarby (G 40)	100	Clonraskin (J 127)	190
Cloneen (I, M 39)	126	Clonsingle (L 116)	191
Cloneen (F 45)	128	Clontaaffe (F 178)	196
Clonely (G 35)	106	Clonteige (K 17)	195
Cloneska (J 4)	131	Clonwalsh (D 91)	48
Cloneybrien (L 34)	198	Clonygaheen (L 100)	204
Cloneygowney (L 34)	178	Clonyharp (G 35, H 139)	208
Clonfinane (J 127)	108	Cloon (I 7)	36
Clonfree (J 127)	114	Cloon (K 175)	37

Innéacs Logainmneacha eile agus Treabhchas

Tá na hainmneacha seo thíos cláraithe faoina bhfoirmeacha Béarla, nuair is ann dóibh. Tugtar a bhfoirmeacha Gaeilge chomh maith. Foirmeacha Nua-Ghaeilge a thugtar de ghnáth. Aicmítear na logainmneacha i mbailte fearainn, paróistí, barúntachtaí agus contaetha go príomha. Cuirtear barúntachtaí agus paróisti Co. Thiobraid in iúl leis an gcód cuí (féach lgh. 27-34 thuas). Níl foranna, mar **beag**, **mór**, *upper*, *lower* curtha síos anseo.

Áes Gréne: féach **Grean**
Aghabulloge / Achadh Bolg *p* *(Co)*, Aithbhe Bolg 62
Aghowle / Achadh Abhall, Abhla *bf, p (CM)* 40
Aherlow (River) / (An) Eatharlach *abh*, déanacht *(TÁ)* 59
Aill in Bhallán: féach **Ardavullane**
Airgeadach: féach **Rathronan Stream**
Annagh / An tEanach *bf* (J 58) 120-1
Annaholty / Eanach Abhalta *bf* (L 170) 41
Anner River / An Annúir *abh (TÁ)* 48, Andobar 52
Ardavullane / Ard an Bhalláin *bf* (A 29), Aill in Bhalláin 21, n. 14
Ardcandrisk / Ard Conrois *bf, p (LG)* 45
Arglo River / An Arglach *abh (TÁ)*, Arrigidagh 52
Arra (and Owney) / **Ara** (agus Uaithne) *bar* (L), Araidh 179, 200
Ashpark / Baile Uí Bhriain *bf* (J 126) 201
Áth Cléithe *(TÁ)* 89
Áth Cliath *(BÁC)* 88-9
Baile Uí Bhriain: féach **Ashpark**
Ballinagore / Béal Átha Gabhra *bf* (L 196) 118
Ballinagross / Béal Átha na gCros *bf* (J 81) 157
Ballinamore / Béal an Átha Mhóir *bf* (D 113) 48-9
Ballincurry / Baile an Churraigh *bf* (M 48) 99
Ballingarry / Baile an Gharraí *bf, p* (J 9) 157
Ballinree / Baile an Fhraoigh *bf* (I 20) 116
Ballinvoher / Baile an Bhóthair *bf* (D 91) 50
Ballybacon / Baile Uí Bhéacáin *p* (E) 47
Ballybritt / Baile an Bhriotaigh *bf, bar (UF)* 201, 203
Ballybrogan / Baile Uí Bhrógáin *bf (RC)* 72
Ballybunnion / Baile an Bhuinneánaigh *bf (Ci)* 78-9
Ballycahill / Baile Uí Chathail *bf* (B 178) 169
Ballycorick / Béal Átha an Chomhraic *bf (Cl)* 94

St. Peakaun's Well / Tobar Phéacáin (*bf* an Tuairín, A 94) 43
Teach Eithne: féach **Temple-etney**
Teampall Loiscthe, An: féach **Burnchurch**
Temple-etney / Teampall Eithne *p* (D 176), Teach Eithne 21, n. 14, 137
Templemore / An Teampall Mór *p* (B, F 178), Corca Theinedh 198
Templeree / Teampall Rí *p* (F 181), Tuath (an) Rí? 169
Tipperary / Tiobraid Árann *co* (*TÁ*) 112
Tobar Conghlais: féach **Springhouse**
Toberbunny / Tobar Buinne *bf* (*BÁC*) 76
Toem / Tuaim *bf, p* (A, H 187), Tomavereg 216
Togher / An Tóchar *bf* (F 183) 74
Tomona / Tuaim Móinín *bf* (J 135) 165
Tooreenbrien / Tuairín Bhriain *bf* (L 116) 200
Toornamongan / Tuar na mBuinneán *bf* (*CC*) 79
Toragh / Tuaraigh *bf* (G 40) 101
Touloure / Toll Odhar *bf* (E 6) 188
Tountinna / Tonn Toinne sliabh, *bf* (L 171), Tul Tuinne 199-200
Trough / An Triúcha *bar* (*Mu*) 204
Tuath (an) Rí: féach **Templeree**
Tuath C(h)luainín (*TÁ*), Twoheclonyn 128
Tul Tuinne: féach **Tountinna**
Tulach Béla, T. in Béla 57
Tullahennel / Tulaigh Shinill *bf* (*Ci*) 194
Tullamain / Tulaigh Mheáin *bf, p* (I 82, 191) 152-3
Turavoggaun / Tor an Bhogáin *bf* (J 184) 134-5
Turvey / Tuirbhe *bf* (*BÁC*) 57
Twomileborris / Buiríos Léith *p* (B 192) 88
Uí Chanannáin (*TÁ*) 82
Uí Dhaighre (*TÁ*), Uí Daigri Múscraige 150-1
Uí Ghéibheannaigh 179
Walshpark / Doire Leathan *bf* (J 58) 110, 212
Walshsbog / Currach an Bhreatnaigh *bf* (I 115) 51, 99
Youghal / Eochaill *bf* (L 196) 179
Youghalarra / Eochaill *p* (L 196) 179

Innéacs focal, ainmneacha pearsanta, sloinnte

Foirm Nua-Ghaeilge a thugtar de ghnáth san innéacs seo. Tugtar foirmeacha luatha idir lúibíní.

[248]